本课题的研究和本书的出版承蒙日本国际交流基金会资助

日本文化研究

——以中日文化比较为中心

李卓　高宁　主编

中国社会科学出版社

(京)新登字 030 号

图书在版编目(CIP)数据

日本文化研究:以中日文化比较为中心/李卓,高宁主编.—北京:中国社会科学出版社,1998.8

ISBN 7-5004-2354-3

Ⅰ.日… Ⅱ.①李…②高… Ⅲ.①文化-研究-日本②比较文化-日本、中国 Ⅳ.G131.3

中国版本图书馆 CIP 数据核字(98)第 27225 号

中国社会科学出版社出版发行

(北京鼓楼西大街甲 158 号)

北京奥隆印刷厂印刷　新华书店经销

1998 年 8 月第 1 版　1998 年 8 月第 1 次印刷

开本:850×1168 毫米 1/32　印张:13　插页:2

字数:323 千字　印数:1-1500 册

定价:22.00 元

本课题的研究和本书的出版承蒙日本国际交流基金会资助

日本文化研究

——以中日文化比较为中心

李卓　高宁　主编

中国社会科学出版社

（京）新登字 030 号

图书在版编目（CIP）数据

日本文化研究：以中日文化比较为中心/李卓，高宁主编．—北京：中国社会科学出版社，1998．8

ISBN 7－5004－2354－3

Ⅰ．日…　Ⅱ．①李…②高…　Ⅲ．①文化－研究－日本②比较文化－日本、中国　Ⅳ．G131．3

中国版本图书馆 CIP 数据核字(98)第 27225 号

中国社会科学出版社出版发行

（北京鼓楼西大街甲 158 号）

北京奥隆印刷厂印刷　新华书店经销

1998 年 8 月第 1 版　1998 年 8 月第 1 次印刷

开本：850×1168 毫米 1/32　印张：13　插页：2

字数：323 千字　印数：1—1500 册

定价：22．00 元

目录

思想篇

文化篇

文学篇

语言篇

关于比较文化研究的领域（代序）

武 安 隆

比较文化研究近年来颇为盛行，但若追究一下，何谓“比较文化”，翻阅了几种百科全书，并无词条收入。可见比较文化作为一门学科尚处于未定型阶段。

关于比较文化的定义，这里谈一下个人的粗浅看法。

定义A：比较文化是研究异文化间的影响、交流和对应等关系的学问。必须说明，这个定义是笔者从“比较文学”的定义套下来的。显然，这一定义是从研究内容上概括出来的。但实际上，还有一类研究与定义A关连内容有异，而一般也认为应属比较文化研究。所以，我们还需要再作出一个定义。

定义B：比较文化是将不同文化个体的特定文化因素或文化现象进行相互关照和对比以研究其特质、差异和关系的学问。显然，这个定义是从研究的方法论上着眼概括出来的。

以上，A和B着眼点不同，但却有其基本共同点，即比较文化乃是一种跨文化的共同研究。

总之，由于比较文化尚无公认的定义，研究者的理解也各不相同，所以上述两种定义，毋宁说是对时下比较文化研究实践的分类和总结。

至于日本比较文化学科的发展，大体可以看出是经由两条途径发展起来的：

1. 由比较文学延伸而来的比较文化。比较文学于19世纪80年代产生于欧洲，并于20世纪20年代于法国发展起来；法兰西实践学派成为比较文学研究的中心。二战后，美国的比较文学派代替了法国的地位。在日本最早介绍比较文学的是坪内逍遥（时称“比照文学”），其后也出现过研究此道的学者，但整体上说并无长足发展。战后受到美国的影响，开始发展起来。1948年成立“日本比较文学会”。1953年，东京大学开设比较文学比较文化课程。1954年，东京女子大学成立比较文化研究所，出版《比较文化》。50年代，早稻田大学也成立了比较文学研究室。大体说，六七十年代比较文化研究兴旺起来，研究领域迅速扩大，涉及到文学以外的领域，如美术、思想、风俗等等。在众多的研究者中，以东大教养学部为中心的岛田谨二及其后继的芳贺彻、平川祐弘、龟井俊介等引人注目。

2. 非比较文学系统的比较文化。从广义上说，作为启蒙思想家的福泽谕吉、西周等人是这一系统的比较文化的开创者，其后较有成就的可以举出三宅雪岭（《真善美日本人》、《伪恶丑日本人》）、金子坚太郎（《日本人五特质》）、野田义夫（《日本国民性的研究》）、长谷川如是闲（《日本的性格》、《续日本的性格》）、新渡户稻造（《西洋的事情与思想》）、高山岩男（《文化类型学研究》）、中村元（《比较思想论》、《东方人的思维方法》）、加藤周一（《杂种文化》）、梅棹忠夫（《文明的生态史观》）、中根千枝（《纵式社会的人际关系》）、土居健郎（《娇情的构造》）等。一般来说，这个系统的学者越到现代越和文化人类学、民俗学、社会学、心理学等连接起来，将日本文化的某些方面与西方文化相比较，显现出多学科化的局面。

关于比较文化研究的对象，大体可由两类研究窥知其概：

第一类研究。即由比较文学延伸的比较文化研究，用汉语措词可称为“比较研究”，其对象略为：

1. 文化间的交流：甲文化流向乙文化，乙文化流向甲文化，甲乙彼此交流。

2. 文化间的影响：甲文化影响乙文化，乙文化影响甲文化，甲乙彼此影响。

3. 文化间的对应：甲乙文化交接之后，彼此间产生对应或调和。

4. 异文化体验：甲国人去乙国的文化体验或相反。

5. 异文化间的映像：甲国人的乙国观、甲国人的乙国文化观、甲国人眼中的乙国人形象或相反。

6. 异文化间的相互研究实态：甲国的乙国研究状况或相反。

第二类研究。名副其实地将两种文化的同类事物加以比较进行研究，用汉语措词或可称为“对比研究”，其方法略为：

1. 同比：甲文化与异文化的特定因素与现象的相同之点的对比研究。

2. 异比：甲文化与异文化的特定因素与现象的不同之点的对比研究。

3. 异同比：甲文化与异文化的特定因素与现象的相同与不同之点的对比研究。

4. 横向比较：以某一特定时间为横截面，对比不同文化个体的特定文化现象。

5. 纵向比较：在时间轴上截取两个以上不同断面，对比某一文化个体的特定文化现象。

6. 纵横交叉比较：在时间轴上截取两个以上不同断面，对比两个或两个以上文化个体的特定文化现象。

7. 阐发比较：以某一文化的理论、方法和评价标准去阐发另一文化。阐发比较可以以新的视角发现某一文化的新价值，比如有学者以生态学观点出发，阐发出“天人合一”对于环境保护的价值。

以上，我为比较文化所下定义和分类均无把握，而且也避免谈复杂的文化学理论问题，只是大而化之，勾划一个大体的轮廓。

不过有一点还是有自信的，即如果我们研究的是上述第一类研究所列内容，或使用的是第二类研究所列方法，则我们进行的研究，至少在目前大体上可以被认为是比较文化研究。

思想篇

抗日战争时期中日两国儒学研究之比较

王 家 骅

从1931年的“九一八”事变到日本战败的这一时期，史无前例的历史环境使中日两国学者的精神受到巨大的震动。他们的研究方向有意识或无意识地受到时代思潮的影响。研究者的立场的区别，以十分鲜明的色彩表现出来。两国的儒学研究也不例外。本稿将介绍中日两国儒学研究的概况，并对重点学派予以辨别与分析，以期明确该时期两国儒学研究的特色。因篇幅限制，或许会写成提纲式的文章，但若能为今后的研究提供一些线索，笔者便以为得遂初愿。

一 在中国的中国儒学研究

1911年的辛亥革命摧毁了被视为儒学的政治支柱的封建帝制。1919年爆发的“五四运动”，高呼“外争国权，内惩国贼”的口号。“五四运动”既是新文化运动，又是反帝爱国运动。作为新文化运动的“五四运动”，提倡科学与民主，同时批判儒学，具有反封建色彩。当时的社会弥漫着浓厚的反传统气氛。但是，抗日战争开始后，社会思潮发生明显变化。从强调东西文化的对立到重视其融合，从鼓吹否定传统文化到提倡民族文化复兴。各学派的学者，凡有爱国心的，无不以思想为武器尽力于抗日战争的胜利与民族复兴。

1.“当代新儒家” 在“五四”新文化运动批判儒学的同时，

也有一批学者主张积极地评价儒学，并使之得到继承与发扬。梁漱溟（1893—1990）、熊十力（1885—1968）、冯友兰（1895—1990）、贺麟（1902— ）等为其代表人物，被称为“新儒家”。但是，在20年代，否定儒学是压倒性的潮流。进入30年代后，随着抗日斗争的发展，“新儒家”由于提倡文化的民族性、继承性和“文化救亡”，逐渐得到社会的呼应。此外，“新儒家”在吸收近代西方哲学的方法以重建中国儒学新体系方面，也确实取得了新的业绩。日本学者岛田虔次先生曾说：“他们的尝试，在整个远东儒教文化圈来看，显然是非常独特的。”在近代日本，“儒教传统虽然非常浓重地保存下来，但是，或许由于我的孤陋寡闻，还未听说有人依据儒教来有体系地创造自己的哲学”。“虽然有人墨守或祖述孔子、孟子、朱子学或阳明学，但他们似乎只是宣教师。”①

作为“新儒家”的业绩，例如，熊十力于1932年发表了《新唯识论》的文言文本，1944年发表了该书的白话文本。他最初虽欲吸收儒学思想，特别是《易》的“生”、“有”、“动”的思想，以批判与改造佛教的唯识哲学，但最后，他是吸收西方哲学，特别是本格森的生命哲学，来重建儒家哲学。②其紧张思索的背景，当然有抗日思想。“九一八”事变发生后，他说：“今外侮日迫，吾族类益危，吾人必须激发民族思想。”③

冯友兰被称为“抗战期中，中国影响最广声名最大的哲学家”。④他在1931年发表《中国哲学史上卷》，1933年发表《中国哲学史下卷》之后，倾注全力再建传统哲学与创立独特哲学。而他的目的在于“恢复中国传统哲学，激发人们的爱国思想，以抵抗日本的侵略”。⑤从1939年到1946年，他陆续发表“贞元六书”（《新理学》、《新事论》、《新世训》、《新原人》、《新原道》、《新知言》），完成了“新理学”哲学体系。用他本人的话说，他是“接着”理学而展开自己的哲学，不是“照着”理学讲的。他站在“新实在论”的立场上，重新解释与改造传统的程朱理学，从而建立独特的形上学。⑥

贺麟则提倡“文化救亡”，说：“民族复兴本质上应该是民族文化的复兴。民族文化的复兴，其主要的潮流、根本的成份就是儒家思想的复兴、儒家文化的复兴。”⑦1941年，他发表《儒家思想的新开展》等论文。他受新黑格尔主义的影响，吸收康德、黑格尔哲学，试图调和程朱“理学”与陆王“心学”，但是，陆王“心学”的“心即理”思想贯串了他的思想体系。

2. 蒋介石的“力行”哲学与陈立夫的“唯生论” 它们形成于30年代，流行于40年代，是国民党政权的意识形态。蒋介石（1887—1975）先后发表了《自述研究革命哲学经过的阶段》（1932年）、《行的道理》（1939年）、《中国之命运》（1943年）等，提倡“力行”哲学。特别值得注意的是，蒋介石高度评价日本的武士道精神。他认为，一个国家，一个民族的命运是由这个国家的哲学、这个民族的民族精神决定的；日本之所以能强大，称霸东亚，侵略我国，是因为日本以“武士道”为其立国的精神。他又说：“武士道精神”的内容，没有旁的，就是从中国窃取去的王阳明的“致良知”，而“致良知”不过就是“行”。

陈立夫（1900— ）曾发表《唯生论》（1933年）、《生的原理》（1944年）。他说：“宇宙的实质，就是这个滔滔滚滚奔进不停的生命长流。”“唯生论的一元论，认定整个宇宙为一生命的巨流，万物皆有生命，所以是‘生的哲学’。”他还认为，生命的过程就是《中庸》所说的“诚则形，形则著，著则明，明则动，动则变，变则化”这七个阶段，而贯串其中的一贯精神只是一个“诚”字。⑧

3. 实证主义的儒学研究与批判 从20年代到30年代前期，以顾颉刚（1892—1980）、钱玄同（1887—1937）等为中心的“古史辨”学派，展开了对古典文献的实证批判。但是，他们的目的并不在于复兴与回归传统，而是认为中国的古典文献真伪混杂，必须以今日的科学方法对其进行整理，给儒学批判以正当的依据。例如，顾颉刚便认为，作为儒家经典的“六经”等，决不是孔子著作，也不具有历史价值、哲学价值与政治价值。他还论证被儒家尊崇为“圣人”的尧、舜、禹不过是传说中的人物。

4. 马克思主义者的儒学研究与批判　当时的马克思主义者并非全面地否定孔子与孟子。例如，郭沫若（1892—1978）的《中国古代社会研究》（1930年）曾批判儒学，说：“儒家理论的系统，全体就是这样的一个骗局，它是封建制度的极完整的支配理论。”但是，他在《十批判书》的《孔墨批判》（1945年）中，修正了以上的看法。他认为，孔子的基本立场，是顺应当时的社会变革潮流的，他大体上是站在人民利益一边的。孔子思想的核心是“仁”，所谓“仁”是“克己为人”的利他行为。他还认为孔子是出色的教育家。

吕振羽（1900—1980）于1937年发表《中国政治思想史》。他认为，孔子的思想虽具有人道主义精神和唯物论、辩证法的因素，但也具有封建的局限性。

对于“新儒家”，胡绳、赵纪彬、杜国庠、周谷城、蔡尚思等，进行了激烈的批判。他们主要批判了“新儒家”的唯心论和“道统”论。

对于蒋介石的“力行”哲学和陈立夫的“唯生论”，周恩来、艾思奇、胡绳等进行了有力的批判。例如，艾思奇指出，以精神原理“诚”作为创造根源的“力行”哲学和“唯生论”，看上去似乎是二元论，但其本质是唯心论；蒋介石和陈立夫对国民要求“诚”，是为了让国民无条件地、宗教性地服从他们的统治。

二　在日本的中国儒学研究

30年代后期以来，特别是第一次近卫内阁发表“东亚新秩序建设声明”以来，在研究中国儒学的各学派中，“孔子教”学派是受到国家权力支持与保护的，因而成了主流。此外，还有实证主义学派和批判主义学派，但是，似乎没有马克思主义学派的中国儒学研究。

1．孔子教学派　日本的孔子教学派与中国的“新儒家”不同。它强调“孔子教”与“儒教”的区别，并主张，只有日本的“孔子教”才得到孔子的真义，而且也合乎日本的“国体”和“皇道”。与中国的“新儒家”相比较，其保守倾向更为强烈。较之吸收近代思想以再建儒学体系，他们更重视适应天皇制政权的需要而对儒学加以解释。但是，该学派的学者与天皇制政权的关系，因人而异，其实证性研究成果也确有可观之处。

例如，服部宇之吉是首先在日本提出“孔子教”概念的人。他主张：“孔子教在支那仅有形骸，其精神反倒存于日本。”⑨在15年战争期间，他发表了《儒教要典》(1937年)、《孔子教大义》(1939年)、《中庸讲义》(1940年)、《儒教伦理概论》(1941年)等，不断鼓吹“孔子教”。服部宇之吉曾任京城帝国大学总长（在日本占领朝鲜时期的汉城）、东方文化学院院长等，还以评议员的身份参与了“日满文化协会”的建立。服部宇之吉与国家权力的关系相当密切。

服部宇之吉的学生高田真治(1893—1975)，继承其师的思想，先后发表了《儒教之精神》(1937年)、《支那思想研究》(1939年)、《支那思想与现代》(1940年)、《日本儒学史》(1941年)、《支那思想的展开》(1944年)等。他虽不赞成“支那思想少有价值”的说法，但是，只重视儒学的“忠孝一本”和“王道”思想。按照他的说法，“在支那早就存在忠孝一本思想。……孔子最重大义名分，是尊王观念很重的人。从这点就可以说，孔子思想中本来就存在忠君爱国精神。”“但是，他未能实现这一点，在日本才完全实现了这种精神。”“我国体万邦无比之尊严正在于完全而且纯粹地实现了忠孝一致。”此外，关于“王道”与“皇道”的关系，他说：“王道之理想影响于皇道，而且必须努力使王道扶翼皇道。”⑩他的《支那思想与现代》进而赞赏“满洲国”的建立是“王道立国”，把“七七事变”开始的全面侵华战争说成是代替中国“拯救”中国，还将镇压中国民众的“抗日意识”说成是赋予日本的“天命”。⑪

宇野哲人（1875—1974）虽然也和服部宇之吉和高田真治等人一样，认为日本的儒学较之中国的儒学更得孔子“大义名分”之真义，但与他们不同的是，宇野哲人很注意不做政治性的发言。他是比较典型的学院派的学者，30年代以后发表了《东洋伦理学史》（1932年）等书。

2. 实证主义学派　该学派吸收西方的实证主义，又肯定中国清代考据学的优良传统，很重视“原典批判”，但是，与中国的“古史辨”学派又有所不同，它并不否认中国儒学的积极意义。其中一些学者也不支持日本的侵华战争。

例如，在中国研究方面已经取得许多业绩（《支那学文薮》、《读书纂余》、《高山寺本庄子残卷校勘记》等）的著名学者狩野直喜（1868—1947），是京都的“中国学”（所谓的“支那学”）的创始人之一。但是，他在“卢沟桥事变”之后的1938年，辞去了东方文化学院京都研究所所长的职务，专心于研究。他尽可能避免讨论政治。辞职后，在《周易》研究方面又取得了新的业绩。

武内义雄（1886—1966）在战争期间担任东北帝国大学的教授，曾先后发表《诸子概说》（1935年）、《支那思想史》（1936年）、《论语研究》（1939年）、《儒教之精神》（1939年）、《易和中庸的研究》（1943年）。他特别赞赏清朝考据学者王安国、王念孙、王引之一家三代“通过文字研究古典”的实证学问和归纳研究法，批评那种“先入为主，以欧美思想说明东洋文献的寻捷径的方法”。⑫他在1941年虽也曾为昭和天皇进讲“日本的论语学”，但他主要是运用实证的方法进行研究。当然，他的学说也有值得再探讨之处。例如，他的题为《日本之儒教》的论文认为："'忠信'或'诚'这类文字，无疑是出自支那经典的文字，但是，支那近世的儒教勿宁说更为重视'持敬'或'致良知'，是颇具异色的学说。日本虽然也广泛而深入地接受了这种支那近世儒教，但是，其中的'忠信主义'和'诚主义'受到强调，成为日本独特的儒教。可以认为是儒教中与日本固有道德相一致的部分受到强调，得到阐释。"⑬但是，笔者以为这一结论似乎不妥。这是因为，在中国，《中庸》的儒学、唐代李翱的儒学、宋代周敦颐的儒学、明代陈献章的儒学、明末清初王夫之的儒学，都是"诚"中心的儒学。⑭而且张载、程颐、程颢、朱熹、陆九渊、王阳明等宋明理学者，绝未轻视"诚"。⑮

有名的中国研究者吉川幸次郎（1904—1980），从1934年到1941年一直参加东方文化学院京都研究所的共同研究《尚书正义定本》，同时又从1938年开始把《尚书正义》翻译成语体文。1940年2月，岩波书店出版了译本第一册。以后陆续出版了第二、三册，最后的第四册是1943年2月出版的。在战云密布的时期，30岁左右的吉川幸次郎埋头于《尚书正义》的翻译和宋元小说的研究。吉川幸次郎虽未直接批评侵华战争，但是在题为《支那人的日本观和日本人的支那观》的文章中，批判了与侵华战争有关的歧视中国的社会思潮。

当时还有一位学者，虽不大引人注目，但是，在九州一隅进行着踏实的研究。这就是九州帝国大学的教授楠木正继（1896—1963）。他的祖父楠木端山是平户藩的儒者。他继承崎门学脉，通过以体认为旨的明末朱子学与阳明学又回归朱子学，是幕末维新时期的大儒。端山及其弟硕水，共称"西海二程"。楠木正继的父亲海山，以其叔父硕水为师，同时协助叔父著述，一生未离开家乡长崎县的针尾岛。楠木正继在东京大学毕业后，从1926年起就职于九州大学。他一边在九州大学授课，一边在福冈的藏有楠木家三代人图书的书斋里从事踏实的研究。楠木正继很好地继承了家学，认真吸取宋明儒学者的精神，在内心世界中理解其思想方面，下力尤多。他的学风与狩野直喜、武内义雄、吉川幸次郎不同，较之实证主义，称之为道德实践主义似乎更为恰当。楠木正继的学问以真切体认为基础，在当时的中国哲学研究界中，树立了独特的风格。

3. 批判主义学派　该派学者否定以儒学为主的中国传统文化，否认儒学对日本人精神生活的影响。其看法虽未必妥当，但他们怀有与“东亚新秩序”、孔子教学派和“日本精神论”等相对抗的意识。

批判主义学派的代表人物是津田左右吉（1873—1961）。他所说的“批判”，指“本文批判”和“高等批判”。按照津田左右吉的认识，“从古代流传下来的书未必正确”，因而需要“本文批判”。所谓“本文批判”，即是“纠正本文的混杂，改正文字的错误、脱漏、增添，明确章句的区分，由此而确定本文”。在“本文批判”的基础上，再进行所谓“高等批判”。所谓的“高等批判”即是“确定书籍的性质、材料，它形成的经纬和时代，以及编者、著者和他们编纂著作的目的和精神，为达此目的，必须对其进行内容分析并从诸方面进行批判”。[16]津田左右吉的研究方法与中国的“古史辨”学派十分相似。基于这种“本文批判”和“高等批判”方法的儒学研究成果，有《左传的思想史研究》（1935年）、论文集《儒教的研究》所收的诸论文和《论语与孔子的思想》（1947年）等。在这些著作中，津田左右吉指出：“儒教是以权力阶级为本位的，是为支持其而产生的。”[17]例如，“忠”、“孝”等儒家的道德说，是中国的“士人间产生的，是针对他们讲说的”，“至于一般民众，从最初开始就与儒家的说教极少相关，特别是忠君观念，民众与其完全无关”。“从而儒家的道德说教，古往今来，都未曾支配过我国的国民道德生活。儒家的道德说教，是以支那人特殊的家族制度和社会组织，特别是支那人的特殊生活为基础，在其基础上形成的，是为维持与控制这种生活而进行说教的。在家族制度、社会组织政治形态完全不同，即生活完全不同的我国国民中，当然不会实行。”“例如，即使利用孝和忠等道德治术，但那只是指在现实中推行的道德，其内容与儒家之说是不同的。”[18]此外，关于儒家的“王道”，他说，“王道论本来是站在君主的立场上，将民众视为服从自己的地方产生的”，“因而与现代的国家观念及政治思想是不一致的”。[19]“从而所谓的东洋精神和东洋道德，事实上在任何地方都是不存在的。”[20]津田左右吉的上述说法，与“吾国体之万邦无比之尊严，正在于忠孝一致完全且纯粹实现”的说教，声称“以王道扶翼皇道”的“孔子教学派”、“日本精神论”和“东亚新秩序”等是明显相对抗的。但是，也不能忽视，津田左右吉的儒学研究过低地评价了儒学对日本历史的影响。日本战败后，一部分日本学者是不大赞成津田左右吉的意见的。例如，就平安时代以前的日本儒学的影响来说，一部分日本学者认为，“当时的儒教不单是教养和个人的信仰，而且是政治理念、政治方策”，“是法和制度的主要依据”。[21]

三　在日本的日本儒学研究

在战争期间的中国，罕见日本儒学研究。在日本，有关日本儒学的研究，除去极少数的例外，大体都成了“日本精神论”的附庸和“思想国防”的手段，当然其陷入的程度也有差别。从研究对象看，提倡“尊皇”思想、日本主义、武士道的吉田松阴、水户学派、山鹿素行、崎门学派受到重视，而在战败后得到高度评价的伊藤仁斋研究，在战争期间却十分罕见。（请参见附表）

1. 日本精神论　“日本精神”一词是战争期间的流行语之一。

如村冈典嗣指出，“该词由何人何时所用，虽已不能明确得知，但安冈正笃氏于大正十三年进行的日本精神研究，作为标题有该词的著作，或许是最早的一本。而该词被频繁使用的契机，一般认为是发生于昭和六年的满洲事变”。[22]此后，以“日本精神”为题的著作和论文便多得不可胜数。但是，即使是同样提倡“日本精神”，有关“日本精神”之本质的规定也因人而异，对战争的立场也不同。

（1）制造并利用支持战争气氛的一伙

井上哲次郎（1855—1944）在明治时代的日本，构建了以德国唯心论为主流的日本哲学界的基础。他在提倡“现象即实在论”的同时，还首先运用西洋哲学的概念来建立日本儒学史的体系。在这一方面，他是发挥了划时代作用的人物。他是日本讲坛哲学的大人物，也是天皇制政权最忠实的御用学者。在战争期间，他的这一立场毫无变动。他发表了《日本精神的本质》（1934年）和《武士道的本质》（1942年）等，鼓吹“日本精神”。按照井上哲次郎的说法，“日本精神”已经收纳儒学、佛教、基督教，作为“自家药笼中之物”。他进而倡导“复古”。他说：“明治维新后，西洋文化被输入，英、美、法、德、俄等国的思想情调杂然充斥我国，给社会形势带来一大变化。为此，一时形成日本精神被压倒之状态，或受损伤、腐蚀，或受怀疑，但至最近，它又猛然抬头，表现其本来纯然之姿态，扫荡一切不稳不经之毒瓦斯，此不啻使国民如仰天日，更至显示其取得具有永久意义的世界性发展的态度。”[23]此外，井上哲次郎还为日本侵略中国进行辩护，说：“我日本军队，皆为王道之军，军队乃王师，故精神旺盛可战胜任何劲敌。……前年之9月，日支间于满洲交兵，我王者之军至为活跃。结果，自然达到满洲立国，真有‘水到渠成’之感。”[24]

安冈正笃（1898—1983），既是右翼思想教育机关“金鸡学院”的创立者，又是“大学寮”等右翼思想团体的负责人。当时的宫内大臣牧野伸显、宫内次官关屋贞三郎，町田辰三郎、后藤文夫、香坂昌康等官僚，荒木贞夫、秦真次等军部的将校，三井、三菱、安田等财阀，频繁出没于上述右翼机关与团体，与安冈正笃的关系相当密切。安冈正笃曾发表《日本的国体》（1932年）、《东洋政治哲学》（1932年）、《日本精神通义》（1936年）等，鼓吹“日本精神”，并支持侵略战争。在《日本精神通义》（1942年再版本）中，他说：“面对从满洲事变到支那事变这种浴世界之憎恶而日本必须赌其国运的创业时代，如果没有心怀灭私奉公精神，抛弃内部摩擦，忘我而当事的人物和道义，国家就不能前进，就不能打开时局。”他还把太平洋战争的爆发说成是“解放亚细亚民族之圣战之序幕”，还说：“不仅在武力上，在教养，特别在道义上，必须战胜其他民族。”“如果没有作为日本国民的相当程度的修养，就没有面目面对大东亚共荣、八纮为宇的大旗。”㉕安冈正笃主要是在思想和精神方面支持日本的侵略战争。战败后，盟军总司令部（GHQ），把金鸡学院定为超国家主义团体，命令其解散，同时要指定安冈正笃为甲级战犯，是有道理的（安冈正笃是由于蒋介石的说情才未被指定为甲级战犯的）。

当时的广岛文理科大学教授清原贞雄（1885—1964），在鼓吹日本精神方面也相当活跃。在战争期间，他曾发表《山鹿素行》、《日本思想史》、《日本精神概说》（1933年）、《国史和日本精神之显现》（1934年）、《战争与和平》（1937年）等20余部著作，鼓吹“日本精神”。所谓“日本精神”，究系何物？照清原贞雄的说法，“对于将国民自觉心之表现的爱祖国精神具体化能发挥作用且必要的东西，都可作为日本精神”。㉖而“日本精神的中枢”是“仰慕、翼赞天皇，于其凌威下，国民团结一体而迈进”。㉗清原贞雄支持侵略中国。关于“九一八”事变，他说：“昭和六年，……满洲事变突发。此问题对国民而言，实乃生命问题。若成功解决这一难题，几乎已无路可走的我国人口问题、物资问题皆得以解决，国防问题将处于极有利之地位，日本国家之发展便可期待。……面对此重大时期，将会唤起国民之自觉心。由此可见，满洲事变实为于思想上拯救国民。”㉘关于全面侵华战争和太平洋战争，清原贞雄说：“满洲事变进而波及华北，势必所趋于华中，扩大至华南，终于发展为全面的支那事变。蒋介石长达20年的彻底抗日教育，驱使支那民众，特别是青年层抗日、侮日、憎日，其抵抗力是从所未见的坚强。……这样，在国家日益困难的同时，国民的决心不得不愈加坚定，日本精神不得不更加高扬。实情如此，终至达到最后阶段。即是说，此前虽是真正的敌人，但躲在重庆政权背后，狡猾地避免直接与我国作战的美英两国，终于与我国直接以炮火相见。……今日之战争，是武力战、经济战与思想战合一的战争。……在如今，敌国虽已败于武力战，但仍努力继续思想战。”“今日国民表现之如此磅礴之日本精神，实与吾国家赌国运而战，立于兴亡之歧路之现状密切关联。”“国民愈加坚定日本精神之信念，对于敌国任何阴谋宣传均持毅然态度，对于将此大东亚战争引向我国胜利之坦途，对于我国永远之存续发展，皆属绝对必要。”㉙

在战争期间的日本思想研究界，最受重视的研究对象是吉田松阴和山鹿素行。在研究吉田松阴和山鹿素行并出版有关资料方面，中心人物是广濑丰。广濑丰是海军大佐，还兼任军事史学会理事和国民精神文化研究所的“嘱托”等职务。他参与了《吉田松阴全集》和《山鹿素行全集》的编纂，发表了多部研究著作。在水户学派的研究方面，最活跃的人物是，当时的日本大学教授、新东方协会会长、日本文学报国会评议员高须芳次郎（1878—1948）。当时有关吉田松阴、山鹿素行和水户学派的研究，除去极少数的例外，（如关根悦郎的《吉田松阴》）几乎都走上了鼓吹“日本精神论”的轨道。例如，高须芳次郎说：“回顾水户学便可发现，在树立国民道德和以日本国体为基本而谋求政教刷新方面，在以纯粹的日本精神解释国史方面，它都有促使现代人深切反省之处。”“若所有的日本国民都能充分自觉皇道精神，那么无论是马克思主义，还是自由主义，都是容易统御与克服的。所以，今日最为紧要的是皇道精神。在这种形势下，水户学能给现代人以有力的启示。”㉚高须芳次郎还曾发表《战时青年应选择的道路》（1942 年）、《争取思想战的胜利》（1943 年）等。西村文则在《藤田幽谷》（1940 年）中说：“吾等以为，当今吾日本帝国之时局又重新需要‘尊王攘夷’精神，此时必须认真回顾幽谷提倡的此千古不磨的活标语及其学统思想。”㉛北条猛次郎在《维新水户学派的活跃》中说：“当今我国民面对前所未有的国难与国民总力战，若高扬发而为万朵之樱，凝而为百炼之铁的水户学，则决非无意义之举。”㉜在战败后，“水户学被指责为军国主义的根源，有关图书成为禁书”，也是理所必至的事。㉝

（2）从“人伦国家”论走向肯定战争

和辻哲郎（1889—1961），是迄今为止仍给予日本学界重大影响的大学者。在日本文化、日本思想和伦理学研究方面，他留下许多出色的业绩。在《古寺巡礼》（1919 年）中表现出来的过人的美的感受性，以及在《风土——人间学的考察》（1935 年）所看到的直观的深刻与尖锐，至今仍令许多读者感动不已。他的思想历程虽相当复杂，但是，直至战后，他的根本姿态，即他对日本文化优秀性和天皇制国家的热爱与信赖，终无变化。在战争期间，作为这一根本姿态的表现，和辻哲郎陆续发表了《作为人间学的伦理学》（1934 年）、《续日本精神史研究》（1935 年）、《风土——人间学的考察》（1935 年）、《伦理学·上卷》（1937 年）、《孔子》（1938 年）、《伦理学·中卷》（1942 年）、《尊皇思想及其传统》（1943 年）、《日本的臣道·美国的国民性》（1944 年），等等。

和辻哲郎的《作为人间学的伦理学》和《伦理学·上卷》，在人与人的关系（“间柄”）中认识人，并根据这一独特理论，分析与再解释康德的实践哲学。但是，他的“日本精神”论，却缺乏理论深度和对本国文化的反省，不能不说它是追随潮流的。他的《续日本精神史研究》认为：“所谓日本精神，不外是日本特殊形态的绝对精神。”“于是，我大体承认把日本精神解释为日本民族的主体性的整体性的立场。”“鼓吹日本精神”就是“强调本国的传统，也就是讲国民的自觉，这为何被说成是反革新呢？……否，决非如此。”“由于满洲事变和国际联盟的压迫而唤起的国民的自觉，如今以‘日本精神’的标语表现出来。”“如果认为日本精神的发露就是日本民族的生的表现的话，那么必须在此承认这一发露。”[31]和辻哲郎的“日本精神”论，与井上哲次郎等人对“日本精神”的狂热鼓吹不同之处在于，它根据“绝对空”的哲学稍加了理论润饰。而两者的相同之处在于，同是狭隘的民族主义和对战争的肯定。

和辻哲郎的《尊皇思想及其传统》，“试图对作为我国伦理思想骨干的尊皇思想，进行历史的概观”。它认为，“尊皇思想是我国国民生活根深蒂固的基调，它在任何时代都不曾消失其踪影。即使拥有权力的人们忘却它时，国民也绝不曾忘却”。[35]和辻哲郎完全是从尊皇思想史的角度去把握江户时代的儒学史的。他认为，藤原惺窝、林罗山、中江藤树“虽对尊皇思想是消极的”，“但是，山崎闇斋、熊泽蕃山、山鹿素行、水户光圀及其周围的儒学者们，稍晚还有新井白石等人，他们以各种方式积极地表现了尊皇思想。这恰好与日本儒学的独立意识相表里，并伴随着元禄文化的形成”。[36]很难说以上认识是否正确地把握了江户时代儒学的潮流和日本儒学的特质。

和辻哲郎的《伦理学·中卷》主要是说明“人伦的组织”。该书认为，“人伦的组织”依照下列顺序展开，“家族”、“亲族”、“地缘共同体”，最后是“国家”。成为各人伦组织之根本的，是国家。国家是人伦组织的人伦组织。国家作为人伦组织，具有最高的意义，因而“由国家所规定的每个成员的行为方式是什么，就不言而自明了。它充分体现于《教育敕语》‘重国宪，遵国法，一旦有缓急则义勇奉公’这句话中”。“如果国家的本质在于它是人伦的组织，那么必须严密地从这一视点规定国防和战争的意义。国防是作为人伦性组织的国家的防卫，是护持人伦之道。正因为如此，我们必须认识到，国防不是手段，其自身便具有人伦的意义。……对抗对这一国家的攻击并实行防卫战争，也是人伦之道。……极端地认为战争是非人道的，也表现了人伦上的软弱。”㊲如同上述，和辻哲郎在《伦理学·中卷》中，是在普遍意义和理论意义上，由“人伦国家”论走向了肯定战争，还没有直接言及当时的侵华战争和太平洋战争。而在和辻哲郎的《大东亚的指导性国民教育方针》和《关于大东亚建设的意见》等文章中，便明确地鼓吹当时的战争和侵略亚洲各国的正当性了。他说：“在由战争形成的大东亚圈，根本应是依靠力量的统一。”“对于这一大东亚建设事业，目前阶段不外是大东亚战争的彻底获胜。从而，服务于这一战争便是服务于大东亚建设这一道义的目的。基于这一确信，让东亚诸民族为大东亚战争而劳动，乃至以诸民族作为大东亚战争之牺牲，亦应在所不辞。在这一点上，我以为一切客气都是不必要的。”㊳作为中国学者，我读到此处文章，不禁毛骨悚然。但是，和辻哲郎也反对“以尊皇思想为武器”而在“思想国防的招牌下进行的”“对国家中知识阶层的镇压”。㊴而且到了失败的势头日益明显的1945年3月以后，他对自己支持战争的言行开始进行反省。不过，和辻哲郎将侵略战争视为“圣战”，乃至以东亚“诸民族作为大东亚战争之牺牲，亦应在所不辞”，这不能不说是战争期间的日本知识分子的悲剧。产生这一悲剧的重要原因，或许在于他的研究所表现的日本主义性格，在于他对“日本精神”的独特性乃至优秀性的无批判的礼赞。

（3）未迎合国粹主义而立足于实证的日本精神论

村冈典嗣（1884—1946）是当时东北帝国大学的教授，是日本思想史学的开拓者之一。战争期间，他曾发表《日本哲学史》、《神道的伦理学》（1932年）、《日本文化史概说》、《素行・宣长》（1938年）、《续日本思想史研究》（1939年）、《日本精神论》（1943年）等，也以“国体”和“日本精神”作为研究主题，但是，他对这些课题的研究，与战争期间流行的、盲目的国粹主义主张不同。村冈典嗣十分谨慎，不提狂热的国粹主义主张，也不作鼓吹战争的发言，一直立足于客观的文献学考证，始终贯串批判的态度。他说：“吾人尝试的日本精神论，与鼓吹日本精神自当有别，是以吾人知性为对象的论考。它以明确日本精神究为何物为主要目的，据此目的自会发挥其价值，同时又多少会涉及批判。”[40]村冈典嗣对于安冈正笃等人“把日本精神完全看成是日本国民精神发扬的、具有优越价值的东西的认识”持批判态度。[41]他认为“日本精神”是“历史性的”。照村冈典嗣的说法，“日本历史的特性，或曰历史的日本的个性”有二。“第一是所谓国体，第二是摄取世界文化。”[42]他反对国粹主义的主张，说：“我国文化，在明治以前得益于儒教和佛教，明治以后得益于西洋文化。如没有这些影响，我国文化则几乎不能存在。这是历史上的事实。”[43]不过，“贯串作为历史的日本的个性的这两个方面，且进而成为其根柢的”，“才可称为作为历史的日本之原理的日本精神”。“在向古典寻求表现我国民道义的观念时，吾人可以安心列举的是‘清明心’观念。”[44]但是，“吾人所尝试的有关日本精神的论考，特别有益于实际的，是对日本精神的批判，即对其长处与短处的反省”。“日本精神的所谓短处与缺点，虽未必是本质的，但也并非偶然。”“关于这一点，吾人所列举的一是可称洁癖性的倾向”，再有或许是其“独善性”。[45]诚然，在战后50余年的今天，村冈典嗣的上述说法，不免令人有隔世之感；但是，这些言论是在战争的高潮中，在“神国日本”、“鬼畜英美”之类狂热的国粹主义流行的时代里发表的。思及此，我们或许可以说，村冈典嗣的“日本精神”论，是贯串着严峻的学问精神的。

2. 实证性研究　战争期间，有一部分日本儒学的研究者，埋头于实证性研究，未被鼓吹“日本精神”论和支持战争的浪潮吞没。足利衍述发表了《镰仓·室町时代之儒教》(1932年)，岩桥遵成发表了《徂徕研究》(1934年)，山崎正董发表了《横井小楠》(1938年)，大江文城的《本邦儒学史论考》(1944年)，在其序文中虽也说:“今日惨刻苛烈之战波，遍及全世界，英美举其蓄积之宏大军备迫及我之四周。予于本稿点窜之际，几度投笔，忾焉不堪忧愤激昂之感。”但是，该书的正文基本是实证性的，仍具有相当的学术价值。

3. 马克思主义学者的研究　自“九一八”事变前后，日本国家权力对思想与言论的压制日益强化。从1937年到1941年，在“浑然一致的态势”为目标的大正翼赞体制下，是不能容许批判性的言论与思想存在的。无论是作者，还是读者，都通过出版统制机构而受到监视。1941年12月8日对英美开战以来，在“国内思想战”的旗号下，对“敌性思想”、“英美思想”、“犹太思想”、“赤化思想”的揭发与攻击更加严酷，一切理性的思维和批判性的言行都被压制。由于严酷的镇压，许多曾信仰共产主义和自由主义的思想家们都“转向”了。在这种恶劣的条件下，仍有少数马克思主义者，坚持马克思主义的立场，与军国主义、国粹主义相对抗，以批判性的态度继续研究日本儒学。其代表人物是永田广志。

永田广志(1904—1947)在1935年以前，主要从事理论性研究。但是，在1935年以后，在哲学理论方面，已不可能从正面谈论马克思主义。同时由于当时正流行对古代思想家的国粹主义评价，因而，他决心以研究日本思想史的形式，继续其思想斗争。永田广志先后发表了《日本唯物论史》(1936年)、《日本封建制意识形态》(1938 年)、《日本哲学思想史》(1938 年)。尤其是《日本哲学思想史》，永田广志自己也认为这是一部力作。它从历史唯物主义的观点出发，在与经济、政治的关联上，力图正确理解以日本儒学为主的，包括佛教、国学、心学、洋学的诸家思想的内容，并明确其历史的与现实的意义。但是，又未拘泥于阶级史观和基础还原论，其看法极其客观、灵活。此外，针对无批判地赞美古代遗产的国粹主义倾向，永田广志说："既不应一概否定过去的文化，也不应只是赞美。即使我们想如何唾弃它，它仍与现代具有血肉联系，另外，即使我们如何赞叹它，它也不会原封不动地再生。……对于研究思想史，最为重要的是在与现代主要思潮，特别是有前途的思潮的历史关联上，解明具有重要性的以往的种种思潮。"[16]以上论述，不仅在当时是正确的，在今天依然葆其生命力。

4. 近代主义的研究　丸山真男和奈良本辰也的近代主义研究，对战后的日本思想史研究曾发挥重大影响。而他们的研究，在战争期间即已开始了。收录于丸山真男的《日本政治思想史研究》(1952 年) 中的三篇论文，是在战争期间写成的。奈良本辰也在京都大学的毕业论文，成为他在战后发表的论文《近代思维在近世的发展》的基础。两者研究的共同点在于，从方法上学习德国学者弗朗茨·勃尔凯纳乌的著作《从封建的世界形象到近代的世界形象》。勃尔凯纳乌的著作，试图在托马斯的中世纪自然法的解体过程中，探求日本的近代思维或是近代思想的产生。例如，在丸山真男的《在近世儒教发展过程中的徂徕学的特质及其与国学的关联》和《近世日本政治思想中的"自然"与"作为"》这两篇论文中，都将徂徕学置于中心位置来分析朱子学的解体过程，并在封建思想的"思维方式"的微妙变化中来探求"近代性"的萌芽。丸山真男和奈良本辰也都认为，在日本近世的思想中，也有向近代思想发展的准备，也有近代性的思维。在大肆宣扬"神国日本”和“鬼畜英美”的战争期间，主张在日本，在思想上已准备下通往与西欧相同的近代化的道路，这件事本身就有可能被冠以“非国民”的罪名而遭到镇压。因而，这是对黑暗统治的抵抗，是极其需要勇气的事。但是，丸山真男的研究方法与马克思主义者的研究方法不同。用丸山真男自己的话说，“我的精神史，是在方法上与马克思主义格斗的历史，是在对象上与天皇制精神构造格斗的历史”。㊼

注释：

①岛田虔次：《关于新儒家哲学——熊十力的哲学》，同朋舍1987年版，第128页。

②详见郭齐勇：《熊十力及其哲学》，展望出版社1985年版；郭齐勇：《熊十力思想研究》，天津人民出版社1993年版；岛田虔次前引书；郑家栋：《现代新儒家概论》，广西人民出版社1990年版；郑家栋：《本体与方法——从熊十力到牟宗三》，辽宁人民出版社1992年版。

③《十力语要》，湖北印局1947年版，第11页。

④贺麟：《当代中国哲学》，胜利出版公司1945年版，第16页。

⑤冯友兰：《四十年回顾》，科学出版社1959年版，第34页。

⑥参见郑家栋、岛田虔次前引书。

⑦贺麟：《儒家思想的新开展》，中国广播电视出版社1995年版，第86页。

⑧《唯生论》，第48、57页。

⑨服部宇之吉：《孔子与孔子教》，明治出版社1917年版，第391页。

⑩高田真治：《支那思想研究》，春秋社松柏馆1939年版，第569—574页。

⑪高田真治：《支那思想与现代》，大日本图书株式会社1940年版，第52、91、131、145页。

⑫《武内义雄全集》第4卷，角川书店1979年版，第374—376页。

⑬《武内义雄全集》第4卷，第426页。

⑭王家骅：《关于“诚”中心的儒学——中日儒学之比较》，《立命馆大学人文科学研究所纪要》1993年。

⑮参见蒙培元：《理学范畴体系》，人民出版社1989年版，第469—487页。

⑯《津田左右吉全集》第14卷，岩波书店1964年版，第504—506页。

⑰《津田左右吉全集》第18卷，岩波书店1965年版，第87页。

⑱《津田左右吉全集》第18卷，第124—128页。

⑲《津田左右吉全集》第18卷，第171—172页。

⑳《津田左右吉全集》第18卷，第129页。

㉑下出积舆：《神祇信仰、道教与儒教》，收入上田正昭编：《讲座　日本古代的信仰》，学生社1970年版，第66页。北山茂夫：《天平文化》，收入《岩波讲座　日本历史　古代3》，岩波书店1967年版，第267页。

㉒村冈典嗣：《日本思想史研究　第四》，岩波书店1949年版，第181页。

㉓井上哲次郎：《日本精神之本质》，东京广文堂书店1942年版，第2页。

㉔井上哲次郎：《日本精神之本质》，第660页。

㉕安冈正笃：《日本精神通义》，日本青年馆1942年版，第325、343—344页。

㉖清原贞雄：《国史和日本精神之显现》，藤井书店1942年版，序文。

㉗同上书，第5页。

㉘清原贞雄：《国史和日本精神之显现》，第5—6页。

㉙清原贞雄：《国史和日本精神之显现》，第597—600页。

㉚高须芳次郎：《水户学派的尊皇及其经纶》，雄山阁1936年版，第743—744页。

㉛西村文则：《藤田幽谷》，平凡社1940年版，第3页。

㉜北条猛次郎：《维新水户学派的活跃》，修文馆1942年版，第5页。

㉝名越时正：《水户学的研究》，神道史学会1975年版，自序第2页。

㉞和辻哲郎：《续日本精神史研究》，岩波书店1935年版，第3—30页。

㉟《和辻哲郎全集》第14卷，岩波书店1962年版，第3页。

㊱《和辻哲郎全集》第14卷，第158页。

㊲《和辻哲郎全集》第10卷，岩波书店1962年版，第617—620页。

㊳《和辻哲郎全集》别卷2，岩波书店1992年版，第455、458页。

㊴《和辻哲郎全集》别卷2，第446页。

㊵村冈典嗣：《日本思想史研究　第四》，岩波书店1949年版，第188页。

㊶同上书，第190页。

㊷村冈典嗣：《日本思想史研究　第四》，第202页。

㊸同上书，第218页。

㊹同上书，第234页。

㊺同上书，第266、268页。

㊻永田广志：《日本思想史研究　第1卷　日本哲学思想史》，法政大学出版局1967年版，序文第2页。

㊼《近代日本思想史讲座　1　历史的概况》，筑摩书房1959年版，第339页。

附表：　　十五年战争期间(1931—1945)

日本国内有关日本儒学者的著作出版统计

据东京堂《新刊分类目录》整理

学派	分派	氏名	著作数（包括研究著作、资料）	比率
朱子学		具原益轩	5	
		室鸠巢	1	
		新井白石	6	
		赖山阳	11	
		大桥讷菴	2	
		佐久间象山	10	
	崎门学派		14	5.7%
		其中(山崎暗斋)	(7)	
		(浅见絅斋)	(4)	
	水户学派		61	24.8%
		其中(安积淡泊)	(1)	
		(栗山潜锋)	(1)	
		(三宅观澜)	(1)	
		(青山延光)	(1)	
		(藤田幽谷)	(2)	
		(会泽正志)	(7)	
		(藤田东湖)	(21)	
	怀德堂学派		1	
阳明学		中江藤树	11	
		熊泽蕃山	2	
		佐藤一斋	4	
		大盐中斋	3	

学 派	分 派	氏 名	著作数（包括研究著作、资料）	比率
古学		山鹿素行 荻生徂徕 太宰春台	22 4 1	9%
折衷学		其中（细井平洲） （广濑淡窗）	12 (2) (4)	
其他	石田心学		10	
		三浦梅园 山片蟠桃 横井小楠 吉田松阴	3 1 3 59	24%
总计		28 人	246 种	

参考：

农政学	佐藤信渊 二宫尊德 大原幽学	7 28 3
兰 学	杉田玄白 渡边华山 高野长英	1 5 2

中日伦理文化之比较研究

王中田

伦理文化，是每个民族文化的核心价值层面，反映着民族文化的特点。尽管每个民族的文化有其自身的发展轨迹，但却总是在与其他民族的文化交流中发展起来的，甚至是在文化的矛盾冲突中成长壮大的。在社会发展的变革时期，伦理价值观念的冲突表现得尤为激烈。一方面，新的伦理价值代表着社会的新的价值取向，是一种社会进步的标志；另一方面，旧的伦理价值仍然表现为顽固保守的倾向。二者的矛盾斗争最后的结局是前者取代后者，进步战胜落后。

中国伦理思想是在历史的发展过程中形成的，是中华文化背景下的产物。在很长的一段历史时期内，汉民族把周边民族视为野蛮民族，这正是汉民族在制度、仪式、秩序、伦理、艺术、生活环境等等的善与美的情意归属中自然形成的。

正因为如此，尽管在民族文化构成与社会生活中明显存在着对于自然权威与异化的外在神权敬畏和关注来世情感，与其他民族的宗教生活的基本层面有一致之处，但是，汉民族的真实性格和注重血缘、情感、心理、精神文化的气质，无疑阻碍了宗教精神之繁盛。且如现实伦理生活的价值承载，诗、文、礼、乐、书画的发达以及自然山水之情怀，其寓情托志处甚多，极大地冲淡了对于外在力量肯定的情感寄托。宗教情感也因之略显淡薄。此外，文人相会、祭祀、庙会、社戏、家族活动等等也隔离了其与宗教精神活动的联结。

对于命运的世俗关切以及为崇高性献身的人格自觉，又与宗教情感相依存。因此，汉民族的真实性格虽然体现为注重伦理生活这一特征，但却并未反映为排斥宗教情感。事实上，中华民族伦理生活中并不缺乏宗教情感，或者说，在把伦理实现、功业达成视为高于生命的不朽观念中，洋溢着极为浓厚的宗教气息。在相对漠视生命价值而高扬伦理价值的人格境界归属情感中，寓存着极高的宗教热情。从世俗社会、宗教活动与道德观念的和谐中，能够体味这种独特的宗教感情。

汉民族精神文化气质的这一特征，决定了中国伦理思想与伦理生活对于崇高与不朽的形上兴趣，同时也规定了中国伦理学注重现实和美秩序的基本倾向。这就是古代伦理思想的核心问题，它既是行为的普遍价值问题，也是行为的身份性的具体要求问题。一方面，是人格境界的同一性，另一方面，伦理是由社会规范的礼与内在道德情感及品质的德相辅而成的。礼是等级性的，因贵贱、亲疏不同而具有不同的行为要求，因而在内在情感与内在品质上，也通过修养而使情感品质符合社会规范对于不同身份地位关系的要求。也就是说，在这里，伦理学所指向的道德准则不是普遍性的，而是具体的因个人地位、身份而带着具体的要求。例如，爱这一道德原则，因身份、地位而区分为君主对臣民的慈护，父母对孩子的关爱，孩子对父母的敬爱，以及推己及人，而不是强调一般性的对他人的关心。更重要的是，它把许多社会身份地位所决定的人际关系准则，如三纲，视为和谐的文化标准和审美要求，因此视之为伦理学的核心问题。同时，它把道德判断推广至行为规范之外的社会活动与心理活动领域。秩序与德性统一的善与美的理想主义以及秩序与德性的强制性和具体化相结合的现实主义，反映出伦理的准宗教色彩。善包含美，而美不必善，这是中国文化的深层结构。这也是汉民族精神文化气质中诗的境界的典型特色。

孔子所开创的注重德性培养与身份性秩序规范的统一传统，成为中国伦理思想发展的主导力量。因而修养论与社会伦理学成为古代伦理学的根本内容。修养论涉及道德修养的可能性与必要性；道德情感培养、内心的道德自觉与外在颜貌行为的规范化；具体的道德品质的培养如仁、智、信、义、敏、宽、恭、慈、惠、孝、勇、忠、诚、敬，等等；道德境界；个人功业、生命价值实现与道德品质的一致性；修养的标准；个人道德修养的社会影响等等极为繁富的内容，并在德性的形上学意义上赋予它不朽。而社会伦理学则主要是政治伦理即社会伦理秩序、德教与德治的问题。由自我修养而后施德教与行德治，古代道德家对于道德影响与社会意义都存肯定且过分夸大这一影响与意义的倾向。

强调内在情感对于外在规范的体认，内外和谐；社会秩然有序；具体的规范；行为的无过不及；至善境界；人际关系的和顺，等等，体现了伦理上美的追求。而强调道德在个人价值与社会影响的至上性与普遍性，则体现了道德上善的追求。其境界是崇高与不朽的诗。

虽然在这里较突出地确认了儒家文化在体现汉民族文化的精神气质与中国伦理学特质中的主导地位，但儒家文化本身并非纯粹的学派文化，而是摄取诸家文化内容而流衍着的汉民族文化主流。且从汉民族文化精神气质的角度来说，诸家（学派）之所长恰好互补。如法家之有为，墨家之兼爱，道家之真德境界与艺术人生，佛家之雍容与沉思，皆补儒家所不足。善与美（智慧）的诗的境界追求所表征的理想性气质，正是从汉民族文化的历史过程的揭示以及从思想的碰撞与融合的视角所作出的归纳与抽象。

然而，尚境界而相竞于高，美秩序而归极于尊，善道德而标达德于圣，重智慧而表能于士，其结果又必反其极。首先，尚境界而致玄、虚与增长主观性。诸多表本体之概念如天、仁、诚、性、道等只能成为客观上由自我体悟的玄妙境界的概念。且境界高于准则，而境界又成为实际的准则（即达此境界始真正体现了准则）。然境界依于主观，则主观性突出无疑。其次，尚境界、美道德皆必贬利或轻利；然又推尊扬上，尊上未必有德而贵，则人必求贵。贵之所在乃利之大者。德之境界为自得，贵的地位为价值标准之可征引者。因此，人必以求贵为尚而终于竞利。其三，智慧与处世相关，处世之明哲保身与游世皆为智慧，处世技巧不必因德、仁智并重的结果，明哲则必不利于求善。事实上，尽善尽美只可拟议不可强取，骛理想极高明必不能道现实之中庸。故理想悬之弥高，践行处又必取其最低（如洒扫应付），由此潜在着对于一般美德应有的重视而趋于狷狂（狷者有所不为而苟退，狂者进取而苟为）的危险性。体极的主观性色彩成为汉民族文化精神气质的另一层面，至今犹可感知。

以上我们从中国伦理思想发展的自身特点上做了分析，再从它与社会历史的关系上看，中国历史上有如下一些比较重要的特点影响着伦理思想的发展：

首先，原始社会末期没有出现土地私有和发达的工商业、高利贷经济，直到奴隶社会鼎盛时代的西周，也基本上是“普天之下，莫非王土；率土之滨，莫非王臣”的奴隶主贵族集体占有生产资料的生产关系，当时没有古代希腊罗马那样势力强大的平民及其反对贵族的斗争，而是由氏族贵族变来的奴隶主贵族控制着政权。

其次，在国家建立的时候，没有挣断原来的血缘关系。殷周时期出现的宗法制度，更加保护了氏族关系和血缘纽带。此后，东汉到魏晋南北朝，严孝悌之教，重宗谱之学，门阀氏族操纵了政权。唐宋以后，地主阶级又提倡建祠堂，置族田，敬宗收族。直到解放前，血缘关系和宗法制度始终势力强大，给各个时期对立的阶级关系披上一层温情脉脉、平等亲密的道德外衣。

再次，在封建社会里，形成了以小家庭为单位的农业和手工业相结合的经济结构，它稳定而有弹性，善于自我调节，压抑了资本主义萌芽的出现和发展。

最后，统治阶级推行文化专制主义，对人民实行思想钳制。秦始皇焚书坑儒虽然严酷，汉武帝“罢黜百家”对压制思想自由起的作用更大。两千年来，封建统治者一方面通过察举和科举制度牢笼人才，另一方面严厉镇压“异端”，把“学”与他们的“仕”完全结合起来。

上述社会历史特点，决定了中国伦理思想的如下基本特征：

第一，伦理思想与哲学和政治融为一体，构成奴隶社会和封建社会意识形态的中心，强烈地影响着当时社会的各个方面。

第二，具有强烈的血缘关系和宗法制度的色彩，特别表现在道德规范上，重视忠、孝，强调整体和服从。

第三，中国历史上的伦理思想有着强烈的中庸气息，在形而上学的体系中，有些朴素辩证法的因素。

第四，重视人伦日用和日常生活，在方法上表现为重顿悟不重论证，在内容上表现为重视道德修养和道德教育。

概而言之，中国传统伦理思想有着重人伦关系（人伦价值），重精神境界，重人道精神，重整体观念，重修表践行，重推己及人的特征。

日本伦理思想是在与中国完全不同的历史文化背景下发展起来的，根据《古事记》、《日本书记》、《万叶集》等日本古典文献记载，早在公元7世纪前，日本人的祖先在长期的生产活动中就已经形成了不同于其他东方人的民族气质和道德观念。当时的日本人处于物质生产力水平极其低下的神话时代。人们面对神秘莫测的天灾人祸，把人世间的一切变化都归于神的威力，并备供品向神致祭行礼，梦求通过对神的尊崇来获得恩惠，以免灾去祸。古代日本人的道德观念就是通过对于神的习俗礼仪体现出来的，其核心内容是“清明心”的道德。所谓“清明心”是指古代日本人祈祷神灵时的心态，主要包括两点内容：绝对服从神的权威，没有“邪心”、“浊心”；从罪恶、混沌的生命秩序之中摆脱出来，处于安定的生命秩序之中时的平静的心理状态。这种心态与神灵相通，没有任何恶行的干扰，似水流一样清澈，如太阳的光辉一样明亮，因而被称为“清明心”。在日本人那里，“清明心”是理想的道德境界，绝对服从神或者作为天照大神化身的天皇的权威是最高道德准则，安定的生命秩序是最高的善，一切破坏人的生命秩序的自然凶祸都是恶，破坏当时作为维持人们生命秩序基本条件的农耕的灾祸是恶的本源。“清明心”的道德体现了日本人原初道德观念的特点，即现世性、和谐性和乐天性。显然，这种道德观念是以神道教的思想为基础的，是宗教思想与伦理思想相结合的产物。在人类的早期时代，神话思维方式、原始宗教意识对伦理思想的发展起着决定性的影响。但是，我们也要看到，神道教作为日本的民族宗教，从根本上规定着日本伦理思想的发展进程，这与缺乏宗教意识的、以儒家伦理思想为主体的中国伦理思想是完全不同的。

促使日本伦理思想发生变化的是中国儒教和佛教的传入。在公元5世纪前后，儒家思想传入日本，6世纪中叶佛教也经朝鲜传入日本。在传入初期，佛教和儒教对社会生活的影响仅仅局限在人们对佛经、儒家经典的信仰和崇拜上，教义伦理还没有渗入社会道德思想生活之中。到了7世纪初，圣德太子为了给政治变革准备思想条件，派留学生到中国学习，直接引入了儒学和佛学思想。他继承了日本民族固有的道德精神，以儒教、佛教教义为思想基础，颁布了《17条宪法》，为贵族制定了以儒学的“和”、“信”、“义”、“礼”等和以佛教的“慈悲”为主要内容的政治道德，这标志着日本的道德观念已从把生命秩序与善恶混为一体的古朴道德上升到了凭理性进行善恶反思的政治道德的高度。因此，从圣德太子开始，日本伦理思想的发展进入了一个新的时代，即从神道教出发吸收儒、佛思想。到了8世纪，当时的日本政府认为，佛教能镇护国家，保护王室，于是便发布了“僧尼令”，把佛教变为国教，从而使佛教伦理在社会道德生活中居于主导地位，直到德川幕府时期为止。在佛教伦理占统治地位的数世纪中，虽然儒教伦理也被统治阶级看作有利于巩固自己统治的思想体系而加以庇护，原有的日本神道伦理仍然继续影响着人们的道德生活，但儒教伦理和佛教伦理都处在神道伦理的指导之下。同时，佛教伦理适应不同时期统治阶级的需要，也不断地从神道伦理和儒教伦理那里吸取营养，使其自身经过了日渐完善的发展过程。

到了江户时代（亦称德川时代1603—1867），儒教成为国教，成为官方统治哲学，在意识形态领域占主导地位，开始了儒学一统天下的局面。德川家康在江户（即现在的东京）建立了幕府统治，把居民划分为士、农、工、商四个等级。为了维护这种封建等级身份制度，幕府确定儒学中的朱子学为官方哲学，于是儒家伦理思想取代了佛教伦理居于统治地位，这种情况一直延续到明治维新前夕。在江户时代的265年中，日本封建社会达到顶峰并迅速走向衰落。从政治上看，朱子学与封建专制政治相结合，完成了政治与思想大一统的局面，也把这种情况推向极端；从经济上看，以农为本的自然经济得到了大力发展，随着资本主义的萌芽，商品经济的出现，后者取代了前者；从文化上看，封建文化达到前所未有的成熟，具有日本文化特色的歌舞伎、绘画等都取得了相当大的成就，但是，这种封建文化也难免被市民文化所取代。

江户时代，是日本儒学发展最为辉煌的时代。在理论上，形成了朱子学派、古学派、阳明学派，并且在各个学派内部，又形成了不同的派别，丰富了日本伦理思想的发展，理论上更具特色，表现了日本伦理思想吸收外来文化的能力；在实践上，儒学从上层社会深入到民间，广泛而深刻地渗入社会的各个阶层，封建主义道德思想更加成熟、巩固，等级身份秩序更加严格。特别是武士、町人阶层的出现和发展，在价值观念上深受儒家思想的影响，在实践的层次上发扬了日本儒学的实践主义特点。受儒学的影响，武士道德更加理论化、系统化，如江户时代的关于武士道德的理论著作，从根本上认为，爱人就是仁义，就是人性之德。天地之大德在人性中产生，并和天道一致。所谓文武二道的武士就是体现仁义之德的人。仁者必勇也、夫知勇者是文武之德，礼乐弓马书数是文武之艺，兼备仁勇者是君子，日本是武国也是仁国。这样就把儒家仁义之德融会于武士道德之中，文德是仁，武德是义。仁义为一德，文武为一德，犹如一元之气分为阴阳。儒家思想成为武士的指导思想，武士道精神就是在实践上完全接受和实行儒家思想。

町人的出现，虽然没有在社会政治上像武士那样形成强大的势力，但在江户时代的社会经济发展过程中却扮演了非常重要的角色，是在社会经济领域里实践了儒家思想，为日本步入近代社会准备了经济基础和社会力量。和辻哲郎认为："江户时代的学问是由儒学者创造的，而其他的文化方面，如文艺、演剧、音乐、绘画等领域是町人创造的。"町人的伦理思想价值观念从根本上改变了儒家思想中的重义轻利的观念，而是重义重利、义利并重，形成了具有儒家道德思想特点的新型的町人思想，以正直、勤俭、节约，具有东方式特点的功利主义道德思想价值观为核心内容。按照日本人的接受和理解，这种町人道德思想与儒家原来的君子道德形象并不对立，而是把儒家思想在町人身上更具体、更实际、更日本化了。

武士、町人在实践层次上对儒家思想的理解、接受，是对儒家思想的另一种形式的发展，反映了日本文化的受容、融合能力。整个江户时代吸收儒家思想的过程和经验，为日本步入近代社会，吸收西方文化提供了有益的借鉴。

明治维新之后，西方文化大量地、全方位地涌进日本，在广泛的受容、激烈的冲击之后，日本社会所面临的一个重要课题就是启蒙思想与传统观念的矛盾，儒家伦理思想作为日本武士阶层以及社会各阶层人民的生活典范遇到了挑战。移植西方的伦理思想，意味着使日本的传统思想和外来的意识形态相结合，而这一结合是以对传统思想的批判为开端的，这样才能产生一种新的综合性的思想。西方的启蒙思想、功利主义进化论、功利主义以及资产阶级的自由、平等、博爱等价值观念冲击着日本社会，向西方一面倒，儒家伦理思想被斥之为“虚学”，是无用之学，是于世无补的学问。否定传统思想必然造成虚无主义横行和混乱状态的出现，有的学者曾把明治维新初期的情况概括为一句话：“十年无道德可言”，个人主义横行，传统思想被彻底否定，新的价值观念，新的道德标准亟待建立。由此时而形成的多元价值观，对日本近代社会以至现代社会生活都产生了很大的影响。

日本伦理思想在其发展过程中形成了“独立自主的移植性；重为整体献身的忘我精神；重勤俭节约的原则；多元伦理价值观并存”等特点，从而表现出日本文化与中国文化的不同之处。

从以上对中日两国伦理思想发展过程和特点的分析上，我们可以看到，中日伦理文化的不同之处表现在：

一、基础不同。日本伦理思想是以神道教为基础，在日本人的道德价值观念中，有着较为深广的宗教心理和宗教情绪；而中国伦理思想是以血缘关系、宗法制度为基础，由此而形成的等级身份制、权力本位观念直到今天都在影响着中国社会。

二、作用不同。日本伦理思想偏重于外，注意联系实际生活，注重实践主义特点，倾向于“外王事功”方面的努力；中国伦理思想偏向于内，注重“内心成圣”，强调个人内心的道德修养。

三、地位不同。中国伦理思想在中国文化中占有突出的地位，故有“伦理本位”、“道德至上主义”之说；而日本伦理思想在日本文化中未占有重要的地位，只是其中一个组成部分，发挥其现实的功用。

参考书目：

1. 陈瑛：《中国伦理思想史》，贵州人民出版社 1985 年版。

2. 罗国杰主编：《中国伦理学百科全书》（东方伦理思想史卷），吉林人民出版社 1993 年版。

3. 和辻哲郎：《日本伦理思想史》，岩波书店 1960 年版。

佛教影响与中日审美意识

姜文清

一 佛教传入前后，中日意识形态和审美观念的不同

佛教创始人释迦牟尼圆寂之后500余年，佛教传入中国，又500余年，传入日本。①

中国自古有着悠久的文化史，早在佛教传入之千百年前，已形成完备的、主导社会的哲理思想体系。这就是《周易》为代表的朴素唯物观和辩证法，孔子的社会伦理观，和老庄的形而上学的宇宙本源观，以及诸子百家的丰富多彩的思想观念。佛教的传入，只可能使社会意识发生某种程度的变化，而不可能由它成为社会意识的主宰。日本在佛教传入时，正处在社会思想体系的形成期，才从神话传说和万物有灵的原始的社会意识起步前行，佛教得以和儒学一起，成为社会意识的主潮，而且特别在人生观上取得了基本的控制权，这就是中日两国在佛教受容上的根本差异。由于这种差异，在佛教对中国和对日本的审美意识的影响关系上，也就出现了一个重大的不同点。这就是：由人生观所决定和左右的审美感情在内容和感情色调上有很大的不同。

在中国，儒家重视社会生活的理性精神，"使人们较少去空想地追求精神的'天国'"，"不舍弃、不离开伦常日用的人际有生的经验生活去追求超越、先验、无限和本体。本体、道、无限、超越，即在此当下的现实生活和人际关系之中。"②《论语》中有这样

一些影响深远的话："发奋忘食，乐以忘忧，不知老之将至云耳"（《述而》），"饭蔬食饮水，曲肱而枕之，乐亦在其中矣"（同上），以及"学而时习之，不亦悦乎"，"有朋自远方来，不亦乐乎"（《学而》）。李泽厚认为这体现了一种"乐感文化"，并说"这种精神不只是儒家的教义，更重要的是它已经成为中国人的普遍意识或潜意识，成为一种文化——心理结构或民族性格。中国人很少是真正彻底的悲观主义，他们总愿意乐观地眺望未来"。③而且，从女娲补天、夸父逐日、精卫填海的远古神话传说，到屈原"虽九死其犹未悔"（《离骚》）的慷慨表白，从范仲淹"不以物喜，不以己悲，先天下之忧而忧，后天下之乐而乐"（《岳阳楼记》）的心灵自述，到于谦"但愿苍生俱饱暖，不辞辛苦出山林"（《咏煤炭》）的感物言志，表明在中国人的心理世界中，贯穿着一种积极入世，奋发进取的精神，一种《周易》所概括的"天行健，君子自强不息"的精神。这与佛教的以人生为"苦海无边"，要人"回头是岸"，转而追求来生幸福的空漠幻想是格格不入的。

道家，特别是庄子的人生观，是一种精神上的超然世外，他反对人为物役，要求人格身心的绝对自由，却决不是如佛教那样的要人们厌弃人生，转求来世。庄子面对一个苦难的世界，如其所云，"无耻者富，多信者显"（《庄子·在宥》），"彼窃钩者诛，窃国者为诸侯，诸侯之门而仁义存焉"（《胠箧》），"殊死者相枕也，桁扬者相推也，刑戮者相望也"（《让王》），人们的整个身心、人格都被权势和贪欲所统治。他提出要亲近"道"，它超越时空，自由自在，似乎是宇宙万物的本体，实则是人的本体，是人与宇宙万物的同一。追求它、亲近它，就可摆脱一切"物役"，获得无限的自由。"大泽焚而不能热，河汉沍而不能寒，疾雷破山而不能伤，飘风振海而不能惊。若然者，乘云气，骑日月，而游乎四海之外，死生无变于己，而况利害之端乎！"（《齐物论》）达到这样的境界，就是"至人"、"真人"、"神人"。这不是宗教式的偶像崇拜，而是人自身的精神与人格的升华。道家与佛教的佛陀崇拜、向往来世并不吻合。在道家精神的沃灌下，形成了中国文化传统中的放任不拘的傲世情怀与“穷则独善其身”的隐逸思想。嵇康、阮籍的放浪形骸，“俯仰自得，游心太玄（《赠秀才入军·其十四》）；陶潜的“不为五斗米折腰”，隐居田园，但仍恋恋于“刑天舞干戚，猛志固常在”（《读山海经》）；李白的“安能摧眉折腰事权贵，使我不得开心颜”（《梦游天姥吟留别》）的傲岸气度；孟浩然的“红颜弃轩冕，白首卧松云”（李白《赠孟浩然》）。这样一些追求人格与精神自由的表现，构成了中国审美意识中与儒家传统相异的一面：浪漫风采和自然清奇。这远非佛教的膜拜乞怜可比！

孔、庄以外的其他诸子，孟子讲“仁义”、“仁政”；荀子讲“礼法”、“刑政”；墨子讲“从事”、务实，以求“万民之利”；韩非子讲“法治”、“功用”；都与佛教的虚妄迷信的观念相远。诸子的思想影响对后来传入的佛教的传播起到的也只能是负效应。总之，在佛教传入中国以前，儒家、道家，以及其他先秦诸子，已完成了中国自己的互为补充的一体化的思想体系。这与日本在佛教传入前的情况是很不相同的。

日本在佛教传入的时候，还处于古坟文化时期，经济和政治形态都较落后，文化也不发达，汉字和儒家经典也才刚刚传入，自身原有的意识形态只是祖先崇拜和泛神观下的神灵信仰。日本著名学者村冈典嗣先生将儒学传入前的日本文化称为“太古”文化，而佛教的传入也就在其后不久。他说，基于当时日本民众“极简素的衣食住生活条件下而形成的太古文化，当然是单纯朴素的。宗教、政治、道德、经济等文化形态，尚未像后世那样分化，仍处于杂然混淆的境地。其中宗教占有涵盖其他的重要地位，而这所谓的宗教，与其说是神道，勿宁说是神事而已。它是从自然崇拜到祖先崇拜的原始信仰，不论善恶，敬畏一切有威力的事物。”④而且它缺乏任何神学理论，只是以占卜、禊祓、祈祷求取平安和顺利。家永三郎先生也说，“在理性精神尚不发达的（日本）古代”，“（日本）民族宗教本无教义，当然也就没有相当于经典的东西”。[5]正是在这样一种思想理论空缺、原始宗教迷信风行的状态下，佛教传入日本，它必然能够取得很大的控制权和主导权。

佛教被天皇和贵族视为先进、有用的文化。最早接触佛教教义的钦明天皇说，“朕从来未曾得闻如此微妙之法”，极为崇信。推古天皇即位的第二年，就下诏明令“兴隆三宝”。皇室甚至把佛教作为施政、施教的指导思想。圣德太子拟定的十七条宪法中就明确规定“笃信三宝”，还亲自撰写了注释《法华经》、《维摩经》和《胜鬘经》的《三经义疏》。而且大兴土木，修建佛寺，雕塑佛像。据《上宫圣德法王帝说》记载，圣德太子修建了四天王寺、法兴寺、中宫寺等七座佛寺。

最值得注意的是：日本人初次得知了宗教中所宣扬的“不同于现世的理想世界的存在”，而倍感着迷，因为这是与他们的原始宗教的“既无教义、又无来世之说”所完全不同的；而且从伴随佛教而来的“端丽的佛像、微妙的音乐、富于比喻和幻想的佛经故事”中，知道了“超乎实用的美的世界”。[6]佛教对日本审美意识的最显著影响之一就是灌注给它人生虚幻感和追求极乐世界之情。“《法王帝说》所引〈天寿国绣帐铭文〉载：（圣德）太子语其妻曰：‘人世虚假，唯佛是真。’在这里，不只是对现实世界——‘常世之国’及其延伸地——‘黄泉之国’的思考；日本人向来对现实无深刻负罪感和否定意识，而太子的这句话，从根本上破除了此种肯定的世界观和人生观，应将其视为一个划时代的观念。”[7]到圣德太子病重垂危时，其妻子祷求词为：“仰仗三宝，……求病消寿延，安住世间；如命定辞世，求往登净土，早升妙果！”[8]“净土”观念已经植根入日本人的心中。空幻的“欣求净土”将使日本人的心灵蒙受佛教带给的悲哀。

中国的传统审美意识体系，在佛教传入前就已形成、并达到很高的发展程度；而日本的审美意识体系，在佛教传入后方始形成。

在中国，儒家思想系统的审美意识与社会政治生活和伦理道德密切关联，对美的社会性和功利性高度关注，体现出积极入世、乐观进取的现实精神。孔子主要美学观是："尽善尽美"的审美理想，"兴观群怨"的审美作用，"兴于诗，立于礼，成于乐"的审美教育。这些观念树起了儒家审美理论的主干。"诗"、"乐"应该符合"礼"的社会准则，符合政治教化的要求。"子谓《韶》，尽美也，又尽善也。谓《武》，尽美矣，未尽善也。"（《论语·八佾》）就是认为《韶》乐内容、形式俱佳，美善相兼，是符合美的理想的作品。所以他才会"闻《韶》，三月不知肉味"。"诗"具有感动人心、了解社会、和谐众情、表达心声的作用，其目的都是在于使个体感情与整个社会生活协调。通过"诗"的感动、"礼"的规范、"乐"的熏陶，完成对人的心灵人格的塑造。在孔子美学观基础上发展完备起来的儒家美学，是充满社会理性和人生进取精神的美学。

道家美学以对形而上的哲理思索为先导，追求人格精神与天地自然的同一，"道"是自然本体，更是理想人格的体现。它冲破一定的社会束缚，追求精神的自由和人性的复归。遗世绝俗，"彷徨乎尘域之外，逍遥乎无为之业"，"搏扶摇而上者九万里"，"背负青天而莫知夭阏者"（《庄子·逍遥游》）。这些都形象地表达了精神的自由无羁，心灵的奔放与欢乐。道家推崇天地自然之"大美"。庄子说："夫天地者，古之所大也，而黄帝尧舜之所共美也。""天地有大美而不言"，"朴素而天下莫能与之争美"。（《天道》）"澹然无极而众美从之。"（《知北游》）"既雕既琢，复归于朴。"（《山木》，成玄英注："雕琢华饰之务，悉皆弃除直置任真，复于朴素之道也。"）这种自然之美与真性情之美的统一，是对儒家礼乐教化美学观的超越和补充。

儒道两家为主体的中国前佛教美学观，树立了中国传统的社会美意识、人格美意识，是理性精神的美意识，是执着于现世人生的美学。佛教着眼于来世来生的人生观，很难直接从正面对中国美意识产生影响。

上古的日本民族，对现实事物有着纯朴的亲近感，自然形成了“诚”的美意识。从客体上来说，认为身边的日常事物有着真实的感性美；从主体上来说，具有真情、诚意、诚实的心态，如《宣命》中所说的“有明净直诚之心”。“诚”首先是作为古代的文学观念被认识的。久松潜一认为：“诚”体现在《古事记》和《万叶集》的一些歌作中，其本质是真情和诚实，是一种无做作、无装饰的抒情表现，体现为一种自然和自由的格调；⑨濑古却认为：“诚”具有“现实性”、“素朴性”、“明朗性”和“伦理性”的特点——格调刚健，感情真率，乐观开朗，扬善弃恶。⑩应该指出：“诚”这一观念，在当时并未得到理论表述，成为一个明确的审美理念。只是到了江户时期的国学者田安武宗、贺茂真渊、小泽芦庵、香川景树关于《万叶集》的论述中，才被加以阐明。可以说，在佛教传入前，日本尚未形成理论形态的美学观。

由于中日两国在佛教传入前，审美理论和整个思想文化发展的水平不同，在佛教传入后，美意识受佛教观念影响的情况也就很不相同。中国在魏晋南北朝是文艺审美理论大发展的时期，由于两汉经学的崩溃，思想界趋于活跃。陆机的《文赋》、刘勰的《文心雕龙》、钟嵘的《诗品》、谢赫的《古今画品录》，一大批文艺美学著作问世，对文艺美的自身规律性问题作了多方面的深入探讨。尽管这时传入的佛教正盛行于世，南朝诸帝都信奉佛教，北朝除北魏太武帝、北周武帝外，其余诸帝也都信奉佛教。译入了大量的佛经，修建了众多的寺院。“云岗石窟”显示着佛陀的威势；梁武帝三次舍身事佛表明佛教的尊贵。然而，佛教教义并未对当时的美学理论产生任何明显影响。在上述文艺美学著作中，仅

《文心雕龙》有个别词语与佛经用语有所关涉。思想上的影响可以说完全阙如。佛教对中国美意识的影响，是后来通过中国化了的禅宗来产生的。

然而，佛教的悲世人生观却很快渗透进缺乏思想意识体系后盾的日本美意识。乐观面对现世的“诚”的美学观，被充满悲哀的“物哀”美意识所取代。“佛教的传入和流布从根本上动摇了‘诚’的美学观，实实在在地给了它以致命的冲击。特别是强调万物流转和必灭的佛教无常观，视现实世界为应予厌离的苦界，这种净土教秽土观的广泛普及，使古代日本民族开始深入思索、认识现实。自古以来支起‘诚’的美意识的，朴素的‘常世’观念被无情粉碎，代之以痛感现实的空幻和污浊，以至于对‘诚’之美报以极度的怀疑和失望。”⑪新兴起的美意识“物哀”浸透了佛教悲观意识。“‘物哀’从本质上看，其作为一种慨叹、愁诉‘物’的无常性和失落感的‘愁怨’美学，开始显出了其悲哀美的特色。”⑫《源氏物语》中的“物哀”，“流现着一种悲哀、空寂的情调，其中有平安朝文化的伴随享乐而生的空虚，也可看出佛教无常观和厌世观的影响。”⑬“幽玄”美在中世初期，有着冷寂缥缈的情调，也实深与中世之初源、平兴亡的巨大变迁带来的无常观，以及佛教信仰的影响有关，与当时的生活和思潮有关。

二　禅趣与中日审美意识

禅宗是中国和日本佛教史上的一大宗派，它创生于中国，后又流传到朝鲜和日本。禅宗作为一个独立宗派出现，是从唐代开始的。唐高宗时期的僧人慧能是这个宗派的实际创始人。“安史之乱”以后到唐末五代是禅宗的极盛时期。宋元以后，禅宗仍广泛流传。日僧荣西、道元分别将宋朝的临济宗和曹洞宗的禅法传入日本。宋元时期中日僧人的大量交流，使禅宗在足利时代以后的日本迅速扩大了影响。

禅宗的主要观点是：(1)“本性是佛”说。人性即佛性，心中自有佛性；万事万物随心而生灭。“佛在性中作，莫向身外求”(《坛经·般若品》)；“心生种种法生，心灭种种法灭（《古尊宿语录》卷3)。(2)“无念为宗”说。“无念”即心不为外物所牵，“不断在境上生心”；还要“无相”，即心中不存任何物象，“外离一切象”。如此，则虽然处身尘世，但心中一尘不染，精神超然而自由。(3)“顿悟成佛”说。不须累世修行，不用繁琐仪式，不做财物布施，只凭自己的灵知，刹那间有所领悟，便达到成佛的境地。总之，禅宗认为，人的心性清净空寂，心中灵明的佛性永不泯灭，只要静悟心中佛性就可成佛。这种禅理与艺术思维、审美感悟的共通之处就是感性中的直觉领悟：刹那间见千古，平凡中出奇幻，自然中有妙谛，简易中含深趣。

中唐以后，中国的艺术审美观念中，出现了“韵味”、“神韵”、“冲淡”、“妙悟”等美意识；日本也出现了“余情”、“幽玄”、“寂”、“诧”等美意识。其共通之处就是都受到禅理的影响，颇具禅意。而讲求韵味与余情，表现空灵冲淡与闲寂清幽，展示直觉顿悟之妙，正是禅趣所赋予这些美意识的特色。

1. 韵味与余情

以“味”论诗，本是中国诗论的一个传统。南朝梁文学家钟嵘就说过“文已尽而意有余”，“五言居文词之要，是众作之有滋味者也”。(《诗品序》)但还未形成一个自觉的系统理论。晚唐受禅宗影响很深的诗论家司空图发展了这一理论，要求诗歌有“韵外之致”、“味外之旨”；“象外之象，景外之景”；“不着一字，尽得风流”。[14]南宋严羽在《沧浪诗话》中“以禅喻诗”，用“羚羊挂角，无迹可求，故其妙处，透彻玲珑，不可凑泊，如空中之音，相中之色，水中之月，镜中之象，言有尽而意无穷”来说明含蓄和韵味。都是把禅家表达禅理的方式化入到文艺审美论中来。因为禅家谈禅，总是运用比喻、曲折表达、点到为止，让听者发挥想象来领悟深意；甚至像他们所津津乐道的“世尊拈花，迦叶微笑”，仅以展示一花一物来象征暗示。这十分契合艺术美有限中见无限，形象中蕴深意的特点。

清代“神韵”说的倡导者王士祯举唐人诗句说明诗美与禅意的相通——“如王维辋川绝句，字字入禅。他如‘雨中山梁落，灯下草虫鸣’；‘明月松间照，清泉石上流’；以及太白‘却下水晶帘，玲珑望秋月’；常建‘松际露微月，清光犹为君’；浩然‘樵子暗相失，草虫不可闻’；刘脊虚‘时有落花至，远随流水香’。妙谛微言，……”（《带经堂诗话》卷三）日本汉学者铃木虎雄也说：对所描绘的“境的领悟，也就是禅学与诗学的相通之处”，“日本的定家卿也说，凡欲作和歌，若先诵‘故乡有母秋风泪，旅馆无人暮雨魂’；“兰省花时锦帐下，庐山夜雨草庵中’（皆为白诗）之句，则意格自然高妙。”⑮上面两人所举到的诗句，就诗意来说，或以幽小之景见大自然的丰采；或以清空寂寥映衬怀乡思友之情；或以对比手法抒写游子之怀、孤臣之心，无不令人体味深思。尺幅千里，一草一木皆有“佛性”，正是符合禅趣的诗。

日本文艺审美讲究“余情”。纪贯之《古今集序》评在原业平：“其情有余，其词不足，如萎花虽少颜色而有余香。”评僧正遍昭：“‘姿”虽得宜，而真味良少，如观画中靓女，徒动人情。”⑯正是注重他们的歌作有无余情韵味。藤原公任《和歌九品》，评“上品上”曰：“此品妙于遣言，且有余情也。”评“上品中”曰：“歌姿甚端丽，且有余情也。”并举歌作为例：

明石浦，朝雾朦胧，岛影后，一叶行舟，牵我远愁。（上品上）

佚名（无题）《古今集》 【羁旅·409】

深山里，细霰犹降；山外边，冬青蔓草，已着春装。（上品中）

佚名 〈神游歌〉[17] 《古今集》卷二十

美国学者唐纳德·金曾评论第一首歌说："此歌之美，首先是语言，或者说是语音（初句的'0'音，在每一句都复现）。最主要的是——歌意朦胧。假如'岛影后的行舟'，明说是情人所乘、或是歌人自己所乘，则意味顿失。众所周知：日语的特点——朦胧意味——也被此歌所活用。在三十一音中，包含了丰富的内容，以暗示气氛和情绪。扁舟远去之时，黎明的景色，笼罩于雾气蒙蒙中，增强了读者的某种神秘感。此情此景，对歌人来说意味着什么？他很难当一个单纯的旁观者。或者，当小舟完全消逝后，别离的失落感涌上心头，他也说不清是何原由。""此歌中的暗示，正是其美的源泉。"[18]第二首也意味很深，造语平淡，但写出自然变换之美，和面对冬去春来内心深处的欣喜之情。含蓄美的"余情"，也成为中世歌论"幽玄"的中核。藤原公任在《古来风体抄》里把"余情"和"幽玄"视为同一歌体。"余情"在俳句中成为"味"之美。芭蕉采用"言外含情"的咏物法，景中见情，意味深永。铃木大拙论析芭蕉的俳句——"古池哟，青蛙跳进，水音清"——时说，有一个传说：芭蕉跟佛顶和尚学习参禅，当被问及"佛法如何"，曾禅机一动答道"青蛙入水泼刺响"，这就是他创作"古池"句的契机；俳句中表达的也正是他所直觉到的"空"的观念。"俳句的意图，是在于创造出最适当的表象去唤醒他人心中本有的直觉。"[19]

2. 空灵冲淡与闲寂枯淡

空灵和冲淡的追求起于佛教传入中国后，受佛、道思想影响的陶潜的诗作就有这种意味，但主要体现的还是道家的超然于世的精神。道与禅的区别在于"后者尽管描写的是色（自然），指向的却是空（那虚无的本体）；前者即使描写的是空，指向的仍是实（人格的本体）。'行到水穷处，坐看云起时'（王维），是禅而非道，尽管它似乎很接近道。'平畴交远风，良苗亦怀新'；'采菊东篱下，悠然见南山'(陶潜)却是道而非禅,尽管似乎也有禅意”。“在审美表现上,禅以韵味胜,以精巧胜”,“它追求的不是什么理想人格,而只是某种彻悟心境”。[20]具有“彻悟心境”的空灵冲淡,也是在禅宗兴起的中唐以后产生的。中唐著名诗僧皎然“少而出家”,“及中年,谒诸禅祖”(《宋高僧传》)。他的《诗式》提出了“辨体一十九字”,其中的“静——非如松风不动,林猿未鸣;乃谓意中之静。远——非如渺渺望水,杳杳看山;乃谓意中之远”。这里的“静”、“远”,不是一种外在实体的宁静和悠远,而是内心感悟的境界,具有空灵的气息。晚唐司空图与佛门多有往来,尊崇“佛首而儒其业者”(《送草书僧归越》)的信条。他在《二十四诗品》中特别强调空灵冲淡的风格和意境:“遇之匪深,即之愈希。若有形似,脱手已违”(《冲淡》);“落花无言,人淡如菊”(《典雅》);“浓者必枯,淡者屡深”(《绮丽》);“神出古异,淡不可收”(《清奇》)。这些影响深远的观点体现出佛学与玄学合一的禅趣。司空图推崇王维、孟浩然、韦应物一派的诗作“澄澹精致”,就因为他们的诗作总带有一种清幽淡远,空灵脱俗的韵致和氛围。如王诗:“独坐幽篁里,弹琴复长啸。深林人不知,明月来相照。”(《竹里馆》)韦诗:“独怜幽草涧边生,上有黄鹂深树鸣。春潮带雨晚来急,野渡无人舟自横。”(《滁州西涧》)王士祯说王维的“辋川绝句,字字入禅”,这是颇有道理的。此派审美趣味,经南宋严羽的兴趣说、清王士祯的神韵说,贯穿中国的古典美学。

日本美意识受禅宗影响而趋向闲寂清幽的趣味,是从中世的“幽玄”观念开始的。本来“幽玄”美由藤原俊成、鸭长明强调“余情”,藤原定家侧重“妖艳”,而带有较多的王朝贵族的审美趣味。到中世后期,心敬认为“幽玄”之艳,乃心之艳,非如玉貌冰肌之艳。心敬的“幽玄”是一种冷寂美。后来芭蕉的“寂”也与此有关。与心敬同时代的能乐师禅竹也以枯淡美为“幽玄”,这乃是应仁之乱后的时代思潮和禅的思想影响的反映。

心敬曾说“昔有一人询歌仙以咏歌之道。答曰：‘枯野芒草明月照。’心知此言之言外意，则悟知‘冷’、‘寂’之意也。入得其境之佳士之作，定谙此风情。咏枯野芒草之句，自有明月清辉之心在。”意谓“枯野芒草”之景中，有着“明月清辉”的美。他还举了一首和歌：

曙色朦胧月溶溶，红叶飘零山风中。

（源信明《新古今集》卷六〈冬〉）

评道：“此乃离于‘艳’而入于‘闲静’，于歌姿之情景、余情上用心也。”㉑他还说：“极品之连歌，如饮白水，然至味无味，一掬不足也。”㉒可以说将枯淡、平淡之美推崇到了极至。

能乐家世阿弥的“幽玄”观，也是以枯淡美为归宗，倡言“枯萎风体”、“冷寂之曲”、“无心之能”、“无文之能”。其婿金春禅竹的能乐论更带有浓厚的禅的风格，他排斥藤原定家的绚烂豪华的“妖艳”美，取消装饰性的感官美，追求禅的圆通无碍的空寂之境。如其论“心词幽玄曲味”道：“此曲味非具樱花、红叶之风致，乃于孤行静寄之中，乘兴而来，兴尽而去之幽情曲感也。”㉓推崇的是更为空灵素淡的“幽玄”。蕉门俳谐讲求“寂”，重视的还是闲寂清幽，以及此种“寂”境中隐现的华采。《去来抄》中，芭蕉评“园丁白发，白花丛中”这一俳句说：“甚见‘寂’色”，正是推奖其于枯寂之中见绚烂。芭蕉本人的句作如：“樱树老，新花绽出，暮年思。”“细端瞧，白荠娇嫩，出墙根。”同样具有这种特色。以芭蕉为首，蕉门之人其角、岚雪、丈草、支考等都曾师事禅僧，学习禅理。这于“寂”风的形成，当是大有关系的。

从上述两个方面来看，虽受禅风的影响，中国对“韵味”的含蓄美的追求，仍然是在比较注重文艺的形象美的基础上作出的。既描绘出较丰富多彩的形象画面，又追求“言外之意”的情趣、理趣的含蓄美；既中蕴深意，又外非枯淡。这才符合奠基已久的民族审美传统。这仅从我们所举的有限的作品中也可以看得出来。而且，在中国讲求清枯孤寂的文艺美的人，如明代以钟惺、谭元春为首的“竟陵派”，倡言表现“幽情单绪，孤行静寄”，很难得到理论界及公众的认可。“禅没有否定儒道共持的感性世界和人的感性存在，没有否定儒家所重视的现实生活和日常世界”，“禅仍然是循传统而更新”。㉔

在日本，当禅宗传入并对文艺产生影响时，正值平安王朝的“物哀”美的文化盛极而衰，并由于社会发展而积极探寻出路时，故而“禅”的“不立文字，直指佛性”的简洁、自然的观念很快就被接受，而形成了新的“幽玄”、“寂”等审美意识。“从豪奢走向洗炼”，“美，或者说是万物的生命，其隐含于内时，比显现于外时更有深意。宇宙的生命常常只是在某种外观下有力地搏动着。它并不显现，只是隐微地暗示着它的无限。”㉕这就是日本著名学者冈仓天心对“禅”给予日本美以深刻影响的解释。日本的禅之美，较之中国，更突出闲寂与枯淡。

注释：

①释迦牟尼，关于他的生卒年，传说不一，根据史料推断，约生于公元前565年，卒于公元前490—480年之间。佛教传入中国，是在东汉初期，汉明帝永平十年（公元67年）以前，详见任继愈：《中国佛教哲学简史》，上海人民出版社1985年版，第29—31页。6世纪以后，佛教经百济传入日本，详见家永三郎：《日本文化史》，岩波书店1984年版，第23页。

②李泽厚：《中国古代思想史论》，安徽文艺出版社1994年版，第306、307页。

③同上书，第309页。

④村冈典嗣：《日本文化史概说》，岩波书店1949年版，第4、8页。

⑤家永三郎：《日本文化史》，岩波书店1984年版，第26页。

⑥前引书《日本文化史概说》，第23—24页。

⑦家永三郎：《飞鸟·白凤文化》，载《岩波讲座·日本历史2》，岩波书店1971年版，第331页。

⑧《法隆寺金堂释迦佛造像铭》，同见上文同页。

⑨久松潜一：《日本文学评论史·总论歌论篇》，至文堂1942年版，第130—131页。

⑩濑古确：《日本文艺史——日本文学理念的展开》，东出版株式会社1966年版，第16—30页。

⑪西田正好：《日本的美——其本质和展开》，创元社1970年版，第271页。

⑫同上书，第272页。

⑬前引书《日本文化史概说》，第51页。

⑭司空图：《与李生论诗书》，《与极浦书》，《二十四诗品》。见郭绍虞、王文生主编：《中国古代文论选》第二册，人民文学出版社1984年版。

⑮铃木虎雄：《中国诗论史》（中译本），广西人民出版社1989年版，第162页。

⑯久曾神升：《〈古今和歌集〉成立论·资料编上》，风间书房1960年版。

⑰见《日本古典文学大系·65》，岩波书店1977年版，《和歌九品》第32页。

⑱唐纳德·金：《日本人的美意识》（金关寿夫译）中央公论社1993年版，第11—12页。

⑲铃木大拙：《禅与日本文化》（陶刚译）三联书店1989年版，第163—169页。

⑳李泽厚：《华夏美学》，中外文化出版公司1989年版，第175页。

㉑心敬：《私语》，见《日本古典文学大系66·连歌论集、俳论集》，第175页。

㉒《心敬僧都庭训》，见前引书《日本的美——其本质和展开》，第90页。

㉓金春禅竹：《五音三曲集》，见前引书《日本文学评论史·总论论篇》，第119页。

㉔前引书《华夏美学》，第168页。

㉕冈仓天心：《东方的理想》，鹈鹕社1980年版，第175—176页。

西方文化东来与中日两国的反应

赵德宇

在西力东渐的潮流中，1517年葡萄牙殖民者闯入中国广东，1543年到达日本的种子岛。此后，1549年沙勿略赴日，1583年利玛窦来华。从此，中日两国便开始面临汤因比所说的“西方问题”了。这是自大航海时代西方向全世界扩张以来，对远东挑战的端绪。不言而喻，如何迎接这次挑战，将成为中日两国重要的历史课题。在16世纪中叶至19世纪中叶这一历史阶段的不同时期，中日两国对西方文化的反应各有不同，尤其是在这一历史阶段的后期，中日两国对西方文化挑战所采取的不同态度，成为两国近代走上不同发展道路的主要原因之一。本文试就此作一概观的探讨和比较。

一

在这次挑战的第一个时期，也即16世纪后期至18世纪前期，中国对以耶稣会为主的西方传教士以及与之俱来的西方科学文化在中国的传播，保持了冷静的态度。以下仅就这一时期的西学发展做一鸟瞰。

明末，士大夫阶层出现了以徐光启（1562—1633）、李之藻等人为首的西学重镇，对西方的科学技术表现出浓厚的兴趣。徐光启在《泰西水法·序》中，针对当时封建“硕学”们将科学技术视为末业的传统认识，指出传教士们的学问中“更有一种格物穷理之学，凡世间世外，万事万物之理，叩之无不河悬响答，丝分理解。推而思之，穷年累月，愈见其说之必然，而不可易也。格物穷理之中，又复旁出一种象术之学。象术之学，大者为历法，为律吕；至其他有形有质之物，有度有数之事，无不赖以为用，用之无不尽巧极妙者”。①简而言之，认为西方科学的特征是“重实证、求实用”。徐光启本着“一物不知，儒者之耻”的求知精神与利玛窦合作，于明万历三十五年（1607年）译成《几何原本》前六卷，这在当时是一部非常重要的自然科学著作。徐光启不但是系统介绍西方科学的先觉者，同时也是中国人运用西方科学方法之先驱，体现了那个时代不可多得的科学精神。他力倡经世致用，为总结民间农业生产经验，“布衣徒步”、“广资博讯，遇一人辄问，至一地辄问，问则随闻随笔，一事一物，必讲求精研，不穷其极不已”。②旷世名著《农政全书》即是上述以科学精神为基础的经世致用的典范。③

徐光启不但对西方科学知识身体力行，而且细心揣摩，在较为深层的方法论方面，逐渐接近西方科学的核心。他察觉到西方科学以形式逻辑为指导的定理化的方法，并认为这正是中国科学中所缺少的思维方式。他指出：中西数学的差异不在“法”而在“义”，西方之“义”是以《几何原本》为代表的演绎逻辑体系，即它“能传其义也”。④他希望通过“由数达理”的途径，使中国科学走向更高的层次。这也正是徐光启要把《几何原本》介绍给中国人的原因。正是沿着这一思路，李之藻帮助傅凡际（Francisus Furtado，1587—1653）翻译了介绍西方逻辑学的著作《名理探》。李天经在为该书所作的序言中指出：“世乃侈谭虚无，诧为神奇，是致知不必格物……其去真实之大道，不亦远乎。西儒傅先生复衍名理探……推论为梯。读之其旨似奥，而味之其理皆真，诚也格物穷理之大本原哉。”⑤爱因斯坦曾把希腊哲学家发明的形式逻辑体系（体现在欧几里得的几何学中）和通过系统的实验找出因果关系的方法，看作是西方科学发展的两个伟大的基础，⑥而当时部分中国知识分子，已经开始重视形式逻辑的“由数达理”的思维方法，换言之，当时中国士大夫阶层中的西学派开始接近西方科学的思想核心。

李之藻是明末西学的又一员骁将，一生参与翻译的西方科学技术书籍，总计达三、四十种，内容涉及数学、天文、历法、水利等领域，其中比较著名的有《寰有诠》、《名理探》等。李之藻还热心编辑刊印他人的著作，其中以1682年刻印的西学丛书《天学初函》影响最大。该丛书共辑录了西学书籍20种，分为理编和器编两大部类，而器编皆为科学书籍（见下表）。李之藻积极学习、传播西方科学，表现了当时中国知识界探求进步的开放精神，《天学初函》为中国科学技术领域增加了新的养分，尤其是《职方外纪》“言五大洲各国之风土、民情、气候名胜，等等……并刻有万国舆图、北舆地图、南舆地图。是书在明末，当然为地舆学之一种新知识，足以纠正中国古人天圆地方之许多谬见”。⑦

天学初函书目概要⑧

理编				器编			
书名	作、译者	初版	主要内容	书名	作、译者	初版	主要内容
天主实义	利玛窦	1595	天主教教义	泰西水法	熊三拔 徐光启	1612	西方水利
西学凡	艾儒略	1623	欧洲大学课程纲要	简平仪说	熊三拔	1611	简平仪用法
辨学遗牍	利玛窦等	1609	与佛教论辩	浑盖通宪图说	利玛窦	1607	星盘原理、用法
唐景教碑书后	李之藻	1625	论著景教即天主教	同文算指	利玛窦 李之藻	1614	西方笔算法
畸人十篇	利玛窦	1608	与士大夫论天主教	几何原本	利玛窦 徐光启	1607	欧几里得几何学

续表

天学初函书目概要							
理编				器编			
书名	作、译者	初版	主要内容	书名	作、译者	初版	主要内容
交友论	利玛窦	1595	论交友	圜容较义	利玛窦	1608	论圆的等周图形
二十五言	利玛窦	1604	以教义论修养	表度说	熊三拔	1614	用日晷测时间
七克	庞迪我	1604	克制私欲侍奉上帝	测量法义	利玛窦	1608	测量原理
灵言蠡勺	毕方济 徐光启	1624	论灵魂	天问略	阳玛诺	1615	中世纪欧洲天文学
职方外纪	艾儒略	1623	世界地理（应为器编）	勾股义	利玛窦	1608	以《几何原本》定理分析中国勾股算法

在明末西学的影响下，清初天文学、数学有了长足的发展，其中王锡阐（1628—1682）、梅文鼎（1633—1721）可谓佼佼者。“王氏精而赅，梅氏博而大，各造其极”。⑨他们主张“去中西之见”，“务集众长以观其会通，毋拘名目而取其精粹”，“法有可采，何论东西，理所当明，何分新旧”。⑩但是他们并非盲从西法，而是以“考证古法之误，而存其是，择取西说之长，而去其短”，⑪作为他们对中西学问作出判断的基本态度。

士大夫如此，明末清初，万历、崇祯、顺治、康熙各朝，也对传教士的正常传教活动采取了开明政策，同时通过传教士积极地摄取西方科学文化，表现出一种名副其实的“天国气度”。利玛窦去世后，万历皇帝特赐予墓地。当时有人向礼部尚书叶向高提出异议说：“自古外人来我中国，未有钦赐葬地者，何独厚利玛窦？”叶答曰：“他且勿论，只观其所著《几何原本》一书，发古人之未发，功在万世，仅此一事，即当钦赐葬地。”⑫由此可见当时知识界对该书的重视，同时也说明当时皇帝及士大夫阶层尊重先进外来文化，虚心向学的求实精神。清朝入关后，也十分重视传教士在科学技术上的特长。因推崇汤若望于天文历法领域的成就，任命其为钦天监监正。顺治帝更呼汤氏为“玛法”（满语：师父之意），认为中国历代历家“实不及尔（汤若望）”，[13]并时常召其至禁殿询问关于天象或朝政等问题，并亲临其邸，仅1656—1657两年间就有24次之多。[14]

康熙更是尊重西方科学的一代帝王，在位的60年间，对西方传教士基本上采取的是宽容、利用的政策。钦天监案的结局具体表现出康熙注重实学的理智态度。1664年杨光先基于“宁可使中夏无好历法，不可使中夏有洋人”[15]的观念，以“历法荒谬”、“谋反”等罪名参劾汤若望、南怀仁等传教士，一时兴起钦天监大狱，拘捕传教士，处汤若望以绞刑。然而杨光先制历不利，康熙亲政后于七年（1668年）命杨光先与南怀仁同测正午日影，结果杨氏所测不验，而南怀仁的推算则不差分毫。杨光先仍扬言：“中国乃尧舜之历，安可去尧舜之圣君而采用天主教历？若用西洋历，必至短促国祚，不利子孙。”[16]在科学面前，康熙做出明断，革去杨光先钦天监监正职务，以南怀仁为钦天监监副，并开释所有在拘传教士。

康熙自己也对诸如天文历算、物理、医学、地理、测量等西方科学，颇感兴趣，对传教士中“凡有一技之能者，往往被召至蒙养斋”，[17]并“几暇格物，……为古今所未觏”。[18]康熙曾长期随传教士学习上述各门学科，而且“每次上课，他几乎没有一回不称赞欧洲科学的……对欧洲科学和向他施教的传教士赞不绝口”。[19]据法国传教士白晋记述：“皇上每天都和我们在一起达一、二小时。皇上亲自向我们垂询有关西洋科学、西欧各国的风俗和传闻以及其他各种问题。”[20]康熙对法国的科学文化尤为赞慕，他使用法国制造的工艺品，效仿法国科学院在宫中设立学艺院。日本学者后藤末雄在其《中国思想西渐法兰西》一书中，饶有兴趣地指出：“从这些事实看，康熙皇帝显然是位具有法国趣味的帝王。”[21]

由于皇室对西学的推崇，这一时期引入了西方的天文、历法、数学、地理、地图测绘、物理、机械、医学等各门科学，以及建筑、绘画、音乐等西洋艺术。[22]据王韬《泰西著述考》统计，仅1552—1674年间，传教士用汉文介绍西洋知识的著作，就有211种。[23]另据梁启超《西学书目表》收录，这一时期翻译西书达86种（不含宗教类）。[24]据笔者尚不完全统计，其中仅被收入《四库全书》史部地理类和子部天文历算、器物类者，计有十几种。诸如数学类的《几何原本》、《同文指算》；世界舆地类的《职方外纪》、《坤舆图说》；介绍西方天文学的《乾坤体义》、《天问略》等反映当时欧洲科学成就的重要书籍，皆在其中。此外，自1644年汤若望任饮天监监正直到1805年有11名传教士担任钦天监监正一职，在这160年的时间里，传教士几乎垄断了这一职务。[25]可见，即使在禁教以后，精通天文历法的传教士仍然受到朝廷的重用。当然，这时传入的西方科学技术尚属近代科学以前的体系，而且也还只限于士大夫阶层，但它终究为中国带来了可供吸取的新的科学知识来源。更重要的意义在于，它使中国对外部世界保持了一定限度的了解，防止了盲目自大的愚妄意识的滋生。

在这一历史时段里，日本却没有中国那么幸运。由于当时日本历史环境的原因，自1543年耶稣会士来日本传教至1639年德川幕府彻底驱逐传教士的近一个世纪，是日本历史上的“天主教时代”，而西方的科学技术仅仅是作为副产品而存在的。

1467年开始的应仁之乱将日本推入了长达一个世纪的战国混乱之中，使日本陷入文化虚脱状态。值此日本文化的灰色时期，1549年天主教耶稣会来日本传教，将异质的天主教文化传入日本列岛，并强烈地吸引着处于文化饥饿状态下的日本人。日本人对天主教趋之若鹜，信徒人数直线上升，一般估算，最多时达75万人（见附表），而且波及到从大名以至乞丐的各个阶层。在这一时期的日本，也曾经接受了一些随传教活动夹带而来的西方科学知识，但是就其规模和对当时知识界的影响，是无法与同期中国相比的。当然，另一方面它对后来日本的兰学发展也起到了承前启后的历史作用。㉖

天主教教徒发展简表（概数）㉗

年度	信徒人数	年度	信徒人数
1551	1000—1500	1582	150000
1570	30000	1587	200000
1579	100000	1605	750000

这一时期传教士们带来的西方文化中，表现为正价值的是科学技术，而他们的宗教观念总的看来则属于保守落后的中世纪思想。至康熙五十九年（1720年）康熙皇帝因“礼仪之争”而禁止天主教，其间虽发生过南京教案和钦天监教案，但后来都予以平反，总的说来，传教士基本上受到了公正的待遇。然而即使是在如此宽容的气氛下，在数倍于日本人口的中国，信徒人数也仅有16万余人（1664年），㉘相当于日本天主教时代繁荣期75万信徒的22%。但是当时中国对传教士带来的西方科学技术的兴趣却远远超过了日本。综观这一时期中日两国对西方文化的取向是不同的，即日本是宗教的，中国是世俗的；日本注重贸易利益，中国憧憬科学价值；传入日本的西方科学技术只是副产品，而在中国，西方科学是摄取的主要对象。正如德富苏峰所言：“在当时日本的耶稣教信徒中，能够达到像李之藻翻译《西学凡》那样学力的人，一位也没有。”㉙在日本随着严酷的禁教政策，包括科学技术在内的南蛮文化也随之夭亡。在中国虽也有过排耶之举，但从未走到日本那样的极端，而且也不曾涉及科学技术领域。

由此，可得出这样的结论，即在与西方文化接触的第一期中，中国做出了正确的判断和反应，从而成功地完成了历史的答卷。相比之下日本则收获寥寥。换言之，当时中华民族对西方科学技术的反应能力大大超过了日本。更令人深思的是，这一时期吸收先进外来文化的主体正是作为儒家文化载体的中华帝国的最高统治者和士大夫阶层。明末清初西学输入的历史澄清了一个事实，即当时士大夫阶层中的有识之士并不像我们在一个时期不加区别地形容的那样“冥顽不化”，而是恰恰相反，他们对先进的西方文化表现出谦虚好学的宽容大度，连康熙皇帝都将学有所长的传教士请进宫来做“家庭教师”。在这些历史事实面前，我们今天有什么理由不加区别地指责甚至揶揄我们的先人呢？至少不能将此后特定历史环境中产生的畸形盲目自大的中华意识说成是儒家文化必然的组成部分。

二

从前述史实不难看出，随着欧洲文化东来，及历代皇帝和士大夫阶层的上下呼应，中国大有进入近代科学阶段的可能性。然而遗憾的是，与中国的宽宏相反，罗马教廷却表现出偏狭的排他性，终于酿成北京朝廷与罗马教廷之间的“礼仪之争”。正如汤因比所说：“西方文明的第一次出现（指16世纪中叶起两个世纪间天主教传教士在中国和日本传教的历史——笔者注）所引起的远东各民族在情感上的反响是十分复杂的，它是一种既时髦又令人嫌恶的不稳定的混合物，并且在第一次冲突中，嫌恶的感情最终占了上风。”㉚

1704年教皇克莱孟十一世命圣职部向在华传教士发布了禁约七条，其中包括：不许用天或上帝称天主；㉛不准教堂悬挂有“敬天”字样的匾额；禁止教徒进入孔庙、祠堂祭孔祭祖；禁止在家安放亡人牌位等，㉜并要求中国皇帝认可。针对罗马教廷这种干涉中国日常生活礼俗的无理要求，康熙严正旨谕，传教士必须服从中国礼仪，并需持有朝廷准予传教的印票，否则，不得在中国传教。同时派在华耶稣会士赴教廷，劝戒教皇收回禁约，但遭到拒绝。康熙为维护主权，不得已于1720年敕令禁教，朱批曰："以后不必西洋人在中国行教，禁止可也，免得多事。"[33]就事论事，导致清廷禁教的责任与其说在中国方面，不如说在教皇方面更公允。然而，历史并不单单裁判这个事件本身的谁是谁非，更重要的是，这次事件造成的历史性转折所带来的严重后果。

1720年正是日本德川幕府八代将军德川吉宗下令放宽汉译洋书进口限制的年头，大凡汉译西书，除宣传天主教者外，不再禁止。由于德川吉宗的"洋书缓禁"政策，至江户时代（1603—1868）中期，在日本知识阶层中出现了以荷兰语为媒介，研究、摄取西方近代学术的学问体系——兰学。它以研究西方近代科学为开端，逐渐扩展到西方社会思想等领域，成为江户时代日本人了解外部世界的媒介，并在幕末维新时期产生了积极的历史影响。日本由此扩大了对西方文化的吸收，而中国自此以后，却经历了雍正、乾隆时代的严厉禁教，进而发展到清乾隆二十二年（1757年）发出禁海令，开始实行闭关政策，致使中西文化交流几乎中断。其后虽有少数传教士滞留宫中及钦天监，但是其活动受到严格限制，形同软禁，西方科学在中国的传播奄奄一息。1720年遂成为中日两国对西方文化态度逆转的开始。

1774年由前野良泽（1723—1803）、杉田玄白（1733—1817）等人译述的《解体新书》是兰学兴隆的标志。我们知道，近代科学的方法是通过实验和观察，推导出科学理论。通过《解体新书》的翻译，杉田玄白提倡的"实测穷理"，即实践与理论相结合的科学方法，不仅在医学界，而且也为兰学的其他领域确立了近代的科学研究方法。

继解剖学著作《解体新书》刊行之后，作为西医基础理论主要分科的解剖学、生理学、病理学先后传入日本。通过兰学家们的上述学术活动，近代西方医学在日本确立了地位。而宇田川榕庵（1798—1846）又在其撰写的植物学著作《菩多尼诃经》和《植学启原》中，将瑞典著名植物学家林耐（Carlvon Linne）的植物组织理论及林耐分类法介绍到日本，从而在日本建立起近代植物学理论。在天文学领域，本木良永（1735—1794）于1774年和1793年先后翻译了《天地二球用法》、《新制天地二球用法记》，专门介绍了哥白尼的太阳系理论以及经开普勒、伽利略直至牛顿的地动说的发展情况，并指出托勒密的地球中心说是旧学，而哥白尼创始的太阳中心说是新学。本木良永的弟子志筑忠雄（1760—1806）译成著名的《历象新书》（原书作者是牛顿的学生凯尔Tohn Keill），将牛顿的天体力学体系移植到日本，构筑起近代天文学及天体力学的理论基础。1825年青地林宗（1775—1833）著《气海观澜》，描绘了19世纪初欧洲基础物理学的概况，使物理学在日本形成了一门独立的学科。1836年帆足万里撰成《穷理通》，该书最大的特色在于试图建立以自然科学为基础的世界观体系，日本学者称其为日本自然科学史上划时代的著作。以至明治维新时代来日本的荷兰人“为江户时代能有如此杰出的学者而颇感惊异”。[34]至天保年间（1830—1843），化学也以“舍密”（chemie 音译）学的名称形成独立的学科。宇田川榕庵撰《舍密开宗》（1837年）全21卷，内容包括无机、有机和分析化学，并以被称为“近代化学革命”的元素概念为中心，论及化学反应和试验方法，将西方近代化学体系输入日本。

从以上兰学自然科学各领域的成果不难看出，西方近代科学的主要成就已大体移入日本，以至有日本学者认为兰学促成了科学的新时代。[35]科学不只是单独说明个别现象的因果关系，它还要认识宏观自然界的总体，因而先进的科学势必会产生先进的哲学思想。到化政时期（1804—1830），兰学的研究领域已超出自然科学的范围，发展到唯物主义自然论与合理的社会思想统一的阶段，最终产生了对封建幕府的批判意识。

山片蟠桃（1746—1821）是通过融汇合理的穷理精神和兰学知识，升华为具有近代自然科学知识和唯物主义思想的学者。其代表作《梦之代》(1820年）不仅屏弃了地心说的旧体系，而且还提出了恢宏的“大宇宙理论”。㊱他认为宇宙间排列着大小无数个与太阳系类似的恒星系，并推测在其他恒星系中也存在着人类社会，从而指出了地球在宇宙中的位置。山片蟠桃的唯物主义自然观孕育出他的先进的社会思想。针对神代史中“先有君而后造民”的传统谬说，山片蟠桃依据唯物主义思想直截了当地指出：“有天后有地，有地后有人，有人后有仁义礼智、忠信孝悌，有庶民后立君，一旦君立，万民皆为其所使。”㊲从而唯物地解释了人类社会发展史。从上述可以看出，蟠桃以近代自然科学为基础形成了新的唯物主义世界观和具有近代意识的社会思想。如果说山片蟠桃从西方近代科学中发现了唯物论，那么司马江汉（1738—1818）思想的特点则是从近代科学中引申出社会平等观。他认为，自然万物皆禀“天气”（太阳之火）和“地气”（水）和合而成，进而提出了鸟兽草木皆从此理，人类也不外是宇宙之虫的生物平等理论，而这种理论的归结点是人类社会平等观。司马江汉针对江户时代严格的等级制度，提出：“上自天子将军，下至士农工商非人乞丐，皆人也。”㊳司马江汉的思想已经开始触及幕府统治秩序的根基。此外，司马江汉还指出了“彼诸国以穷理治国”，㊴而“我日本技术不及欧罗巴人”的根源在于“吾国之人不好穷万物之理，不好天文、地理”，“虚构文章以为文雅，不述信实”，㊵尖刻地批判了当时腐儒们的空理空论。这也正是司马江汉兰学研究的社会价值。

兰学在社会思想领域的发展，终于与封建幕府爆发了正面冲突。19世纪30年代后，在“天保大饥馑”（1833—1836）和英国东渐势头加快的内外危机形势下，渡边华山（1793—1841）依照兰学知识，明确提出了社会变革理论。统观渡边华山有关西洋的论著，颇具冷静的分析和清晰的思想体系。他是站在人类文明发达史的高度来分析世界历史并把握当时世界现状的。首先是："亚西亚四十度以南之地，自远古教化开，文物盛……古代南方尊，北方卑，后来南方之教化次第扩至北方"，由此"北方剽悍诡黠之俗一变为强勇深智之国"，而南方"高明文华之地成疏大浮弱之风。……惟今欧罗巴诸国于海外无不到之隅，以押领四大洲诸国。"[41]那么，西洋变强的原因何在，或者说西洋是靠什么来押领四大洲的呢？对此，渡边华山精辟地指出："西夷皆专于物理之学，故而，审度天地四方，不以一国为天下，而以天下为天下，因是，颇有广张规模之风气。"[42]简而言之即是"穷理精神"和"世界视野"。他清醒地认识到："古之夷狄为古之夷狄，今之夷狄为今之夷狄"，[43]"时势既今非古。故以古论今者，如胶柱鼓琴。"[44]那么在剧烈变动的世界中，日本该如何应对？对此，渡边华山主张要向西方学习，以适应世界大势之剧变。他明确提出："彼犀兕之革可以作铠，波斯之草可以活人……若夫当路重任读之，有审其俗而知其变，防其微而杜其渐，无以读斯道者余望外之幸也。"[45]总之，西洋在变，世界在变，日本也必须要变。我们可以从渡边华山的洋学论著的文脉中整理出其要求变革的一系列愿望。即古来华夷之辩的"井蛙之见"[46]要变为"以天下为天下"；[47]"高明空虚之学"[48]要变为"万事议论皆专务穷理"；面对西洋向东亚的攻势，"唐山御戎之论、我邦神风之说不足恃"，因之，"专于内患、不虑外患"[49]的海防体制也要变；"不痛不痒的世界"（指日本国内状况）[50]要变为"忧勤国政、内外慎密"[51]之局面。渡边华山这种以兰学知识批评社会现实的意识以及要求社会变革的意识已经大大超出了迄今为止的任何兰学家，也是至开国为止兰学社会批判意识发展的最高峰。

三

如果说至16世纪止的科学史对人类文明发展的影响还不很重要的话，那么进入17、18世纪，西方科学革命即进入高潮。在这种革命力量的催动下，18世纪欧洲启蒙思想风行，工业革命在欧洲各国相继兴起，由此大大改变了人类历史的面貌，为人类指出了一条不同于以往几千年文明史发展定规的新方向。同时它也是向全世界提出的严峻挑战，它预示着各古老文明的历史光彩已成为过去，无论哪个民族，要想使自己不被历史抛弃，就要正视并积极采用这个新的文明。随着这种文明的发展，“过去那种地方的和民族的自给自足和闭关自守状态，被各民族的各方面的互相往来和各方面的互相依赖所代替了……民族的片面性和局限性日益成为不可能，于是许多民族的和地方的文学（这句话中的文学Literature一词是指科学、艺术、哲学等方面的书面著作——原书注）形成了一种世界文学”。[52]同时这种“世界文学”促成了西方资本主义世界的膨胀发展，并将这种文明滥用于对其他发展滞后民族的野蛮掠夺，全世界面临着严峻的挑战。迎接这次挑战的成功与否将决定着非西方各民族近代的命运。既然闭关自守已经不可能，那就要看哪个民族，尤其是尚未被殖民地化的民族抢先把握住这个机会，以接纳这种“世界文学”。而中国恰恰在这个历史的重要关头阻绝了吸收西方近代文明的途径。从这个意义上讲，中日两国对西方文化态度的逆转，正是两国近代走向不同道路的开始。

日本兰学的发展恰好出现于世界历史大转折这一重要时期，这不能不说是日本民族历史的幸运。日本学者在论及兰学以前的日本科学时认为：“近世以前，在日本文化中科学思想是极其稀薄而贫困的”；[53]“日本古来几乎没有称得上科学的东西，是兰学使日本人开始接触科学。”[54]从兰学有形成果看，仅译述书一项，自1744—1852年即达480余部，参加翻译的人数达115人。[55]另据大槻如电统计，至明治初年，译书达700种。[56]上述数字在当时欧美以外的国家中是足以令人吃惊的。此外据日本学者不完全统计，到明治维新前，有34所兰学塾培养了9000余名塾生。[57]兰学研究不仅使日本人及时地吸收了西方科学革命的新成果，而且还接触到西方近代理性的人文思想，同时也了解了世界发展大势，从而促发了否定日本传统封建意识形态的思想，树立了面对现实的科学对外观。兰学家们在和平的社会环境中较从容而主动地理解了马克思所讲的“世界文学”，完成了至关紧要的历史性积累。

由于中日两国这次历史性的转换，日本通过百余年兰学的发展，汲取了近代文明的新成果，逐渐清醒地认识到世界发展大势，并由此产生了促使一个民族发展的危机意识，从而省悟要使自己继续健康地生存下去，就必须顺应时代的潮流，这就在科学技术和观念上为明治维新后全面走向世界奠定了历史性的基础。而清朝在这关键的一个世纪里自囚于新文明之外，致使中华民族学习先进文明的热情荡然无存，学界一片沉闷，即使在所谓乾隆盛世，其学术成就充其量也仅限于训诂考证。然而这样的学问是无法应付近代西方文明挑战的。对于一个民族来说，最可悲的莫过于在历史变革的关键时刻不了解它的发展方向和自己所处的位置。闭关锁国使得中国知识界对外部世界变得孤陋寡闻。堪称学识渊博的乾嘉学派大师俞正燮（1775—1840）评价西方科学说：“洋人巧器，亦称鬼工，其自信知识在脑不在心。盖为人穷工极巧，可见心窍不开。”[58]持此“高论”者在当时不乏其人，这与明末徐光启“一物不知，儒者之耻”的信念相比，简直不知谁为古人。在这种妄自尊大的意识笼罩下，“中夏”终于丧失了对外部世界的正确判断和反应能力，竟把以英国为首的西方各国打入“朝贡国”的名册。中国就是在这种夷狄观和“华夷秩序”观念的指导下来迎接西方势力第二次冲击的。

乾隆五十八年（1793 年）英国政府为打破这种“华夷秩序”，并把中国纳入资本主义体系，派使团前来北京。7 月英使马嘎尔尼于大沽登陆，9 月谒见乾隆皇帝，献上了洋枪和当时英国巨舰的模型，之后提出了关于通商的六项要求。就在这前一年，俄国使节拉克斯曼也为要求通商而来到日本。在这次历史性考验面前，日中两国的反应形成了鲜明的对照。日本依靠兰学积累起来的海外知识，通过这次冲击听到了历史的脚步声，从而作出了积极的反应。幕府老中松平定信亲自指派官吏广泛搜集洋书，以学习西方之“理”，认识到西欧国家秩序与大君（将军）外交体制（指日本式的“华夷秩序”）具有完全不同的性质，由此产生了民族危机感，断定为对付欧洲的挑战就必须加强海防，并着手制定具体措施。而乾隆皇帝面对英国炫耀近代工业技术、武器和试图打破华夷秩序的双重挑战，却向英王宣示了中华帝国的愚钝：“天朝抚有四海，珍奇宝物，并不贵重。尔国王此次赉进各物，念其诚心远献，特谕该衙门收纳。其实天朝德威远被，万国来朝，种种贵重之物，梯航毕集，无所不有，并无需尔国制办。尔国王惟当善体朕意，益励款诚，永矢恭顺……共享太平之福。”[59]可见对后来置自己于绝境的西方先进的军事技术麻木到了极点，对英国的外交意图更是答非所问。在乾隆眼里，英国是同所有传统夷狄番邦同等的朝贡国，并没有察觉到这是西欧冲击的开始，因而怀柔蛮夷以“共享太平”的梦呓自然是顺理成章的了。由于对外部世界的闭塞，清廷终于没能捕捉住这次历史性的机缘。这一纸“堂堂正正”的谕旨实际是在宣告近代中国的厄运。

如果说对近代文明的孤陋寡闻和反应迟钝在上述相对和平的时代还无关紧要的话，那么到了激荡的历史关头就成为民族兴衰的决定性因素了。及至鸦片战争爆发，道光皇帝与群臣不知英吉利在何处。正如当时较开明的清吏姚莹所言：“吾中国曾无一人焉留心海外事者，不待兵戈之交，而胜负之数已较然矣。”[60]

1862年福泽谕吉在伦敦遇到一位叫唐学埙的中国人，二人语及为使东洋富强就必须努力摄取近代西方文化时，唐氏问，在日本能读洋书并兼教他人者有多少，福泽谕吉答约500人，旋即转问，中国这样的人才有多少，唐氏沉吟片刻，愧答曰，只有11人，福泽谕吉闻此叹曰，清国难望进步矣。[61]中国当时也有一些与洋人打交道的“通事”，但这些人与他们的日本“通事”同行几乎不能相提并论。冯桂芬说这些人不是“无业商贾”就是“市儿村竖”，只能说几句“洋泾浜”外语，连外文都很少认识，而且“声色货利之外，不知其他。惟藉洋人势力，狐假虎威，欺压平民，蔑视官长，以求其所欲”。[62]显然，这些人不能为中国提供有关西方的知识。日本凭着对西方的知识和世界大势的了解，在伯理叩关时做出了敏锐的反应，顺应历史方向选择了开国，进而实现了明治维新，较早地摆脱了沦为殖民地的厄运。与日本相比，中国不幸被福泽谕吉言中了。

由上述可知，日本依靠一个多世纪积累起来的近代文明基础和健康的世界观念，在民族兴衰的紧要关头与时俱进，“在主要来自西欧的文明诸要素大量引入日本时，日本已经有了对其可以纵横自如加以支配的驾驶员”，[63]由此日本终于走上了发展资本主义的道路。相反，中国在这一个多世纪里积累起来的是对外部世界的无知和虚狂自大，且又延宕了相当长的一段时期。鲁迅曾不无遗憾地描述了清末一般中国人对外来文化的态度，他说：“那时读书应试是正路，所谓学洋务，社会上便以为是一种走投无路的人……更加倍地奚落而且排斥的。”[64]因此，清末一般文人政客闭目塞听，“若问以亚洲之地舆，欧美之政学，张口瞪目，不知何语也”。[65]这种对世界先进文明不屑一顾的无知，使中华民族错过了历史机遇，从而不得不经受鸦片战争以来屈辱的一个世纪。由此不得不承认，对近代西方文化的不同反应是近代中日两国走上不同道路的重要原因之一。

注释：

①王重民辑校：《徐光启集》上册，中华书局1963年版，第66页。

②徐骥：《文定公行实》，载王重民辑校：《徐光启集》下册，第560页。

③有关徐光启的科学业绩，国内外论著颇多，本文不再赘述。

④徐宗泽：《明清间耶稣会士译著提要》，中华书局1989年版，第269页。

⑤徐宗泽：同上，第194页。

⑥《爱因斯坦文集》第一卷，商务印书馆1976年版，第574页。

⑦徐宗泽：《明清间耶稣会士译著提要》，第194页。

⑧参阅樊洪业：《耶稣会士与中国科学》，中国人民大学出版社1992年版，第116—117页。

⑨阮元撰：《畴人传·王锡阐》，商务印书馆1955年版，第446页。

⑩梅文鼎：《堑堵测量》，转引自杜石然等编：《中国科学技术史稿》下，科学出版社1984年版，第217页。

⑪阮元撰：《畴人传·王锡阐》，第446页。

⑫刘准：《天主教传行中国考》，中国河北献县1937年版，第145页。

⑬《清史稿·汤若望传》。

⑭魏特著、杨丙辰译：《汤若望传》第一册，台湾商务印书馆1960年版，第220页。

⑮夏燮：《中西纪事·滑夏之渐》。

⑯沈福伟：《中西文化交流史》，上海人民出版社1987年版，第380页。

⑰《清史稿·艺术列传序》。

⑱《清史稿·圣祖本纪》。

⑲《清史史料》第6辑，中华书局1985年版，第162页。

⑳白晋著、赵晨译：《康熙皇帝》，黑龙江人民出版社1981年版，第43页。

㉑信夫清三郎著、周启乾译：《日本政治史》第一卷，上海译文出版社1982年版，第30页。

㉒可参阅朱谦之：《中国哲学对于欧洲的影响》，福建人民出版社1983年版，有关章节。

㉓王韬辑：《西学一二种·泰西著述考》；另见《西学辑存六种·泰西著述考》。

㉔梁启超：《西学书目表》。

㉕荣振华著、耿昇译：《在华耶稣会士列传及书目补编》下，中华书局1995年版，第760—761页。

㉖有关日本天主教时代天主教和西方科学的传播情况，请参阅拙稿“试论南蛮文化”，《世界历史》1996年第一期。

㉗福尾猛市郎监修：《日本史史料集成》，第一学习社1980年版，第149页。

㉘徐宗泽：《中国天主教传教史概论》，上海书店1990年版，第238—240页。

㉙郑学稼：《日本史》第三卷，台北黎明公司1977年版，第368页。此处需要说明的是，无论是李之藻还是徐光启，无疑具有相当高的理解西方科学的学力，不过他们还不通西语，他们的“翻译”还不是独立进行的，而是通过传教士的口述，而“笔受”记录而成。

㉚汤因比：《文明经受着考验》，浙江人民出版社1988年版，第262页。

㉛天、上帝皆为中国传统概念，有特定的含义，因而教廷恐怕出现“同名异神”的误解。

㉜萧致治、杨卫东编撰：《鸦片战争前中西关系纪事》，湖北人民出版社1986年版，第130—131页。

㉝故宫博物院编：《康熙与罗马使节关系文书·教王禁约释文》。

㉞森铣三：《荷兰正月》，富山房1989年版，第222页。

㉟有马成甫：“司马江汉的自然科学业绩”，载《兰学资料研究会研究报告》52号，1959年版。

㊱山片蟠桃：《梦之代》，载《日本思想大系》43，岩波书店1979年版。

㊲同上。

㊳司马江汉：《春波楼笔记》，载《日本随笔大成》第一期第二卷，吉川弘文馆1975年版。

㊴司马江汉：《天地理谭》，转引自有坂隆道编：《日本洋学史的研究》Ⅵ，创元社1975年版，第146页。

㊵司马江汉：《春波楼笔记》。

㊶渡边华山:《外国事情书》。以下有关渡边华山论著的引文，皆采用佐藤昌介校注:《华山・长英论集》，岩波书店1978年版。

㊷同上。

㊸同上。

㊹渡边华山:《鴃舌或问》。

㊺同上。

㊻渡边华山:《慎机论》。

㊼渡边华山:《外国事情书》。

㊽渡边华山:《慎机论》。

㊾渡边华山:《诸国建地草图》。

㊿渡边华山:《慎机论》。

51渡边华山:《外国事情书》。

52《马克思恩格斯选集》第一卷，人民出版社1972年版，第225页。

53渡边敏夫:《近世日本天文学史》上，恒星社厚生阁1986年版，序言。

54家永三郎:《检定不合格日本史》，三一书房1980年版，第161页。

55穗亭主人:《西洋学家译述目录》，载图书刊行会编:《文明源流丛书》第三，名著刊行会1969年版，第465—481页。

56辻善之助:《日本文化史》Ⅵ，春秋社1955年版，第293页。

57青木岁幸:"信浓兰学的展开状况"，载《实学史研究》Ⅰ，思文阁出版，第138—139页。

58俞正燮:《癸巳存稿》卷十五。

59《大清高宗皇帝实录》卷一四三五，第13—14页，载《清高宗实录》第29册，(台)华文书局，第21319页。

60姚莹:《东溟文后集》卷八。

61参阅吕万和:《明治维新与中国》，日本六兴出版1988年版，前言。

62冯桂芬:《显志堂集・上海设立同文馆议》。

63梅棹忠夫著、王子今译:《文明的生态史观》，上海三联书店1988年版，第95页。

64鲁迅:《呐喊》，人民出版社1973年版，第2页。

65康有为语，转引自冯天瑜:《明清文化史散论》，华中工学院出版社1986年版，第160页。

“中体西用”与“和魂洋才”比较申论

李翔海　刘岳兵

在中国由传统社会向近现代社会的转型中，“中体西用”作为一种颇有特色的思想纲领，曾经产生过广泛的影响。无独有偶，在日本近现代化的过程中，“和魂洋才”也曾经成为思想的主导。作为后起的东方民族在近现代化的过程中处理民族文化与外来文化之关系的基本主张，“中体西用”与“和魂洋才”之间存在着明显的共同之处。但是，中日两国近现代化的历史进程之间却出现了极大的反差。正是这种反差促使不少论者已经对“中体西用”和“和魂洋才”作了颇有理论深度的比较研究。本文拟在此基础上围绕这一问题，就中日文化的不同精神品格作出进一步的申论，以就教于关心这一问题的方家与同道。

一

“中体西用”与“和魂洋才”之间存在着明显的相似之处。有的论者把它们之间的共同性归结为以下几个方面：

第一，两者都是在遭到西方文化的强烈冲击时，作为本土文化对于外来文化之挑战的回应方式而出现的。

第二，两者都试图调和或融会东西方文化，以期以西方文化之长补自我文化之短。作为一种调和模式，它们明显不同于主张全盘拒斥西方文化的极端保守派与主张全盘照搬西方文化的极端西化派。

第三，两者都力图保守自身文化在这种融会中的主体性，试图以自身文化之“体”或“魂”去主导西方文化之“用”或“才”，以避免西方文化将本土文化彻底淹没，造成文化上的亡国。

第四，两者的原始涵义大致相同。“中体”与“和魂”都主要是指本土文化中的伦理道德，而“西用”与“洋才”则均指西方以科学技术为中心的“富强之术”。①

两者的不同则主要表现在：

第一，“和魂洋才”论者在吸收西方文化时掌握的尺度较宽，“洋才”不仅限于西方的科学技术，甚至西方的某些制度和思想后来也被视为“洋才”而加以接受。相反，“中体西用”论者在吸收西方文化时掌握的尺度较严，“西用”一般局限于西方科技，而西方的制度（尤其政治制度）和思想则被视为“中体”的对立物和异端而加以排斥。

在这两个类似的模式中，“中体”与“和魂”各自在框架中所处的地位是不同的。“中体”在模式中是根本的和优先的东西，“西用”则处于从属的地位，两者是一种不对等的结合。而“和魂”则并没有受到优先的强调，“洋才”也没有摆到枝尾末节的位置上，因而基本上是对等的结合。因此，“和魂洋才”不存在道德中心主义的问题，而“中体西用”的根本局限则在于道德中心主义或道德至上论。“中体西用”与“和魂洋才”之间的这一差别具有本质和要害意义。②

第二，“中体西用”与“和魂洋才”的历史命运不同。由于洋务运动失败，“中体西用”开始受到批评。尔后，随着中国近代化与现代化的坎坷推延，对“中体西用”的批评也延续至今。而由于明治维新推行的以富国强兵为中心的狭义近代化的成功，“和魂洋才”并未遭受过太多的批评与诘难。

二

我们认为，以上的有关论断堪称是相当准确地把握住了“中体西用”与“和魂洋才”之异同的基本特征。可以进一步讨论的是，类似于“和魂洋才”，“中体西用”实际上也经历了一个对西方文化的接纳不断宽泛的过程。早期的“中体西用”论者的确是仅仅只希望“师夷之长技”的。但到了戊戌变法期间康有为主张对中国传统的社会体制“统筹全局而变之”，就可以看作是吸纳西方体制文化的努力。而同样在深层的文化心态上保守“中体西用”论的现代新儒家，则对于西方文化所显发的自由民主等精神理念也表现出了吸纳之而为我所用的理论倾向。不过，不论“中体西用”论者对于西方文化的吸纳深入到了文化的哪个层面，西方文化的有关内容在中国现代化文化中依然只能是属于“用”的层面，中国现代文化的内在之“体”则只能是通过民族文化的内在转化而自具。

“和魂洋才”则不同于此。正如有的论者已经指出的，随着历史的推移，“和魂洋才”论者对于“洋才”的取舍标准不仅越来越宽，而且其中事实上已经包括了某些“洋魂”的内容。③这也就是说，不像“中体西用”论者主张的那样，现代化的民族文化之“体”只能是恪守自身的民族文化特质，“和魂洋才”论者则实际上尝试着在“和魂”的层面接纳“洋魂”的内容。概言之，在“和魂洋才”的旗帜下，事实上包含了改铸日本文化内在之体的内容。

进一步的分析表明，这种情况在日本文化之发展变迁史上并非绝无仅有。如所周知，在日本历史上尚有一个与“和魂洋才”颇为相似的文化主张——“和魂汉才”，它们分别代表了日本文化先后对中国文化和西方文化的回应方式。这两种主张中尽管都提到

"和魂"，但其所指却并不相同。概括言之，"和魂洋才"中的"和魂"是经过日中文化的碰撞之后重塑的和魂，其中已经浸润了"汉才"乃至"汉魂"的因子。对此，日本学者自己也有明确的自觉。平川祐弘指出："'和魂汉才'时'和魂'的内容可以说是接受中国文化影响以前的日本人的精神。但是，幕末以降'和魂洋才'时的'和魂'的内容，则是指摄取儒教道德，从而发生了变化以后的日本人的精神。……此时的'和魂'与佐久间象山的所谓'东洋道德西洋艺术'中的'东洋道德'相当。它已经不是'和魂汉才'中的'和魂'，而勿宁说与'和魂汉才'总体相当了。'和魂'即是这样随着时代而变化，外国起源的价值观念作为一种精神内容被无意识地作为'我物'且得到同化，并包含在'和魂'之中。"④

之所以如此，又可以说是根植于日本文化的基本精神。换言之，由"和魂汉才"到"和魂洋才"的演变，堪称是从一个侧面表现了日本文化的基本精神。在对日本文化基本特质的探讨中，日本著名思想家加藤周一把"现世主义"看作是日本社会与文化的基本特征之一。他把这种现世主义称之为"文化的此岸性"，在他看来，"日本文化给世界观下的定义，基本上经常是此岸性的，即日常的、现实的"，"说到底，不存在与此岸隔绝的、独立的彼岸。……家族、村、此岸，是惟一的终极现实。"因此，"日本文化的特征之一就是超越集团的价值决不会占统治地位"。"在日本，……文化本身已经世俗化了。……德川时代以后，日本没有产生抽象性、总括性的形而上体系，只有个别的例外"。他得出结论说，"不受超越价值约束的文化将会走向何处？……不自觉的权宜主义和大势顺应主义——即经常所说的现世主义态度，将会成为典型"。⑤

与这种现世主义的价值取向相关联，注重实用成为日本文化的一个鲜明特点。正像另一位日本现代思想家中村元指出的，"由于日本人天性中宽容和较为开放的一面，他们吸收外国的异质文化而没有太多的排斥。他们试图认识这些不同的文化因素的各自价值。与此同时也努力保存从他们自己的过去继承下来的价值准则。……事实上，每种外来文化都被采用来作为日本文化的一种组成因素。无论采纳外来文化的人们的意图和呐喊可能是什么，只要外来文化的价值被认为是有助于日本进步的工具，就把它作为一种社会文化事实来接受。过去的这种态度造成了'和魂汉才'的观念。日本人的这种传统观点是理解日本文化多元性的关键"。⑥日本文化的这一重要特点也为不少中国学者注意到。王家骅指出："'有用即有价值'这种非理论的实用主义正是日本人多维价值观模式的来源。"⑦"文化对日本民族来说，始终是手段，……日本民族正是以'有用性'为准则不断摄取与利用多元的外来文化，从而形成其民族文化的。"因此，"'有用性'是日本民族的多维价值观的核心"。⑧

可以认为，正是由于日本文化既不受超越价值之约束，同时又具有鲜明的实用主义取向，因而外来文化不仅可以在"才"的层面为日本文化所容纳，而且可以在"魂"的层面影响日本文化。由此，"和魂"之中往往自觉不自觉地渗透了"洋魂"的因子。

"中体西用"所立足的文化精神则与此不同。正像加藤周一所注意到的，不同于日本明治维新以后对于天皇的"绝对化"实际上只是日本文化中集团自身的绝对化，儒教所揭明的"天"则与西方基督教之"上帝"相类似，代表了中国文化中超越性价值系统的存在。⑨加藤周一将中国文化与西方文化一样均视为超越性价值系统本身或许并无深意。但实际上，中国文化的确可以看作是西方文化之外人类文化中另一支在超越性价值系统上颇具独异特质的民族文化。不像西方文化强调人是带着原罪因而不能自我赋予生命以终极的价值与意义而只能是依靠上帝，中国文化则强调人之善性是与生俱来的，而且是与天地之本性相贯通的。因而人可以通过对内在道德人文世界的开拓，而最终赋予人的有限的生命存在以无限而超越的意义。从一定的意义上说，正是由于有一套自本自根的、超越性的价值系统的制约，中国文化在其历史的发展中，虽然也不断吸取了外来文化（如佛教）的思想资源，但它却又堪称是保持了某些基本的，一以贯之的民族特质。

中国文化的这一基本价值取向也明显地表现在体用关系上。“体”与“用”是中国哲学特有的一对范畴，是足以代表中国哲学思维方式之特点的范畴之一。体用范畴在中国哲学中的本义是指实体和作用、功能属性的关系，后来进一步发展引申为本体（本质）与现象的关系，成为中国哲学本体论中最重要的一对范畴，主要用来讨论世界的最高本体、本质和纷繁复杂的事物现象的关系问题。尽管在中国哲学史上何者是“体”何者是“用”一直见仁见智、争讼不已，但是，在肯定用从属于体、体是第一性的而用是第二性这一点上则是人所共认的。由此也就衍生出了体用范畴的第二层涵义：体是第一性的，是本；用是第二性的，是末。[10]正是在这种体用本末之思想观念的主导下，“中体西用”论者坚持以中国文化为本，而以西方文化为末，尽管在文化之用的层面上可以大力吸收西方文化，但在文化之体的层面则要着力保守中国文化的民族特质。这就与日本文化从才到魂全方位地吸收西方文化形成了鲜明的对比。

三

在世界现代史上，中日两国的近现代化形成了强烈的反差。日本不仅迅速完成了近代化的历程，而且时至今日也已经实现了工业化，成为一个世界性的经济强国。中国则不仅在近代化的过程中饱经沧桑，而且时至今日也依然还在现代化的途程之中蹒跚踉跄。这种状况的出现，是由内因外缘多种因素共同作用的结果。接下来本文将集中从思想文化层面对这一问题作一分析。需要指出的是，这并不表明作者把思想文化看作是决定现代化成败的基本因素。把中日两国近现代化的反差仅仅归结为思想文化的作用显然是不妥当的。但是，漠视思想文化的作用，仅仅把近现代化看作是一个经济、政治、社会过程无疑也是一种偏见。

正如有的论者已经指出的，在近代化运动中，“日本的成功，大大得益于科学技术的力量，得益于富国强兵，‘和魂洋才’是日本狭义近代化的集中表现”。[11]日本在明治维新以后所推行的狭义近代化之所以得以实现，与上文所指明的日本文化的基本精神以及作为日本近代化之思想纲领的“和魂洋才”所体现出来的、根植于这种基本精神的文化品格有着相当密切的关系。

由于日本文化缺乏超越性价值系统的约束，而其“才”与“魂”的内容又是变动不居的，因而“和魂”或曰日本的民族精神在归根结底的意义上可以看作“民族主体性”的同义语。按日本近代思想家三宅雪岭的看法，日本魂是由“自重心”与“爱国心”(即爱皇室之心）二元素组成的。[12]这里所谓“自重心”显然可以看作是个体人格的主体性，而所谓“爱国心”则可以看作是民族精神的主体性。二战中出版的《辞苑》(博文馆）在谈到“日本精神”时也指出，日本精神是“纵贯三千年、横统九千万日本人的我国固有的传统精神，其根柢在于对万邦无比的国体尊严的自觉。其精神的具体显现随时代而异。在上代表现为尊崇明、净、直的精神以及尚武的风气，海外交通之后则表现为对外国文化的急速吸收及其日本化的精神”。这里对“日本精神”的界定虽然有着特定历史时期的特殊痕迹，但“对万邦无比的国体尊严的自觉”显然可以归结为一种民族主体性。而正是通过这种民族主体性的中介，海禁开通以后对外国文化的迅速吸收就可以直接看作是“日本精神”的具体体现。因为在外来的强势文明的比照与冲击之下，除了急速吸收外国文化之外，要想摆脱丧权辱国的悲惨处境并进而捍卫"万邦无比的国体尊严"可谓别无它途。

这样，由于日本文化一方面以国家或天皇作为最后的终极实在，另一方面则在高扬民族主体性或主位性的同时，以实用主义的心态来对待、取舍外来文化，"和魂洋才"的思想纲领在日本的近现代化中确实起到了相当程度的积极作用。在上述文化精神的主导下，日本民族对待外来文化一切以是否有利于国家或天皇的现实利益为最终尺度，按照"有用即有价值"的原则来全方位地吸收西方文化。与此同时，在日本文化传统的熏陶下，日本人形成的实用心态也为日本迅速地接受西方的近现代工业技术提供了现实的可能性。再加之工业化成为源起于西方的现代化的主体内容，价值理性在其中并未占居应有的位置，这就更加助成了日本近现代化的迅速成功。

反观中国的近代化，则是以失败而告终的。其原因虽然是复杂的，但是"中体西用"的文化方针应当说是难辞其咎的。"中体西用"作为一种曾经一度主导了中国近代化进程的思想纲领，它对中国近代化的负面作用至少表现在以下两个方面：

第一，它阻碍了中国知识分子深入探讨西学的"内在之体"。由于早期的"中体西用"论者对于西学主要是着眼于其"坚船利炮"之"技"，而没有认识到深入探讨西方文化器物层面背后之体的必要性，因而真正吸纳西方文化的内在之体以为工业化在中国文化中确立内在的根据也就无从谈起，早期的工业化及其成就在中国社会与文化之中就只能是"无本之木"，它的遭受摧折可以说是自然而然的。⑬

第二，即使仅就对西方科学技术的吸纳而言，"中体西用"也事实上起到了一定程度的阻碍作用。如所周知，中国文化传统十分注重道德精神，形成了一种"道德中心主义"的价值取向。这种道德精神是近代以来"中体西用"论者所力图保守的"中体"的重要组成部分。而与"道德中心主义"的价值取向相关联，中国文化并不注重对科学知识的探讨，技术发明等被视为“奇技淫巧”而遭到鄙视。因此，尽管“中体西用”论的倡导者在主观愿望上是真心希望在中国近现代文化中接纳科学技术的，但是在“中体西用”中隐藏着的“道德中心主义”的深层价值取向却依然作为中国近代知识分子的心理积淀而在自觉不自觉中阻碍了对于科学技术的学习与接纳。

四

我们认为，对于“中体西用”和“和魂洋才”的比较还应注意到其中的另一面。这就是：在建设具有东方特色的现代文化中，“和魂洋才”所可能有的负面作用以及“中体西用”所立足的文化精神所可能有的积极意义。这方面在时下的研究中似很少论及，本文接下来将对这一问题试作探讨。

“和魂洋才”在促进日本社会高速引进西方科学技术这一点上，固然可以说是促进了日本的近现代化。但是工业化等工具理性的充分发展应当并不是现代化的全部内容。工具理性之外，价值理性的发展无疑应成为现代化的题中应有之义。如果从人是现代化的主体、现代化归根结底应当有利于人之全面发展的视角来看，以人之精神的依归为核心内容的价值理性应当成为现代化的落脚点。但是，由于西方的现代化主要体现为工业化，而日本也主要是在实用主义价值取向的主导下因袭了西方的现代化模式，因而如同西方现代社会一样，在今天，日本社会中“人”的问题，即人性的冷漠乃至异化，人生价值与意义的迷失等问题也十分突出。丰裕的物质享受并没有给人带来精神的安宁与心灵幸福的感受，这就显示了西方式的现代性中因工具理性极度膨胀、价值理性“退藏于密”而造成的深刻弊端。

与此同时，对西方文化的全盘引进在相当的程度上也使日本文化失去了民族特色。如今，日本虽然堪称是东亚的第一经济强国，但是却很难由此认为，日本的现代化模式足以代表东方式的现代化道路。这不仅是因为日本经济至今尚未完全确立成熟的经济制度，而且更重要的还在于就日本经济的文化依托而言，在世界范围内缺乏足够的示范力。美国前总统卡特的国家安全顾问、著名国际问题专家布热津斯基在对世纪之交的世界未来发展大势作出预测时就曾经指出，尽管日本在半个多世纪以来，在经济上可以说战胜了美国，今后10年内其国民生产总值将有可能与美国齐驱并驾，但是，它不可能"有效地对美国的具有综合实力的全球卓越地位提出挑战"。其主要原因在于"日本虽能影响世界但对世界缺少吸引力"。因为"作为一个社会，它既不能向世界提供一种引人入胜的社会模式，又不能带来举足轻重的启迪"。⑭而之所以如此，显然是与日本民族在对外来文化的全盘模仿、因应中丢失了自己文化的独异特色，因而面对当代人类的生存境遇，其文化缺乏足够的创发力与示范性有莫大的关系。这样，即使日本真正成为了世界上数一数二的经济强国，它也只能是依然附丽于以美国为代表的西方世界。

透过"中体西用"则可以读出另一种文化意蕴。近代自严复以来，人们对"中体西用"论的一个基本的批评就是认为它割裂了体与用，将中国文化之体与西方文化之用附会在一起。就"中体西用"的历史发生来看，这一批评无疑是中肯而恰当的。但我们却不必由此完全否定"中体西用"所可能具有的积极意义。如所周知，"中体西用"可以说是一种"调和"论。除此之外，在中国文化的近现代走向上还出现过两种非调和论：一者为顽固守旧派，一者为全盘西化派。由于两者中一者要坚守中国文化传统之体用，一者要全盘吸纳西方文化之体用，因而尽管他们的具体文化主张是针锋相对、形同水火的，但是在持守"体用不二"这一点上，他们却是共同的。不过这种持守却并不能被认作是比"中体西用”优越的标志。人类不同民族文化的融合会通应当说是文化发展的一般趋向，而无论是顽固守旧派还是全盘西化派，都恰恰是与这一趋向相背离的。而“中体西用”则毕竟以某种方式达成了中西文化的联结。因此，尽管“中体西用”以其偏狭的文化心态时至今日仍在对中西文化的交流会通起着阻碍作用，但在历史上，它却又可以看作是以畸变的形态显示了中西文化交流会通的基本可能。这是我们在对中国文化近现代历程的反省中不应当忘记的。

不仅如此，通过对“中体西用”历史局限性及其所立足的文化精神的反省，还可以为我们今天确立更为健全的文化方针提供借鉴。如果说，在一个中西文化撞击交流的时代事实上达成了中西文化的联结是“中体西用”论在历史上的积极意义之所在，那么，拘执于中西文化之别、陷于中西文化的出主入奴、体用本末之争而不能自拔，则是“中体西用”的严重缺陷。正是这一历史的局限决定了“中体西用”论在中国文化的近现代历程中更主要地是起到了负面的阻碍作用。“中体西用”联结中西文化的尝试及其历史局限从正反两个方面启导我们：面对一个中西文化融合会通的时代，必须在一个更高的基点上来显发中国哲学所独具的体用智慧。如所周知，强调体用一源、有体有用，既由体达用而又由用显体是中国哲学体用智慧的基本要求。要面对一个民族文化多元发展的时代而不是仅仅封限在中国文化的民族传统中成就一种体用一源、有体有用的文化，就必须超越或中国文化或西方文化的封限，而上升到人类文化之一般性的高度来探讨与确立文化的体与用。这是我们通过对中国文化近现代历程的反省，可以从中国哲学传统的体用智慧中吸取到的现代教益。

由此，我们也可以对中国延续至今的现代化历程多一份“同情”的理解。在中国文化艰难坎坷的现代历程中，人们的确可以曲折地发现到中国文化以有体有用、由体达用为追求的精神情怀。

正如陈来教授曾经指出过的,"晚清以来关于中西体用的争论,说到底,是如何从实有的层面完整地理解近代性或现代性"。⑮"中体西用"论者之所以坚持以"中学为体",一个重要的原因也是因为他们十分注重显发中国文化传统所素重的价值理性对于现代文化的意义与作用。而这恰恰可以看作是对西方以工具理性为主体的"现代性"的补充与纠偏。而对以科学技术为主的西学的吸纳又正可以看作是对工具理性之价值意义的认肯。因此,尽管"中体西用"论者在历史上主要是以一种中西对立的简易单元心态来对待中西文化,但是他们又确实是在不自觉之中涉及到了价值理性与工具理性的联结问题,从而可以说是以一种畸变的形态折射出了中国哲学在体用一源中追求整体价值系统的哲学取向。

对于中国而言,从传统向近现代的转进的确堪称是"三千年未有之大变局"(李鸿章语)。与此同时,中华民族之文化生命也需要在大开大合之中重立大本、重开大用。要想真正确立一种既能体现人类现代文化的一般要求而又具有中国民族特色,有体有用、体用如一的新型文化系统,显然不可能一蹴而就而只能是历尽艰难。在近代化之初,中国文化就以"中体西用"为思想纲领,这或许本身就具有某种历史性的象征意义:一方面它折射出了中国文化追求有体有用的现代新型文化的热切愿望;另一方面它也就既定了中国文化现代化之路的曲折与悠长。人们不应当忘记,如果没有数百年对印度佛学的吸收与消化,中国文化就不可能发展到宋明理学的崭新高度。在今天,在经过了为时一个世纪的努力之后,我们更不应当以过于急切与功利的心态来评断、看待中西文化的融合会通。

处在世纪之交的今天,应当更有理由相信,作为人类文化的主流传统之一,中国文化在经过现代的创造性转化之后,必将有其光辉灿烂的前途,中国文化所具备的智慧精神也必定能够对人类的未来产生积极的影响作用。人类文化未来的发展大势是民族文化多元并存下的交流与会通，这其中就逻辑地包含了中西文化这两大主流传统之间的相互吸纳与融合。尽管“中体西用”有着明显的历史局限性，但它又的确构成了联结中西文化、以中国文化为主体来吸纳西方文化的历史起点。只有既在人类文化之一般性的高度对中西文化的民族性特质予以定位，同时又站在民族文化的主位性上充分吸收西方文化之优长，才能真正建成有体有用的、作为人类文化之存在形态之一的中国现代文化。如所周知，中国文化在历史上曾经是东亚地区的主导思想之一。而在一个即将到来的“亚太时代”，应当有理由相信，真正既能体现人类文化之一般性要求而又同时富有中国文化之民族特色的现代文化，必将能够为成就有东方特色的现代化道路作出中华民族应有的贡献。

注释：

①参见王中江：《严复与福泽谕吉——中日启蒙思想比较》，河南大学出版社1991年版，第98—99页；武安隆：《从“和魂汉才”到“和魂洋才”》，日本研究1995年第1期。

②⑪参见王中江：《严复与福泽谕吉——中日启蒙思想比较》，第100—101页、第101页。

③参见武安隆：《从“和魂汉才”到“和魂洋才”》，日本研究1995年第1期。

④平川祐弘：《和魂洋才的系谱》，河出书店新社1992年第三版，第35页。

⑤⑨加藤周一：《日本社会、文化的基本特征》，《日本学》（第四辑），北京大学出版社1995年5月版。

⑥中村元：《东方的思维方法》，夏威夷大学出版社1974年版，第400—401页。

⑦⑧王家骅：《日本思想与日本文化》，浙江人民出版社1990年版，第42页、第161—162页。

⑩参见方克立：《论中国哲学史上的体用范畴》，中国社会科学1984年第5期。

⑫参见《明治前半期民族主义》，未来社1958年版，第60—61页。

⑬对这一问题的系统论述可参见傅伟勋：《从西方哲学到禅佛教》，三联书店1989年版，第472—473页。

⑭布热津斯基：《大失控与大混乱》，中国社会科学出版社1994年版，第136—137页。

⑮陈来：《“新理学”的现代化论与“现代性”思维的检讨》，北京大学学报1995年第1期。

初识英美

——试比较中日近代使节之西洋认识

郭　丽

如所周知，时至19世纪中叶，中日两国都处于封建末期的闭关锁国时期，其精神支柱也都是自诩为“天朝大国”的“华夷”思想。欧洲、北美工业化国家，随着经济的发展和实力的增强，商业触角向亚洲伸展。当他们正面的通商要求得不到答复和满足时，必然要付诸军事手段。于是，两国的国门先后被迫打开，有识之士开始审慎考虑“洋患”问题，提出并实施了一些解决方案。然而，日本在“开国”后仅十几年的时间即趋“洋化”，1868年明治维新后走上了近代资本主义国家道路；而中国1898年的戊戌维新仅维持百日便夭折了。一般认为，近代中国对西洋的认识，远远落后于同时代的日本。从整体而言，这似乎是无改的事实。但也不容忽视，并非近代所有中国人对西洋的认识都落后于日本人。本文试图通过对比中日两国近代之初首次正式派遣使节出使西方国家——1860年日本幕府向美国派出使节团和1876年中国清政府向英国派遣常驻公使，及其使节的使西日记，比较分析两国当时对西洋的认识状况。

一

古代日本在大规模地吸收中国文化时，“华夷”思想也被吸收并日本化，成为其传统思想之一。1840年鸦片战争中中国惨败于“夷狄”英国，也给日本朝野上下以极大的震动。有识之士开始探求克服民族危机的新对策，对传统的“华夷”思想投以怀疑，佐久间象山在《省諐录》中提出了“东洋道德，西洋艺术”，即“和魂洋才”思想。1853年“黑船”来航后，这种新思想进一步影响到一些开明官僚、藩主及下级武士。50年代，幕府“老中”阿部正弘主持了“安政改革”，萨、长、土、肥各藩也采取了类似的措施。可是，1858年井伊直弼主政之后，却制造了“安政大狱”，使这种新思维的发展受到限制。然而，开明人士认识到，要想在世界交往中立于不败之地，就必需认识世界，就有必要走出国门，睁开双眼亲自去观察。幕末日本走向世界，是以1860年幕府正式向美国派出使节团为开始的。

向美国派遣使节团，是岩濑忠震、井上清直这两位开明幕吏，在参加《日美通商航海条约》草案审议时向美国驻日公使提出的。他们的意图是想亲自带团出使，在完成换约任务的同时，积极探索西洋情况，借鉴吸收先进经验，然后在日本进行一番破旧立新的幕政改革。可是，愿意接近西洋世界的阿部正弘在1858年死后，继任的井伊直弼一上台，便对原内定的正副使岩濑、井上及佐久间象山等或迁或杀。最后确定以外国奉行兼神奈川奉行新见正兴、村垣范正分别为正副使。有人如此评价这二人：“新见本是侍奉将军左右的侍童出身，其人温厚有长者风度，但决非良吏之才。”“村垣纯属庸吏，虽稍有经验而原本并无才干。”①使团一行也包括一些为了探索“夷情”而志愿加入的下级武士，如《航美日录》的作者，也是正使新见的从者玉虫左太夫，便是其典型。若审视当时的实际状况，并联系后几次使节团的派遣，不难看出1860年遣使出美在日本思想文化史上的意义更大于外交史上的意义。

下面仅以副使村垣的《航海日记》和从者玉虫的《航美日录》的片断作一简单分析：

首先，日记反映出两人在等级、身份、服装、礼仪等方面的看法不尽相同。对于美舰（美国派出迎接使节团的军舰，下文同）水葬两名因病而死的水兵一事，村垣写道：“因病而死的两名水兵，尸体用帆布裹了，足系铁球，被抬出甲板，僧侣出来诵经，包括科姆汤尔在内的所有士官都出来吊慰。一会儿，胡乐奏起，两尸体被由船的两侧抛入水中。……水兵一般都采取这种方式水葬，觉得很可怜，不过就连科姆汤尔这样的高官也出来吊慰。令我们感到可笑的是，他们既无礼仪也无上下之别。”②村垣从“上下有别”的“礼”出发，对美舰官兵间的关系进行了批判。联系全文，可以说这也是对美国社会那种“无上下之别”的比较平等的人际关系的否定，也就是对自己国家所谓“等级有序”的等级身份制度的肯定。

玉虫则这样记载：“……仪式非常郑重，对于水兵之死，军官们露出悲哀神色。”③他在卷八④中又补充道：“昨夜两名水兵病死，今日举行水葬仪式。军官们也亲自参加，都面露悲哀之色，他们对水兵亲切如己出之子。由此也可推想其国必将日益昌盛。上下相亲如此，国人怎能不受感化呢？听说合众国自建国以来未曾有过叛逆之事，想必是当然。我国高官对于小吏之死，视如犬马，又怎会亲临凭吊呢。故而上下间情义日薄，与彼相比令人羞愧。”⑤与村垣相比，玉虫的感受和认识比较深刻，他不认为美舰官兵缺乏“尊卑之别”这一“礼法”，而是引用了亲如“父子”、“上下相亲”、“感化”国民等儒教人伦的基本观念及德目，对美舰成员进而也是对美国一般的人际关系予以肯定，也就是对使节团以及日本封建等级制度的反省、不满和批判。

使团在华盛顿逗留期间，美国总统布坎南在白宫举行了欢迎会。村垣在大篇幅地记载了谒见总统时使节团的服装、仪式、白宫情况、谒见过程之后，接着说道：“总统是个70多岁、和蔼的白发老者，尽管大权在握，可服装如同商人，着黑罗纱紧袖衣不加任何装饰，也未佩刀。……奇怪的是，如此庄重的宴会竟然也有许多妇女盛装出席。……总统作为总督每隔四年在全国进行投票选举产生，因此虽不是国君递交国书亦依国君之礼。然而既无上下之别，也无礼仪，虽穿了礼服（看来）亦属大可不必。”⑥众所周知，当时商人在日本处于四民之末，村垣说总统的服装如同商人，可见他对这位总统不能象征其身份地位的着装非常不满；“如此宴会也有妇女出席”，更是有违封建幕府的伦理纲常之事，在他看来当然是“怪事”。村垣之所以非常留意双方的服饰，并不是他对服装有什么特殊的兴趣，而是对于他来说，着装也是等级身份的象征，亦即“礼仪”的象征。

同是谒见总统这件事，玉虫的着眼点及感受大有不同。玉虫也同样详尽地记述了谒见时的着装、仪式等，但又不止于此：“虽是总统的府邸，但并不建筑城郭，与他人无异。只是在海岸要地修筑了炮台，以加强守卫。大概美国是共和政治，难行一己之私。纵有善恶吉凶，大家同甘共苦，绝无内战之事。因此主要为防御外寇而疏于对内防守。应接极其简单……总统并不威严，所着黑罗纱的衣服并无特别的饰物，出入时也不要他人回避，如普通人一般。出席者除有关官员外，妇女小孩亦盛装坐于两边，男女并无差别。初见时各自脱帽握手寒暄，然后进入正题。谒见是在旁边的房间进行的，只要稍稍探头便可看到全貌。户外有人站立观看也无人问询，其礼节无异于亲戚会面或民间人士会晤。……妇女不仅列席参加，还相互握手寒暄交流。”⑦玉虫认识到并接受了西方男女“无差别”的事实，即妇女也可以参加社交活动，而不同于当时的日本，女性作为男性的附属物，只能闭居家中的“男女有别”。玉虫眼里的总统，府邸“与他人无异”，出入如普通人一样随便，就连接见外国使节也不例外，而不像本国大将军甚至一般官吏，在下属面前总是高高在上、盛气凌人。玉虫作为一个封建武士，当然还不具有近代平等思想，不过他看到至尊至上的总统都如此平易近人，并为之感动，流露出对美国相对平等的人际关系的肯定和向往之意。玉虫认为美国是“共和政治，难行一己之私”，“绝无内战之事”，因此只需致力于外寇防御而不必费心于对内防守，可见他对西方近代民主制度的先进性、合理性已经有所认识。当然，因缺乏深切了解，也有理想化倾向。

关于美国的议会制度，村垣和玉虫在各自的日记中也有触及。村垣在参观了美国的议会之后记载如下：“正面最高处坐着副总统，其前稍高的台旁有书记官两人，面前摆了一些圆形椅子。各个桌上所备书籍很多，在座的大约有四五十人。一人站立台前说些什么，声大如吵架骂人，之后又一人站起来叫骂如前者。凡国事都要经过众议，人人直抒胸臆，副总统最后作出总结。二层阶梯上有男女群集在侧耳倾听，虽欲问为何如此评议国事的场合也有人旁听，可原本语言不通，又无可问之理由，只好作罢退出。登上二楼，坐于椅子上观看。不知所议是何国政大事，发言者个个慷慨陈词，看来是讨论的最高潮。使团成员私下议论：副总统高居在上，宛如我国日本桥鱼市之情形。”⑧对于日本人来说，最理想的方式是不露声色地、委婉地表达自己的意见，并力求和别人达到一致，而且讨论也应该以能使决议最易于接近最高当权者意见的方式进行。于是，村垣便理所当然地把美国这种各抒己见、公开议论的民主议会制，看成是类似于村野匹夫的吵骂了。

玉虫可能因身份地位关系，仅参观了美国国会大厦，他的见解要比村垣深刻得多：“右边国会大厦，纵约三十间（1间为6至10尺不等——笔者注），深约二十间，中间低下，四周是阶梯，有三层之高。议事的时候，官吏、书记官等列席于中央低处，其他人围坐于周围阶梯，居高临下而视。因此，官吏的公私分明可见，民众无可抱怨。”⑨玉虫看到国会大厦的建筑结构，联想到议事时是在旁听者的众目睽睽之下进行的，据此作出“官吏的公私分明可见，民众无可抱怨”的判断。尽管比较片面，不过是经过分析并在对比的基础上得出的，对美国的议会制度予以了肯定。玉虫的这些认识对当时的幕府政治带有明显的批判意识。

二

“华夷”思想是中国儒家的传统观念之一，直到19世纪，清帝国仍无视世界新形势的变化和要求，继续着“天朝上国”政教优于“夷狄”的迷梦。鸦片战争的惨败，使头脑较清醒的开明之士开始重新审视“华”、“夷”情况，寻求救国自强的途径。魏源在《海国图志》中提出“师夷长技以制夷”的主张，冯桂芬在《校邠庐抗议·采西学议》中提出“以中国之伦常名教为原本，辅以诸国富强之术”，即“中体西用”思想。洋务派的实践活动，打破了“天朝大国，无所不有”的传统陈腐观念，但也仅仅停留在“练兵”、“制器”等方面，“华夷”思想并未彻底改变。如李鸿章就曾说过:“中国文武制度，事事远出西洋人之上，独火器万不能及。”[10]然而，随着一系列不平等条约的签订，外国人“合法”入驻北京等地，因清政府对外国的愚昧无知等，导致外交纠纷和在外交中失利的情况屡屡发生。有识之士认识到，为了在外交中能做到知己知彼，也为了沟通与外国政府间直接交往的渠道，中国政府也有必要向外国派遣常驻公使。几经推宕，1876年清政府终于派遣郭嵩焘出使英国并任首任常驻英国公使。

郭嵩焘出使英国。直接起因于1875年的马嘉理事件。英国借口此事，要求中国遣使赴英赔礼道歉。清政府决定派遣郭嵩焘担负这项屈辱的使命，并任首任常驻英国公使，后又兼任出使法国钦差大臣。此前，1866年3月，斌椿等人随英国人赫德游历了法、英等国，不过实际上那只是个观光性质的参观团。1868年8月，志刚、孙家谷等随前任美国驻华公使蒲安臣出使美、英等国，并作了一些记载，可算是清政府正式遣使出洋的开始。但为了避免公使可能要按西方礼仪行事，也为了减小反对的阻力，权衡的结果是以一个外国人为使臣。郭嵩焘接受了出使使命后，被清流派士大夫视为辱国，当时流传的一首“赠别”联语曰：“出乎其类，拔乎其萃，不见容尧舜之世；未能事人，焉能事鬼，何必去父母之邦。”[11]他的友人中也多叹息他：“文章学问，世之凤麟，此次出使，真为可惜。”[12]或同情他：“费力不讨好，亦苦命也。”[13]同乡甚至有人以要捣毁他家的住宅相威胁。而郭嵩焘“我意以为时艰方剧，无忍坐视之礼，”[14]毅然出使。他使西两年间所留日记，在文化思想史上的价值远远超过了外交史上的价值。下面仅就郭嵩焘使西日记（收入《郭嵩焘日记》第三卷）的片断作一简单分析。

通观郭嵩焘使西期间的日记，对异域的风俗、礼仪等多是客观描述，有时也引述中国情形，简单对比说明中外有别的事实。谈到法国公使邀陪巴西国主听音乐：“西洋君民尊卑之分本无区别，巴西国主至舍其国遨游万余里外，与齐民往还嬉戏，品花听乐，流荡忘返，亦中国圣人之教所必不容者矣。”[15]记载伦敦市政厅的会宴，自宰相、各国公使，至牧师、绅商，都会聚一堂，“虽近谐戏，而道存焉，未可厚议也”。[16]记载柏金宫殿（白金汉宫）的舞会：“男女杂沓，连臂跳舞，而皆着朝服临之。西洋风俗有万不可解者。自外宫门以达内厅，卫士植立，皆有常度，无搀越者。跳舞会动至达旦，嘻戏之中，规矩仍自秩然。其诸太子及德国太子，皆与跳舞之列。以中国礼法论之，近于荒矣。而其风教实远胜中国，从未闻越礼犯常，正坐猜嫌计较之私实较少也。”[17]显然，虽“以中国礼法论”是“近于荒矣”，而郭嵩焘自己并不如是观，“从未闻越礼犯常”甚至对其有拔高之嫌。此外，对西方妇女常出现于一些重大社交场合的情形也有记载，认为“其女子皆知学，殆胜于中国也”。[18]且他入乡随俗，经常参加当地的音乐会、舞会、茶会等社交活动。这从副使刘鸿锡指数郭嵩焘的“游甲敦炮台披洋人衣。即令冻死，亦不当披”，“见巴西国主擅自起立，堂堂天朝何至为小国主致敬”，“柏金宫殿听音乐屡取阅音乐单，仿效洋人所为”[19]的所谓“三大罪”亦可窥知一二。可见，郭嵩焘并不认为西方的礼俗与中国有异就是粗俗的蛮夷之礼，对其持肯定或者起码是认可的态度。

西方的政治制度是郭嵩焘探求的着重点，多处以“政教修明”等字样对其表达赞美之意，并常以“失道久矣”表示对中国传统的不满和批判；指出今日的西洋不可与历史上中国周边的“夷狄”同日而语，应重新认识评价。他认为“西洋立国二千年，政教修明，具有本末，与辽、金崛起一时，倏胜倏衰，情形绝异”。[20]赞同“西洋所以享国长久，君民兼主国政故也”的看法为“至允”。[21]此外，“西洋议院之有异党相与驳难，以求一是，用意至美。”[22]谈到英国时又说：“推原其立国本末所以持久而国势益张者，则在巴力门（国会——笔者注）议政院有维持国是之义；设买阿尔（民选市长——笔者注）治民，有顺从民愿之情。二者相持，是以君与民交相维系，迭胜迭衰，而立国千余年终以不敝，人才学问相承以起，而皆有以自效，此其立国之本也。……中国秦汉以来二千余年适得其反。能辨此者鲜矣”，[23]高度赞美了西方“君民兼主国政”这种君民、异党间相互制衡的民主制度，也是对中国封建专制统治合理性的怀疑。论及英国报纸关于是否出兵俄国一事相互辩驳、各持一端时说：“西洋一切情事，皆著之新报，议论得失互相驳辩，皆资新报传布。……当事任其成败，而议论是非则一付之公论。《周礼》之讯群臣、讯万民，亦此意也。”[24]引经据典，对这种公开议论进退得失的言论自由予以肯定。再如：“三代以前，皆以中国之有道制夷狄之无道。秦汉而后，专以强弱相制，中国强则兼并夷狄。夷狄强则侵凌中国，相与为无道而已。自西洋通商三十余年，乃似以其有道攻中国之无道，故可威矣。三代有道之圣人，非西洋所能及也。……圣人以其一身为天下任劳，而西洋以公之臣庶。一身之圣德不能常也，文、武、成、康四圣，相承不及百年，而臣庶之推衍无穷，愈久而人文愈盛。颇疑三代圣人之公天下，于此犹有歉者。"[25]尖锐地批判了中国秦汉以来的专制统治制度，表明对西方"公之臣庶"的民主政治制度的赞美和向往。可以说，郭嵩焘对中国的"人治"与西方"法治"间的不同已有了朦胧的认识，尽管是下意识的。

郭嵩焘急于寻求救国之路，指责中国士大夫"虚骄自大"，并援引日本为例，呼吁中国要想自强就应全面仿效西洋。如"中国章句之儒，相习为虚骄无实之言，醉梦狂呼，颓然自圣。"[26]"中国士大夫一用其虚骄之气，庞然自大。井干之蛙，跃冶之金，非独所见小也，抑亦自甘于不祥矣。""秦汉以后之中国，其失道久矣。……而猥曰：'东方一隅为中国，余皆夷狄也'，吾所弗敢知矣"[27]等，对中国儒学和士大夫的积习流弊多有反省和指斥。谈到日本则说："日本晚出，汲汲仿而效之。其向学之精且锐，日进无穷。中国乃一以虚骄之大言当之，吾真无如此蚩蚩之士大夫何矣。"[28]"日本大小取法泰西，月异而岁不同，泰西言者皆服其求进之勇。中国寝处积薪，自以为安，玩视邻封之日至富强，供其讪笑，吾所不敢知也。"中国士大夫虚骄自大、固步自封；日本勇于取益先进，晚出而突飞猛进。那么中国当务之急，显然就是仿效"有道"之西洋，以求自立自强。

郭嵩焘认识到了西方民主制度下人民有相对较多的权力，但由于时代、阶级和自身的局限，对其民主的本质认识不清，且轻视民众，多处对这种"民权过重"表示出不满甚至是恐惧："西洋政教以民为重，故一切取顺民意，即诸君主大国，大政一出自议绅，民权常重于君。去年美国火轮车工匠毁坏铁路，情形与此正同，盖皆以工匠把持工价，动辄称乱以劫持之，亦西洋一敝俗也。"[29]"工匠把持工价"，据此维护自身的正当权益，当然不利于统治阶级的统治，也不是郭焘所赞同的。如"泰西政教风俗可云美善，而民气太嚣，为弊甚大"，[30]"西洋民气之昌如此，亦是一害"[31]等，则直接以"弊"、"害"相批判。显然，郭嵩焘误以为当时的西方已经实现了真正意义上的民主。

郭嵩焘指出今日的西洋不可与昔日的"夷狄"同日而语，应该重新认识评价，是对传统"华夷"思想的大胆突破和否定。但他没有认清西方列强争霸世界，侵略中国的险恶用心，对其对外扩张侵略事实多有溢美之词："泰西各国欲以所得于学问者，表示中国而导引之，群相视为切要紧急，不惜劬思殚虑，敛资集费，以求有救，相与慨然太息，伤中国之无教化。"[32]"亦实见洋人无为害中国之心，所得富强之效，且倾心以输之中国，相为赞助以乐其有成。吾何为拒之？又何为隐情惜己，默而不言哉？所以言者，正欲使君辈粗见中外本末情形，庶几渐次有能知其义者，犹足及时自立，以不致为人役耳。"[33]"其至中国惟务通商而已"[34]"绝不一逞兵纵暴，以掠夺为心"[35]等，都表达了民族危机之际，郭嵩焘这种为了"不致为人役"，要"及时自立"，要仿效先进的良好愿望。但事实并不像他想象得那么理想，当时西方列强到中国来，已经不是"惟务通商而已"，也不是"伤中国之无教化"，"以求有救"，更不是要将"富强之效""倾心以输之中国，相为赞助"，而恰恰是"以掠夺为心"。

三

如上所述，日本幕末和中国晚清时，都迈开了走向世界的步伐。试比较两国使节在走向世界之初，对异域文明反应和认识的异同如下：

村垣的观察所见是非常直观的，他对西方文明是一种近似于反射的排拒性反应。也即是说，村垣对异文化是以自身文化为参照物去观察、去衡量的，而没能在对彼我双方进行对比分析的基础上得出更接近事实的判断。表现在他的日记中，就是对美国的民主政治、社会文化等方面无一不持批判态度，且就连这种批判也比较肤浅片面。

玉虫面对异域文明则能利用已有知识作出相对深刻的分析判断，甚至能举一反三加以推论。如他看到国会大厦的建筑，便想到“官吏的公私分明可见，民众无可抱怨”；看到美舰官兵“上下相亲”，便想到“一旦事有缓急，人人都能舍身忘死”、“其国兴盛”；看到总统的府邸“与他人无异”，便想到“美国是共和政治，难行一己之私”。而且面对对方的使人“感佩”之处，常常使用“耻”这个字表达自己的感情倾向。即玉虫能透过表面看到彼我双方文化内涵本质的差异，进而能对近代西方民主政治的先进性有所认识。此外，玉虫的日记中时时表现出一种自我批评意识，对使节团和幕府政治都有明显的批判性。如他在卷八中赞美了美舰官兵间的亲密关系之后，接着说道：“我国礼法愈益严明，从臣亦轻易难得拜见奉行，（官吏）威严尤如鬼神。相应地，其下属稍有官位者，同样威风凛凛，蔑视各自的从臣。……礼法严明但不至于蔑视夷俗，上下交情之深如美国，难道不能二者并重吗？我岂敢高看夷俗，只是看了今日之事不禁叹息。”[36]可见，玉虫非但不蔑视“夷俗”，甚至提出了“如”“夷俗”的希望。在当时的思想认识水平基础上，能提出这样的判断和愿望可谓大胆。这样的意识和倾向在副使村垣的日记中绝难看出，当然，这和他的身份、地位、处境也不无关系，他比从者玉虫有更多的接触、了解异域文化的机会和条件，同时在某些方面也比玉虫有更多的思想负担和限制。

郭嵩焘对西方文明的认识更深刻，分析更透彻，比起玉虫对西方民主政治先进性的认识，他更进一步看到在这种政治制度之下，君民、异党间相互制衡，人民有相对较多的权利等，尽管也不全面。郭嵩焘对中西文明的对比也直截了当，且褒贬分明，如上文提到的对西方“政教修明”的赞美，和对中国“失道久矣”的不满甚而贬低。不像玉虫，通过对西方的“感佩”和对自己的“耻”来暗示自己的对比和评价。郭嵩焘明确指出西方的政教文物已经优于中国，并提出要全面仿效之。玉虫通过提出“如”的希求，委婉表达了想要学习先进的愿望。郭嵩焘对于西方文明的评价也更高，甚至有拔高之处，以致于模糊了他对西方列强对外扩张侵略本质的认识。

其次，他们在思想认识方面所受的影响及其前后变化情况也各有不同。村垣对西方的认识虽有进步，但盲目排外的“华夷”观并没有发生根本的变化。只是原先认为西洋各国就是“夷狄”、“胡国”，一切都是野蛮的、落后的，当然更不可与日本相提并论。出使后认识到了西洋自然科学和造兵技术的先进性，并认为这些可学而用之，但对其他如政治、社会、乃至自然条件等方面都坚持日本优于西方的观点。即村垣对西洋的认识，只局限于由原来的全盘否定，发展为承认了其自然科技的先进性和某些方面的可采用性。不过，对于一个封建幕府官僚来说这也已是不小的进步了。

玉虫出使前后对西方的认识有明显的、可以说是质的变化。玉虫虽读过一些介绍西方情况的书，但他本人并不是“洋学者”，而是“专学圣道者”之一，如他在评价美舰官兵间的亲密关系时，所引用的也都是儒家的纲常德目。玉虫最初与美舰官兵接触时也和村垣等人一样，“华夷”思想比较明显。如他在初期的日记中，说我原本就讨厌“夷语”；称军舰上的音乐是“胡乐”，并认为这种音乐“粗鄙”；看不惯西洋的“男女同车”；看不惯西洋人对“高官贵人”也“视同路人”。认为美国“在礼法方面与禽兽无异，毫无可取之处，惟有器械之精密我国难以相比。”[37]不过，经过在到达华盛顿之前两个月间与美舰成员的相处，观察了他们的日常生活、训练，对比了在遭遇狂风巨浪袭击时彼我两方官员完全不同的表现，开始对自己原有的西洋观进行反省和修正。反映在他的日记中，就是从到达华盛顿开始的第三卷起，对美国的文物制度表现出明显的赞美倾向，也时常表露出对自己一方的反省和不满。其后期日记前文多有引述，兹不赘述。

郭嵩焘出使前后其西洋观没有太大的变化，他对西方文明始终是持肯定的态度，不同于玉虫，更不同于村垣。“嵩焘窃谓西洋立国有本有末，其本在朝廷政教，其末在商贾，造船、制器，相辅以益其强，又末中之一节也。”[38]他出使前就突破了洋务派的“中体西用”思想，出使后通过对西方政治制度的由来、本末的探究，并引述历史，明确指出今日的西洋不可与昔日的“夷狄”等同而视，甚至认为今日的西洋与中国犹如历史上的华夏与夷狄，直言不讳地提出应全面仿效之，彻底否定了传统的“华夷”观。

此外，同是封建政府官吏的村垣和郭嵩焘，观察的侧重点显然不同。村垣对西方政治制度只作轻描淡写的叙述便判其“死刑”。而对等级、身份、服装、礼仪等方面则不惜笔墨，通过批判对方的无“礼仪”来标榜自己国家的“礼法严明”。郭嵩焘记载的侧重点是对方的政治制度方面，他熟悉封建政治，原本对西方的政治制度就有一定程度的了解，出使后经过进一步的考察，认识到双方政治制度在深层内涵上的不同，并作出明确地对比、评价，尽管也有局限。而对西方的礼仪制度等用笔相对较少。这说明郭嵩焘观察的层面更高一些。玉虫的记载，则更多地表现出一种向学的精神，他对新事物多溯本求源、积极探索，并不断地学习补充新知识，力求达到认识的准确、深刻。

总之，村垣是封建幕府的保守官僚，抱残守缺，除了不得不承认西方自然科技方面的合理性外，对其民主政治制度等始终持抵制态度，是幕末腐朽势力的代表，显然已经不合时宜。从者玉虫是一名“外样藩士”，出使后不仅在科技方面，对西方民主政治的合理性和可借鉴性也有所认识，并表现出愿意向西方学习的愿望。他的思想认识及变化情况，反映出民族危机之际，对现状不满、要求变革的下级武士的思想状况及发展趋势，也即是当时日本社会内部新的力量萌生的反映。郭嵩焘的思想最为开放，他原本就反对闭关自守，是洋务派高官，又不拘泥于洋务派的“中体西用”，最后提出在政教文物方面也要向西方学习的大胆主张，彻底否定了“华夷”思想。

也即是说，日记反映出两国使者在对西洋的认识上存在着较大的差异。究其原因，首先是他们的身份、地位、素质、出使动机及对参观对象所持态度不同，参观的着眼点、思维的出发点、深度广度也不同，结果自然不同。

村垣作为一名幕僚，此次出使完全是“得乎高官，受乎王命”，目的只是顺利完成幕府的既定任务，做到“不辱使命”归国就算完事大吉。因此，他对所接触的异域文化没有主动地、积极地去了解、去分析探索的欲望和志向，且此前也没有多少有关对象国的预备知识，只是“庸吏”一个而已。

玉虫是一名下级武士，政治地位低下，对幕末政治的腐朽性体会较深；他曾读过一些介绍西洋事情的书籍，作过外国奉行的近臣，对西人、西学有些接触了解；也曾有过视察及记录的经验，具有一定的观察和文字能力；他是一行中志愿出使者的典型，他在日记的卷首对于此次出使这样写到：“这是本国开国以来之快事，有志者谁不愿前往？无奈人员有限。我有幸得陪新见使君。原本一介书生，从事贱务理所当然。”㊴他此行有明确的探索“夷情”的目的：“此次航海探索对方情况为第一要务。”㊵正如他的日记中所表现的那样，他的观察都是积极主动的，常因官方限制或事务耽搁对某些地方未能参观而表示遗憾。

郭嵩焘是封建高官，也曾在鸦片战争时参加过抗英斗争，但仕途并不得志。出使前被参闲居在家，因“精透洋务”由洋务派大臣文祥推荐，于光绪元年（1875 年）奉诏入京。同年，马嘉理事件发生，即被任命为出使英国钦差大臣。除了“无忍坐视”“时艰方据”之外，能进一步“通察洋情”，也是他以望六之年毅然命道的重要原因。如“所愧年老失学，诸事无所通晓，不能于此取益，有负多矣”[41]；“所为遣使者，欲使所闻所见，与洋人习，而后能因委以求源，据事以通情”[42]等，皆可窥知他的上进之心和积极探求的欲望。郭嵩焘是“文馆词林”出身的封建士大夫，“文章学问，世之凤麟”，精通中国传统文化，熟悉封建政治；是洋务派上层官吏，了解“洋务”内情；早年就认识到洋人“有情可以揣度，有理可以制服”，[43]开始在上海、广东等地广泛接触了解西人、西学，“中外情形，夙有体会”。[44]出使后，四处奔走参观，并且“宴会应酬之间，亦当于无意中探求国人之口气，察国中之政治”，[45]积极探索。

其次，中日两国当时的实际状况亦各有异同。当时，两国在外来压力下国门先后被迫打开，都受到异文化的强烈冲击，面临着严重的民族危机；面对突如其来的“洋患”问题，两国的有识之士都开始重新审视、认识世界，在思想和实践上对传统都有所突破。然而，两次鸦片战争的失败，一系列不平等条约的签订，中国已经沦为西方列强的半殖民地，中国民族救亡的任务更迫切；西方人“依法”进驻北京等地，中国传统文化直接面对异文化的冲击、碰撞甚至挑战，同时也为中国人提供了直接接触了解异文化的机会；中国的“中体西用”思想在实践中得到推广应用，于60年代兴起的以“求强”为目的的洋务运动，到70年代发展到了“求强”、“求富”并进的阶段；日本1868年明治维新的成功，也为中国提供了学习先进可供参考的榜样。此外，虽然两国都是首次正式遣使西方，但从绝对时间来看，前后相差15年之久。在当时的历史时段，15年间思想状况的变化情况不容忽视。因此，郭嵩焘走离传统思想更远，要求全面向西方学习的主张更明确也绝非偶然。

还需指出的是，使节的西洋观，固然在一定程度上反映了国内的西洋认识水平，不过也难以排除其个体认识的个别性。换言之，郭嵩焘其人的西洋认识水平，并不意味着当时中国人的西洋认识水平一定高于日本人。近代史上的湖南，由于地域文化史上的原因，多出“开风气之先”的人物，郭嵩焘生长于手工业和商业相对发达的湘阴地区，祖上因经商和放贷而成为当地有名的富户，他少有传统士大夫的轻商思想。郭嵩焘从小即思想活跃，才识出群，好胜心强，且自负有余，“行不由径”。出仕后官场又不得志，对现实政治不满，再加上他受西学的影响较多，故而就有可能为寻求摆脱封建制度危机和个人思想危机的新出路而走向“离经叛道”。也即是说，当时中国人对西洋的认识，在整体上不一定已经达到了郭嵩焘的高度。尽管如此，本文至少可以说明，近代中日两国在对西洋的认识方面具有多样性，并非所有中国人对西洋的认识都落后于日本人。[46]

总之，通过对中日间向西方派遣使节及使节日记的分析和比较，不难得出如下认识：一、面对全新的国际形势，两国国内都出现了新旧力量及其思想的对立。尤其值得注意的是，日本下级武士玉虫左太夫的西洋认识所反映出的武士阶级思想的发展变化情况，与其后明治维新的发生及成功不无关系。二、当时两国对西洋的认识情况不尽一致，如果仅就本文所提到的两个“初次”的比较而言，似乎中国方面思想更开放一些。

然而，日本的“华夷”思想尽管是其传统思想之一，但实际是由中国传入后经过了日本化，从根本上说也是一种外来思想；中国的“华夷”思想是土生土长的儒家伦理观念之一，根深蒂固。日本具有善于吸收外来先进文明的优良传统，并且历史上已有成功吸收的先例；中国虽然也有过相对开放、对外来文化兼收并蓄的时期，但也只是在国力相对强盛，中华文明在世界文明史上遥遥领先时，封建王朝在对外交往中较有自信也较宽容，并在一定程度上有要宣扬国威于世界之意。19 世纪后半叶，面对异文化的强烈冲击，中日分别出现了“中体西用”和“和魂洋才”思想，都主张在坚持自己传统文化精髓的基础上，借鉴、吸收西方文化，作为“才”、“用”补己之短。不过，中日两国对“洋才”和“西用”在尺度的把握上却不尽相同：“洋才”不仅限于西方科学技术，甚至西方某些制度思想也被视为“洋才”而加以接受；相反，“西用”一般局限于西方科技，而西方的制度（尤其政治制度）和思想被视为“中体”的异端和对立物而加以排斥。[47]当时中日两国都是封建专制统治，保守势力腐朽、顽固。不过权力二元化的日本，革新势力很容易利用象征最高统治权的天皇号令天下；而中国除了来自顽固保守的清流派的强大阻力外，大权在握、高踞于统治阶级顶端的最高当权者，为了维护封建统治和自身的既得利益，对革新势力的限制往往更多于利用。正如郭嵩焘出使前后的种种遭遇表明，他此行所受的阻力更大；也如历史的发展所证明，近代中国开放的步履也更艰难。

日本幕府以1860年的遣美使团为始，先后六次（不包括明治政府派出的岩仓使节团）正式向西方派出使节团，考察、了解“洋情”，开放的步伐逐步加快。中国晚清以常驻英国公使馆的建立为始，一系列常驻外国公使馆的建立，标志着正式开始走向世界。然而，日本1868年的明治维新以“富国强兵”、“殖产兴业”、“文明开化”为目标，全面向西方资本主义国家学习，走上了近代化的道路；中国尽管也出现过诸如郭嵩焘等的大胆超前的开放思想，尽管资产阶级维新派愿为革新肝脑涂地，1898年的戊戌维新也只维持了百日便寿终正寝了。中日近代化道路之异同，与各自文化传统间的差异不无关系，关于两国文化史上的一系列重要事件及现象，至今似乎仍值得我们加以对比考察和研究。

注释：

①福地源一郎：《怀往事谈》，见《日本思想大系66》，岩波书店1974年

版，第603页。

②《航海日记》第59页，转见马撒密杨西（音译）：《万延元年遣美使节旅途之所见》，平凡社1984年版，第123页。

③《航美日录》卷三，闰三月九日。见同注①，第82页。

④玉虫日记的最后一卷，是对前七卷的补充记载，多有对上司的不满、批判之词，自注“秘书”字样，不示外人。——笔者注

⑤《航美日录》卷八，闰三月九日。见同注①，第240页。

⑥《航美日记》第76—77页。转见同注②，第124页。

⑦《航美日录》卷三，闰三月二十八日。见同注①，第95—95页。

⑧《航美日记》第90—91页。转见同注②，第126页。

⑨《航美日录》卷四，四月十四日。见同注①，第106页。

⑩《同治洋务》卷二十五，第9页。

⑪王闿运：《湘绮楼日记》第5册，第6页。

⑫《桃花圣解庵日记》，转见钟叔河：《从东方到西方》，上海人民出版社1989年版，第204页。

⑬《湘乡曾氏文献》，转见同上。

⑭《郭嵩焘日记》第三卷，湖南人民出版社1982年版，第38页，光绪二年闰五月初二日。

⑮同上，第237页，光绪三年四月八日。

⑯同上，第336页，光绪三年十月六日。

⑰同上，第510页，光绪四年四月二十一日。

⑱同上，第285页，光绪三年七月二十九日。

⑲《驻美使馆档案·陈兰彬任》，转见同注⑫，第224页。

⑳同注⑭，第125页，光绪二年十一月十八日。

㉑同上，第178页，光绪二年二月二十七日。

㉒同上，第470页，光绪四年三月四日。

㉓同上，第373页，光绪三年十一月十八日。

㉔同上，第368页，光绪三年十一月十六日。

㉕同上，第548页，光绪四年五月二十日。

㉖同上，第789页，光绪五年二月十二日。

㉗同上，第814页，光绪五年二月二十六日。

㉘同注⑭，第384页，光绪四年十二月八日。

㉙同上，第506页，光绪四年四月十八日。

㉚同上，第771页，光绪五年一月二十七日。

㉛同上，第593页，光绪四年七月六日。

㉜同上，第814页，光绪五年二月二十七日。

㉝同上，第857页，光绪五年三月二十三日。

㉞同上，第124页，光绪二年十一月十八日。

㉟同上，第137页，光绪二年十二月六日。

㊱《航美日录》卷八，三月十七日。见同注①，第236页。

㊲《航美日录》卷一，二月十八日。见同上，第31—32页。

㊳《郭嵩焘奏稿·条议海防事宜》，岳麓书社1983年版，第345页。

㊴《航美日录》卷首。见同注①，第8页。

㊵《航美日录》卷八，三月二十二日。见同上，第238页。

㊶同注⑭，第189页，光绪三年三月二日。

㊷同上，第876页，光绪五年五月六日。

㊸《郭嵩焘日记》第一卷，湖南人民出版社1982年版，第469页，咸丰十一年七月二十日。

㊹《中国近代史资料丛刊·洋务运动》一，第136页。

㊺同注⑭，第611页，光绪四年八月二日。

㊻见钟叔河：《走向世界》，中华书局1985年版，第194页。

㊼参阅武安隆：《从“和魂汉才”到“和魂洋才”》，《日本研究》1995年第1期。

石田梅岩与陆象山思想比较研究的意义

韩立红

一 石田梅岩与陆象山思想比较研究的意义

在日本，有关近世庶民哲学家石田梅岩（1685—1744）及其门流石门心学的研究成绩斐然，以柴田实①、石川谦②等为代表的先行研究者硕果累累。梅岩以庶民为教育对象，提倡神、儒、佛三教一致，主张以“正直”与“俭约”的实践方法，在日常生活中求得“知心”。因此，日本研究者们对于石田梅岩及其门流石门心学给予高度的评价，认为石门心学无论从思想史角度来看，还是从教育史角度来看，对日本近世社会的发展均做出了贡献。第二次世界大战以后，以美国学者罗伯特·N·贝拉、日本学者竹中靖一③为首的研究者又从经济史的角度对石田梅岩及石门心学进行了研究，认为梅岩思想确立了町人的道义，强化了忠诚、孝行、无私及献身职业劳动的观念，为日本近代社会产业化的发展，奠定了基础。

中国学者对日本历史、文学、思想的研究有着丰富的成果。对于日本思想的研究，特别是对于江户时代的思想家及儒学者的研究，多有专著问世。其中，代表性的专著和论文有朱谦之、黄心川、王守华、卞崇道、李甦平、王家骅等学者的研究成果。④但是，对于上述在江户时代给普通民众伦理道德思想以极大影响的石田梅岩及石门心学的研究却寥寥无几。就笔者所知，除去《中国哲学史》1996 年第3 期刊载的李甦平的“中日心学比较——王阳明与石田梅岩思想比较”研究论文以外，几乎再无人涉及。究其原因，笔者认为有以下几点：

首先，与当时其他思想家及儒学者相比，梅岩的著作很少。除《都鄙问答》与《俭约齐家论》之外，包括《石田先生语录》及《石田先生事迹》等门人弟子后来编辑的著作在内，也不过只是《石田梅岩全集》上下两卷而已。其次，梅岩及其心学以人的“心之修养”为中心，提倡实践道德论，重视实践。随之，梅岩的思想中有关宇宙论等哲学理论相对减少，其逻辑推理也不甚严谨，整体的系统性便显得有些薄弱。另外，梅岩的弟子多为普通的町人或农民，因而，其著作与讲义涉及日常生活的世俗内容较多。以上几种原因，可说是梅岩未能引起中国研究者注目的几个主要原因。那么，梅岩及石门心学是否有研究的价值，是否有必要介绍给中国的研究界呢？笔者抱着关切的心理，开始对梅岩的著作进行了阅读与思考。

随着研究的深入，笔者发现，梅岩的思想与中国南宋时代的思想家陆象山（1139—1193）的思想有许多相似之处。梅岩的思想后来被称为“心学”，而象山的思想当时与朱熹的“道学”的思想相对立，也被称之为“心学”，二者分别为日本石门“心学”与中国象山“心学”的创始人。关于学术渊源，象山认为自己“因读孟子而自得之于心”，⑤梅岩亦称自己“所倚惟孟子尽心知性则知天之说”。⑥关于世界之本体，象山认为“太极为阴阳”，“阴阳”即为“道”，为“形而上”，“道器合一”；梅岩则说，“天地乃一阴一阳也，于阴阳之外岂有他物”，⑦“太极乃天地人之本体，”⑧也认为“太极”为世界之本体，“阴阳”为“道”。在心性论方面，象山提出“心即理”，“道未有外乎其心者”，⑨强调“心”与“理”合一，“道”与“心”亦为一，心性不二，心体惟一，构筑了以“心”为中心范畴或最高范畴的哲学思想体系；梅岩也认为“于心外岂能求得性与天乎”⑩“知心则知天理皆备于其中”，⑪主张“知心”、“知性”便能“知天”，主张“形即心”，也构筑了以“心”为中心范畴的哲学思想体系。在学问观与方法论方面，象山认为，恢复“本心”为学问之目的，以“辨志”与“先立乎其大”的道德实践为学问之方法而追求“天人合一”的最高境界；梅岩也认为，“知心”为学问之目的，“俭约”与“正直”的道德实践为学问之方法，“天人合一”也是梅岩所追求的最高境界。虽然二者提倡的学问的具体方法有所不同，但皆属于道德实践的过程，因此可以说，二者在学问观及方法论方面也有很多类似。另外，在思想来源中，二者皆受了佛教的影响，在追求恢复“本心”或“知心”的过程之中，皆主张禅宗“坐禅”修行方式的顿悟，皆对佛教进行了不同程度的批判。可以说，二者在许多方面有着一致。虽从时间上讲，梅岩为江户时代中期之人，象山生活在中国南宋时代，梅岩晚于象山约650年，但从中国宋明理学流传日本的历史状况来看，二者确有比较研究之可能与必要。

首先，中国的宋学于江户时期以前便已传入日本，对日本近世社会产生了巨大影响，当时，朱子学在日本思想界居统治地位，成为准官学。而继承陆象山的心学思想，并将之发展的王阳明的阳明心学，据研究也于16世纪初传入日本。江户时期开创了独立的儒学流派的日本儒学鼻祖藤原惺窝（1561—1619）虽倾向于朱子学，同时也吸收了陆象山与王阳明的思想，认为“周子之主静，程子之持敬，朱子之穷理，象山之易简，白沙之静坐，阳明之良知，其言似异而入处不别”。强调朱熹、王阳明等儒学者虽学说的表现不同，其基本思想却是相同的。⑫惺窝还批评其弟子林罗山不能只“见朱陆各学之异而不见朱陆之同”，应看到两者有许多一致的地方，阐述“我于朱陆并无偏执”，表明了自己兼采各家学说之长的态度。⑬以大阪商业资本为背景，对江户后期的教育史、学术史、思想史产生相当影响的怀德堂（1724—1869）学派，其享保年间（1716—1736）的学风是同时尊崇朱子学与陆王学的。学校的日常讲义虽以《四书》、《小学》、《近思录》、《书经》、《诗经》等作为教材，但每月一次的同窗会讲义，使用的却是陆象山与中江藤树的著作，因此，曾被称为“外朱内王之学”。对于那些从事商业买卖，没有多少闲暇时间的町人来说，重视“良知”与“德性”，以实践为先的陆王学，比重视学问的朱子学的为学方法，更加符合商人的实际情况。⑭

其次，梅岩生于1685年，死于1744年，其主要活动期自1715年至1744年。这一段时期，梅岩除到京都、大阪等各私塾听讲外，自1730年开始以町人为主要对象进行讲座。因此，笔者认为，梅岩不仅有受怀德堂学风影响的可能，亦有曾接触陆象山书籍的可能性。但尽览梅岩的著书与讲释，却只字不见象山二字，而日本的梅岩及心学研究界也不曾对梅岩和象山的思想进行过比较研究。梅岩思想与象山思想果真毫无联系吗？另外一点令笔者深感疑惑的是思想形成初期相似处很多的梅岩学与象山学，到了后来却发展得相距愈来愈远。如前所述，石门心学是日本江户时代的庶民伦理道德思想，对日本思想史、教育史、经济史皆产生了积极作用。而象山学在中国却作为学术思想被束之高阁，只为少数知识分子所研究。两者后来的差异又是怎样产生的呢？

笔者愿抛砖引玉，对梅岩与象山的思想做一尝试性的比较研究。笔者认为该比较研究有如下意义：

第一，笔者认为通过象山与梅岩思想的比较研究，可以探讨二者思想之间可能存在的关系。如前所述，梅岩与象山的思想在世界本体论方面、心性论方面、学问观及方法论方面有很多类似。另外，在思想来源中，二者不仅受到孟子思想的影响，还同时受佛教的影响，在追求恢复“本心”或“知心”的过程中，皆主张禅宗“坐禅”修行方式的顿悟。可以说，二者在许多方面有着一致。

那么，二者思想之间存在的一致是纯属历史偶然还是有着某种影响关系呢？

如前所述，从时代上讲，二者相隔650年。而梅岩所处的德川时代，宋学已传入日本，朱子学几乎被奉为官学，在日本思想界占领统治地位，但象山学等其他流派的思想学问并没有完全遭到排斥。因而，一些儒学者一方面赞同朱子学的理气论，封自己为正统，另一方面还研究陆象山“尊德性”的思想。其中，有贝原益轩式的在肯定朱子学基础之上对朱子学进行修正批判的儒学者，亦有怀德堂富永芳春式的“进陆退朱”式极端的儒学者。而初学朱子学，后好陆王学的怀德堂初代学主三宅石庵（1726—1730在任学主）也说：“朱陆王子，皆吾道之宗子，斯文之大家也，虽议论有不合，然在此并行不相害，此为君子之心也。而其学为天下之公也。”显示了其折衷的包容的学问态度。⑮梅岩大约35岁时感到自学的不足而开始到各处诸家私塾听讲，一直到45岁自己开设教席为止，听讲经历大约有10年左右。这段时期，到处巡回听讲的梅岩不容置否地接受了各种学说的影响。不仅如此，同样是以町人为教育对象的怀德堂的教学理念与其初期学风，对同属关西地区的梅岩应该有些影响。值得一提的是，怀德堂学派到了后期，于五井兰洲时期曾采取“异学之禁”政策，其中，石门心学也曾被列为所禁之内。如果说势力不大的石门心学尚能够引起怀德堂的注意，那么，颇具影响力的怀德堂学风与教理不可能未波及到石门心学。另外，虽然江户时代出现了“进陆退朱”式极端的儒者，但总体来看，当时，中、日、韩三国毕竟还是尊崇朱子学为“正统”，在这样的环境下，象山学即使得到一时的公正评价，与朱子学相比，也为所谓“正统”的儒学者称作为“异说”而受到排挤。

如上所述，1758年，怀德堂接受五井兰洲的提议，在《怀德堂定约附记》中明确规定不采用“讽子思孟子，倡三教一致，立别一流派”，提倡异说的人为学堂讲师，规定了排斥包括古学及石门心学在内的陆王学等所谓“异学”派学说，独奉朱子学一尊的学术方针。此为怀德堂“异学之禁”。⑯兰洲认为，朱子的学问性格继承了“博”“约”两兼的“孔子之教”的真髓，而“终始为约”的陆王学却“废学问，弃事物，其弊也禅庄”。因此，他强烈排斥陆王学。并且认为，“由德性入道”的陆王学学问方法会使人堕入空理空论，使学问与“格物”实践走向歪曲。⑰根据韩国学者金吉洛教授的研究，当时的朝鲜对象山学的排斥更甚于中国。高丽(918—1392）末期著名的“三隐”李穑、郑梦周、李崇仁等的思想，与程朱学的理气二元论相比，其主气论的心性论思想色彩浓厚，树立了道器一元论的思维体系。“三隐”强调“心”的概念，极富象山学理论色彩。但当时朝鲜的“道统论”观念比较严格，“三隐”在表面上也未能够宣扬与传播象山学。李朝时代（1392—1910）的学风亦是唯朱子学独尊，在这样的环境下，有关象山学与阳明学的研究根本不可能得到正式的展开，因此，研究者大多以“阳朱阴陆”或“阳朱阴王”的方式研究陆王学。⑱

在中、日、韩三国皆“尊朱排陆”的风潮中，梅岩作为普通又普通的人，既未出身于名门望族，身居名儒荟萃的京都，又没有拜过名师，没有什么特别的背景和后台，以一个完全靠自学成材的无名之辈（虽有过随了云以修行的方式学习过的记录），在京都开设了讲席。在名儒荟萃的京都，梅岩突然从一个在商家工作的伙计变为开设讲席的先生，可以想象，该需要多么大的勇气，而周围的嘲讽冷笑与责难妨碍也是可以想象的。

在《俭约齐家论》的开头有这样的叙述：“日月穿梭，实如川水一样，流淌不止。予初志于讲释之时，曾挂牌曰：吾于何月何日将开办讲义，敬请有缘无缘诸位参加。至今已15年矣。见吾之牌，有曰，诚可嘉也者，亦有讥讽者曰，不学之辈，何敢说道。或阳誉阴讽者亦有之，议论纷纭。予为晚学，平生禄禄无为，亦无贤人之行迹，实难及之。然吾曾立志行教，历经数年，尽心尽意，仿佛悟得圣贤之意。吾欲将此心传于世人，可不惜生死，不言名闻利欲，只为引导世人是也。而吾拙于文学，听众甚少。然若无人闻听，吾立街传道，亦将力述吾志……”⑲从以上描述中，可以想象得出梅岩创业初期的困难与艰辛。另外，《石田先生事迹》中还有以下的叙述，“先生于大阪讲释之时，有神道学者曰：身为和人，讲释中国儒学，令人难以接受，应登门斥退如此与神为敌之人。而先生多不理会此。神道学者又曰：若不见我，请速结束在些地之讲释。不得已，先生与书神道学者，应诺与其面谈。于是彼神道学者携五六门人来先生处。先生曰：汝对神道之信心可嘉可奖。吾闻汝认吾为神敌，吾难以理解。对于神道，我亦无二心，儒佛皆补佐我国之神道，教人以正直，尽忠于神，于此，吾等可立誓。不仅我无二心，今同在此席三四门人亦可同立此誓。……”⑳在朱子学尚未从统治地位跌落的情况下，没有什么特别背景与后台的梅岩虽然称自己是儒者，为传播“五伦之道”开设讲席，还受到了上述的攻击与非难，可以想象梅岩当时的处境是多么孤立无援与艰难。处于这样的境遇里，梅岩即便对于象山的学问抱有兴趣，将象山学的思想导入自己的理论体系之内，也难于公开向社会表明自己赞同被认为“异说”的象山学观点，同时也不可能公开把象山的名字引用在自己的著作之内。而且，特殊的出身与经历使梅岩成为一位略有自卑感且严于律己、一生以谨慎认真的态度应对万物的人。根据记录，一直到死过着独身生活的梅岩到了晚年后，接受弟子的好意，雇佣了一个男仆，然而，梅岩未曾受到什么照料，反而要照顾男仆。这不仅反映了梅岩善良的为人，也从侧面反映出梅岩不愿与任何人发生任何冲突的性格。梅岩的这一性格在其重要著作《都鄙问答》中有关梅岩与行藤氏就“心与性”的问答中也有类似的反映。

因此，笔者推测，梅岩受象山影响的可能性极高。然而，受各种各样时代的限制与梅岩自身性格的影响，关于此点未被研究者所重视，而笔者认为，通过二者思想的比较研究，找出二者思想之间的内部联系，可以推测二者之间可能存在的关系。

第二，笔者认为通过象山与梅岩思想的比较研究，不仅可以探讨中日两国心学不同的特点，还可以了解中日两国心学对各自国家历史发展的作用。当然，探索梅岩思想是否受了象山思想的影响并不是笔者的终究目的。笔者所关心的是，为何象山思想与梅岩思想初期有着许多的共同之处，后来却愈来愈走向不同的道路？为何梅岩的思想后来在日本能够发展成为普及性的庶民伦理道德理论，能够在江户时代末期形成群众性的社会思想活动，进而对日本产业近代化产生积极的作用，而象山的思想虽然初期有一定的声势，后来却愈来愈受排挤，不被广泛地认识，终于未能走出学术思想的圈子，对社会未能产生更大的影响？象山心学形成于中国南宋时期。当时，朱子学在思想界不仅尚未占有统治地位，还曾被认为是“伪学”遭到禁止，而且朱子学本身也存在理气二元论的矛盾。象山学就是在这样一种时代背景与学术背景下形成的。象山学形成后，便以“尊德性”之学问与朱熹的“道问学”并峙而存，天下并称之为“朱陆”。象山鲜明地提出“心即理”的思想观点，与将“心”分为“性”与“情”的朱熹的“性即理”的理论相对立，建立了象山心学。

梅岩思想形成于日本江户时代，较之象山心学晚约650年。当时，朱子学在日本已成为准官方意识形态统治着日本思想界。朱子学虽然没有被绝对化，但作为思想界的正统理论，一直为绝大多数儒者所崇尚。在这样的时代背景下，梅岩作为“自学成材”的普通的儒者，为当时已成长起来的日本近世商人创建了“心学”思想。因此，梅岩学倡导神、儒、佛三教合一，并为了表明自己的正统性，屡次在讲义中引用朱熹的名字。

可以说，象山思想与梅岩思想的不同之处首先表现为，象山思想作为士人阶级的理论一直在知识分子范围内被传播和研究，而梅岩学却作为町人理论为日本庶民阶层所接受。因此，梅岩学较象山学少有关于世界本体的议论，逻辑推理也不如象山学严谨，而且，梅岩的讲座主题多围绕日本近世町人的日常生活而进行。

其次，象山思想与梅岩思想的不同还表现为，梅岩提出了独特的商人伦理道德理论，建立了庶民伦理道德思想体系，有关心性论的思想与经济思想共同成为梅岩思想的两大支柱。而象山学主要还是有关人与宇宙的关系论及有关心性论的思想。可以说，象山思想中有关经济思想的论述所占分量极少。因此，虽然象山学形成初期，曾一时学生雷动云从。后来，朱子学成为官学后，象山学开始走向衰微而一直未能脱出学术思想的范围。但象山学后来启迪了一批与正统朱子学相对的提倡“异说”的思想家，促进了阳明心学的形成，形成了明清之际早期启蒙思潮，还对中国近代进步思想家产生了积极的作用。而梅岩学形成初期，在社会中虽然没有引起多少反响，后来经过弟子的发展壮大，以“正直”、“诚实”、“慈悲”的方法追求“知心”、“知性”的石门心学成为日本近世庶民的伦理哲学思想，为下层的农工商阶层的人们提供了简单易行的伦理道德标准。这样，石门心学在日本思想史及日本教育史方面产生不可忽视的作用。尤其不能忽视的是，研究界普遍认为石门心学的普及为日本近代社会产业化奠定了基础。社会功能的不同可以说是象山思想与梅岩思想的最大不同。

第三，笔者认为通过对象山与梅岩思想的比较研究，对于当今中国的产业经济发展与现代化，也有某些借鉴和启示的意义。

今日的中国正以飞跃的速度推行着产业现代化，每时每刻都在发生着巨大的变化。经济发展成为当今社会最为优先考虑的课题，而人的心灵修养却被不少人所遗忘。因此，笔者认为，重新认识与研究象山与梅岩所追求的人的本“心”之修养理论，学习象山与梅岩所重视的“辨志”、“先立乎其大者”及“正直”与“俭约”的实践方法，提倡梅岩的“彼立我立”的“商人道”思想，既有历史意义，又有现实意义，对中国的产业经济发展与现代化也会提供某些借鉴和启示。梅岩的经济思想对日本江户时代后期的产业经济发展的确起了积极的作用。梅岩倡导欲达“知心”应以“正直”与“俭约”的方式求得，使人们能够在日常的生活与工作中追求并达到“天人合一”的境界，这种简单易行的方式吸引了许多商人积极实践,使商人符合当时社会商业活动的标准,成为名副其实的商人。可以说,“正直”的心使商人能够尊重经济社会中的各种买卖关系与契约关系,“俭约”使商人能够以正当的商业手段积累巨大的财富并以此去创造更多的财富,“俭约”告诫商人在经济社会的使命不是享用财富而是创造财富，因此要自觉遵守俭约。梅岩的“形即心”(由形之心)[21]的思想又使“士农工商”各个阶层认识到，武士为武士，农民为农民，商人为商人，人人应根据自己的职责，尽自己的“分”(本分，职分)忠于自己的职业。这种思想肯定了商人的社会存在价值与社会职能，调动了商人的劳动积极性，对商业发展起了积极的作用。另一方面也使商人忠于自己的商人之“形”,“知足安分”地努力“践形”，做一个合乎“商人之道”的好商人，使商人将精力全部投入到商人职业中，对商业的发展起了积极的作用。日本研究界认为，梅岩的“正直”、“俭约”及“由形之心”的思想对日本产业社会的发展，起了积极的作用。由此，提倡梅岩的“正直”、“俭约”理论，学习梅岩的“商人道”思想，也可以说对中国的产业经济发展与现代化也能提供某些借鉴和启示。

二 有关梅岩与象山的研究状况

关于象山与梅岩的思想比较研究，无论在日本还是在欧美及中国，就笔者所知，尚无人涉及。

关于梅岩与其他中国思想家的比较研究，可能也没有正式的作为比较研究的专门著作。第二次世界大战以前，日本曾有一批研究者为了寻找石门心学的思想根据，探索过梅岩的思想来源。其中，有的研究者将梅岩的思想划入朱子学派，也有研究者将梅岩的思想划入阳明学派。

根据石川谦的研究。认为梅岩的思想根据来源于朱子学的学者的主要观点是：第一，石门心学第三代教授上河淇水[22]（1748—1817）在其《心学承授图》、《圣贤证语国字解》中称，石田梅岩的思想直接承袭朱子学；第二，在梅岩《石田先生语录》中多次出现“朱子”、“程子”等人的名字；第三，《石田先生事迹》中记载梅岩与弟子提到过《太极图说》、《近思录》、《性理字义》等书；第四，心学提倡报恩、服从、忍耐、温和，因此，不可能与德川幕府所欣赏的官学朱子学唱反调。持以上观点的研究著作和论文有白石正邦的《石门心学的研究》（1920年）、高桥俊乘的《石门心学的本质》（1933年）、岩内诚一的《教育家石田梅岩》（1934年）等。

认为梅岩的思想根据来源于阳明学的学者的主要观点是：第一，阳明学被称为“心学”，梅岩学也被称为石门“心学”，二者皆是“心学”；第二，中江藤树[23]（1608—1648）为日本阳明学派的鼻祖，其《翁问答》是日本近世社会的通俗教化书，而石门心学的道话读本受了《翁问答》的影响；第三，二者思想有类似的地方。持上述观点的研究著作和论文有高濑武次郎的《日本的阳明学》（1898年）、大川周明的《平民教师石田梅岩》（1924年）、泷本诚一的《日本经济学史》（1929年）等。

以上所提到的研究专著和论文，皆为30年代以前的研究成果，有些研究难免受当时时代条件的限制。笔者认为，欲解明石田梅岩的思想来源，应该从梅岩的思想中寻求依据。石田梅岩的思想在形成过程中，曾广泛吸收各学派、各宗教的思想，当然也受了朱子学派的影响，但不能说朱子学是梅岩思想的主要来源。虽然石田梅岩后来的门人上河淇水为了将心学运动推广到社会，曾极力宣扬石门心学属朱子学派，但是梅岩生前并没有说自己的思想来源于朱子学。而且在朱子学为德川时代正统思想的时代背景下，也不能只看梅岩是否引用了“朱子”的名字，㉔是否阅读了朱熹的著作，来判断梅岩的思想是否来源于朱子学。应该在综合考察梅岩与朱熹的基本思想与世界本体论及人生论等基础之上加以分析与判断。

关于梅岩与阳明思想,笔者认为也有比较研究的可能和必要。但笔者于本论文中所强调的是中日两国心学创始人之思想的比较研究，因此，本论文将不涉及与阳明心学的比较研究。

行文至此，笔者认为，前面提到的载于《中国哲学史》期刊的“中日心学比较——王阳明与石田梅岩思想的比较”是一篇值得一读的研究论文。作者李甦平在心学根据、心学范畴等方面对王阳明与石田梅岩的思想进行了比较研究。并论述了中日两国心学对各自国家历史发展所起到的作用。这大概是中国大陆有关研究石田梅岩的第一篇论文，同时也大概是从比较学角度对梅岩与王阳明思想进行研究的第一篇论文。

笔者认为还有必要介绍一下在石田梅岩及心学研究领域颇有影响的几位研究者的成果。

曾为京都明伦舍舍主与修正舍舍主的柴田实对石田梅岩及石门心学的基础研究作出了不可磨灭的贡献。上下两卷的《石田梅岩全集》经柴田实的整理与注释，于1956年由清文堂出版社出版，成为梅岩研究者们必读的利用率很高的基本资料。

而石川谦的研究也代表了第一代研究者的成果。石川谦博士是日本石门心学会的创始人兼第一任理事长。石川谦的大作《石门心学史的研究》于1935年由岩波书店出版。石川谦将晦涩难解的原始资料加以整理，试图将心学的思想内容体系化。可以说，对于石门心学㉕的研究，石川谦超过了以往诸研究者。石川谦将“由形之心”（即“形即心”）作为分解梅岩思想及心学的钥匙，总结出心学思想的独创性与独自性及局限性。石川认为，梅岩所说的“心”为万人共有之物，将社会分为士农工商几个阶层也只不过是为了区分社会中不同的职域，并不说明人的价值有高下之分，商人与他人也是平等的。在日本近世社会中，儒者大多持贱商论，梅岩却以堂堂正正的态度论述了士农工商的平等，这表明了梅岩思想的独创性与独自性。但梅岩的“由形之心”的理论也使人承认士有士之道，农工商有农工商之道，据此，梅岩认为人人应认清自己的职分，诚实认真地实践属于自己应行之道。这样一来，结果是承认了封建的世袭身份制，这是梅岩思想的局限性。[26]属第一代研究者并值得一提的另一位大家，是大阪明诚舍舍主竹中靖一博士。其《石门心学的经济思想》（1962 年出版）一书在日本学术界享有很高的盛誉。此书从经济史学的角度系统地分析了石门心学中所包含的经济思想。竹中一方面从石门心学的源流入手，另一方面结合当时的经济形势与町人意识探讨了石门心学的经济思想。竹中认为，梅岩将町人视为“市井之臣”，而町人应遵守的“町人道”即为“臣民之道”。从而，作为市井之臣掌管金银财宝流通的商人所获得的利润便为正当所得，商人应视天下之人为掌握自己俸禄的主人，怀着重“义”的思想勤勉治业。竹中认为，心学的经济思想在于使人们常怀感恩报谢的心情去自觉自己的“分”（本分，职分），使人们安于职分，在自己职分的基础上知足常乐，因此，感恩的世界是“分”（本分，职分）的经济学得以成立的基础。

上述几位研究者作为梅岩及心学研究的第一代学者，活跃于第二次世界大战前后。他们在原始资料的海洋里作了大量的专门研究与考证研究，其研究成果阐明了有关梅岩及石门心学研究的不明之处，而他们的著作也成为梅岩及心学研究的基础资料与必读书。但笔者认为，这一代研究者大多受时代及政治与个人等因素的影响与限制，不是过于肯定或夸大梅岩及石门心学的作用，[26]便是过于否定或贬低梅岩及石门心学的作用。[27]

作为梅岩及心学研究的第二代学者活跃在60年代后期与70年代。这一批研究者大多是日本思想史或经济史研究领域中多有建树的专家，他们呼吁学术界应给梅岩及心学以公正的评价。[29]其中，逆井孝仁[30]从经济史及经营史的角度对梅岩思想进行了研究。他认为梅岩在重农抑商的政策下，能够以武士们所信奉的儒学思想，特别是孟子的性善论为论据，创立了适合士农工商各个阶层的理论，并阐述了士农工商各自"职分"（职业本分）的具体性与特殊性。而相良亨[31]认为，在幕藩封建制度的严格控制下，梅岩以"职分"观点来解释身份制度，提出了人本是平等的主张。梅岩的"践形"[32]观表现了人的"身份"虽有贵贱之分，而"践形"之人的主体性——心却是平等的，所以，人的职业是没有贵贱之分的。相良认为，梅岩的这种"践形"观一方面承认现实的秩序，另一方面使人在"职分"上充分发挥主体性，因而又是超越现实的。

1994年在武藏大学人文学会杂志第二十四卷上发表的山本真功[33]的《万事随物之法——石田梅岩试论》论文可以说是梅岩及石门心学研究第三代的成果了。山本提出了与上述两代研究者不同的观点，即认为应重视梅岩"汝不对万物，何以生心"[34]、主张心映万物的思想。

日本国外对梅岩及心学研究最著名的是美国学者罗伯特·N·贝拉（Robert N. Bellah）。1957年，贝拉出版了*Tokugawa Religion——The Values of Preindustrial Japan*一书，1962年经翻译以《日本的近代化与宗教伦理》在日本出版（未来社），引起了学术界的注意和好评。贝拉认为，梅岩的学问可以分为两条线索。其一，梅岩从哲学上追求与天的合一，为了达到这个境界，梅岩以宗教的神秘主义要求人们脱离私欲，其实践的方式便是静坐、禁欲主义及对自己职分的献身和努力。其二，便是追求日常生活当中的伦理，贝拉称之为世俗内的神秘主义，梅岩要求人们在世俗生活中勤勉治家，事事俭约。贝拉认为，这种忠诚、孝行、无私及献身职业劳动的观念，为日本近代社会产业化的发展，奠定了基础。

以上是有关梅岩的研究状况，为了研究上的方便，笔者认为有必要简单介绍一下中国及日本研究界对象山的一些研究。

关于象山在中国哲学史上的地位，我们可以从明代中期的朱子学者陈建（字廷肇，1497—1569）的一段论述中得出结论："朱子未出世以前，天下学者，有儒佛异同之辨。朱子既没之后，又转为朱陆异同之辨。此圣学显晦所由系，世道升降之大几也。"㉟可以说，象山在中国哲学史上占有很重要的位置。但从象山在宋明理学中所占的地位来看，无论中国还是日本，对于象山的研究成果不能说多。究其原因，首先，在中国哲学史上，象山一直作为朱子学的对立面存在，一直受正统的儒学者的攻击与排斥。王夫之曾断言"学之于宋也"，"不百年而陆子静之异说兴，又二百年而王伯安之邪说熹"。他认为，明毁之于陆王之邪说。王夫之的观点代表了当时儒学者的普遍看法。㊱受中国的影响，日本朝鲜也认为陆王心学为惑乱世间的异端之说，采取排斥的态度。前述怀德堂五井兰洲也曾将中国明朝灭亡的原因归于"陆王心学"。"呜呼，明儒平局，动辄极言咎宋。及贼陷京，无勤王师。""是皆学术不正，人心不端之所致。"㊲在这样的状况下，很少有人将象山作为独立且自成系统的思想家进行透彻的研究。在有关宋明理学的研究中，被研究最多的大概是朱熹与王阳明，对于象山的研究往往是作为与朱熹进行鹅湖辩论及无极、太极辩论的对手，或是作为王阳明的先驱，即作为配角来研究的。所以，有关象山的基础研究便显得薄弱。而基础研究薄弱的另外一个原因是有关象山的第一手资料过少造成的。象山一直主张"不立文字"，著述甚少，除与人来往的信函和弟子们后来编写的语录（以此合为《陆九渊集》）

之外，象山几乎没有留下系统的著作。自与朱熹辨无极、太极以来，象山在思想成熟的中年期本可以系统地整理自己的思想，充分阐明自己的理论观点，但于54岁时，便不幸逝去。[38]因而可以说，第一手资料的不足也给象山基础研究带来了很大的困难，也是造成象山研究不振的原因之一。中国对象山的研究正是在上述情况下展开的。就笔者所知，大陆方面研究象山比较有名的是冯友兰。在《中国哲学史新编》第五册[39]中，冯友兰对象山的宇宙观和修养方法作了透彻的分析。他认为，象山所说“宇宙便是吾心；吾心便是宇宙”[40]的“心”，是宇宙的心，而不是个体的心。个体的心也是宇宙的心的一部分，所以任何人都可以称宇宙的心为“吾心”。因此，象山认为，对于这个宇宙论要点的认识是学者进行修养的前提和出发点，即“先立乎其大者”，也就是恢复“本心”。张立文[41]的《走向心学之路——陆象山思想的足迹》一书，[42]是解放以来第一部系统研究陆象山思想的专著。张立文在这部长达30多万字的著作中，系统地论述了象山的哲学世界观，对象山有关动与静、格与致等范畴与性和人、“义利”、“理欲”等学说进行了精辟的分析和周密的考察，并对象山的教育思想、经济思想和政治学说及与朱熹思想的异同也做了精彩的论述。另外，在台湾及海外学者中也有研究陆象山的专著及论文问世。其中，林继平[43]的《陆象山研究》是一部专著，于1983年由台湾商务印书馆出版。如上所述，在象山研究不振的状况下，有这样的专著问世已是很不易的事了。林氏认为，象山思想主要可归纳为“做人”与“事功”两大内容，而这两大内容又建立在“本心”观念之上。

徐复观[44]教授的《象山学述》虽然不是研究象山的专著，但却是一篇在象山研究界中具有影响力的论文（1955年）。徐氏在《象山学述》中肯定了王阳明的《朱子晚年定论》之朱陆“早异晚同”的观点，认为，象山思想的基本结构为“辨志”、“义利之辨”与“复其本心”。此外，还有牟宗三[45]的《从陆象山到刘蕺山》(1979年),以及其学生蔡仁厚㊻的《宋明理学》等研究著作与论文。

注释:

①柴田实,1906年生。毕业于京都帝国大学文学部史学科,为京都大学名誉教授,心学明伦舍主,文学博士。主要著作有:

《石田梅岩全集》,(编),清文堂出版;

《鸠翁道话》(校订),平凡社;

《石田梅岩》,吉川弘文馆;

《石门心学》日本思想大系42,岩波书店;

《古代国家的展开》(共著),创元社。

②石川谦(1891—1969),毕业于东京高等师范学校,专攻日本教育史。为东京法政大学教授。主要著作有:

《石门心学史的研究》,岩波书店;

《心学》,日本经济新闻社出版;

《石田梅岩与〈都鄙问答〉》,岩波书店。

③竹中靖一,1906年生,毕业于京都帝国大学经济学部,先在山口高商做教授,后为近畿大学教授,心学明诚舍主。1964年获日本学士院赏。经济学博士。主要著作有:

《石门心学的经济思想》,密涅瓦书房;

《日本的经营源流——围绕心学的经营理念》,密涅瓦书房;

《图说日本经济史》(共编著),学文社;

《经营理念的系谱——其国际比较》(共编著),东洋文化社。

④主要成果有:朱谦之:《日本的朱子学》,三联出版社1958年版。

朱谦之:《日本的古学及阳明学》,上海人民出版社1962年自治。

朱谦之:《日本哲学史》,三联出版社1964年版。

黄心川:“安藤昌益和《自然真营道》”,《北京大学学报》1962年第3期。

王守华、卞崇道:《日本哲学史教程》,山东大学出版社1989年版。

李甦平:《转机与革新——论中国畸儒朱之瑜》,中国人民大学出版社1989年版。

李甦平：《圣人与武士》，中国人民大学出版社 1992 年版。

李甦平：《中国、日本、朝鲜实学比较》，安徽人民出版社 1995 年版。

王家骅：《日中儒学比较》，日本六兴出版社 1988 年版。

王家骅：《儒家思想与日本文化》，浙江人民出版社 1990 年版。

王家骅：《儒家思想与日本现代化》，浙江人民出版社 1995 年版。

⑤《陆九渊集》卷 36，《年谱》，中华书局 1980 年版，第 498 页。

⑥《石田梅岩全集》上，《都鄙问答》，第 11 页。

⑦同上书，第 100 页。

⑧同上。

⑨《陆九渊集》卷 19，《敬斋记》，第 228 页。

⑩《石田梅岩全集》卷 11，《石田先生语录》，第 543 页。

⑪《石田梅岩全集》上，《都鄙问答》，第 71 页。

⑫转引朱谦之：《日本的朱子学》，三联出版社，第 155 页。

⑬《日本思想大系 28，藤原惺窝、林罗山》，第 417 页。

⑭陶德民：《怀德堂朱子学的研究》，大阪大学出版会，第 4 页。

⑮同上书，第 5 页。

⑯同上书，第 5 页。

⑰同上书，第 5 页。

⑱金吉洛：《象山学和阳明学》，艺文出版，第 122—124 页。

⑲《石田梅岩全集》上，《俭约齐家论》，第 189 页。

⑳《石田梅岩全集》下，《石田先生事迹》，第 636—637 页。

㉑“形即心”与“由形之心”皆为梅岩常用语，意义相同。

㉒上河淇水为石门心学第三代教授，提倡“本心”说，极力将石门心学划入朱子学派，主张只依靠朱子的思想解释心学。

㉓中江藤树为德川时代初期儒学者，日本阳明学派鼻祖，近江人。最初学习朱子学，后来倡导王阳明的“致良知”学说。被称为“近江圣人”。门人有熊泽蕃山等。著作有：《孝经启蒙》、《翁问答》、《鉴草》等。

㉔虽然在《石田先生语录》中多次出现“朱子”、“程子”等名字，但梅岩最主要的著作《都鄙问答》与《俭约齐家论》所引用最多的是“孟子”、“孔子”等名字。

㉕虽然石田梅岩的思想构成了心学的基本内容，梅岩被称为心学始祖，

但梅岩学被称为“石门心学”却是在梅岩死后由弟子手岛堵庵开始。而且，梅岩学经梅岩后继者及弟子手岛堵庵、中泽道二及柴田鸠翁等的传播与修改，已发生很大的变化。例如，梅岩为达到知心而提倡的修炼被弟子们过分强化，几乎将禅宗的静坐原封搬来，甚至认为，“禅与心学一致”(伊豆山格堂：“禅与心学”，讲座《心学》第5卷，第79—96页，雄山阁)。

㉖《石门心学史的研究》，第77—81页。

㉗上述三位也有此倾向。

㉘第二次世界大战期间，受军国主义与国粹主义的影响，日本学术界出现许多强调日本固有神道，夸大日本固有思想及美化日本固有传统的学者。而二战结束后，在日本学术界又出现了否认日本的国粹，反对传统的日本文化的学风。因而，也出现了“攻击心学”“排斥心学”的风潮。

㉙以日本高速成长(1955—1973)后的经济崛起为背景，日本学术界又出现了对传统的日本文化再评价的风潮。

㉚逆井孝仁，1925年生，毕业于东京大学经济学部，曾为立教大学教授。主要著作有：《日本经济史论》(御茶水书房出版)等。

㉛相良亨，1921年生，毕业于东京大学文学部伦理学科，曾为东京大学教授。主要著作有：《近世日本儒教运动的系谱》(理想社出版社)等。

㉜遵循各自之“形”——职业之“形”及身份之“形”，例如士农工商，加以实践。

㉝山本真功，1949年生，毕业于学习院大学文学部哲学科，为玉川女子大学教授。主要著作有：《〈心学五伦书〉的基础研究》(学习院大学研究丛书12)。

㉞《石田梅岩全集》上，《都鄙问答》，第105页。

㉟《学蔀通辨》提纲。

㊱《张子正蒙注》卷首，《序论》。

㊲陶德民：《怀德堂朱子学的研究》，大阪大学出版会，第6页。

㊳朱熹的寿命为71岁，王阳明的寿命为57岁，皆长于象山。

㊴《中国哲学史新编》，人民出版社1995年版，第五册，第198—226页。

㊵《陆九渊集》卷36，《年谱》，第483页。

㊶张立文，中国人民大学哲学系教授，主要著作有：《朱熹思想研究》等。

㊷1992年，中华书局出版。

㊸林继平，1924年生，毕业于四川大学中文系，曾为台湾大学教授。主要著作有：《李二曲研究》等。

㊹徐复观，曾为台湾东海大学教授。主要著作有：《中国思想史论集》，《中国人性论史》，《中国艺术精神》等。

㊺牟宗三，1908年生，毕业于北京大学哲学系。历任南京中央大学、台湾师范大学、东海大学、香港中文大学哲学系教授。主要著作有：《心体与性体》，《理则学》，《历史哲学》等。

㊻蔡仁厚，1930年生，东海大学哲学系教授。主要著作有：《王阳明哲学》，《新儒家的精神方向》等。

文化篇

中日“鬼文化”内涵浅析

胡孟圣

中日两国的文化内涵博大犷远，各有千秋，既有相似之处，亦有不同之点。比如，共存民间的“鬼文化”就是典型的一例。按民俗学分类，鬼属于民间信仰之列。换言之，亦可将鬼置于信仰之中。“鬼文化”是中日两国传统文化的重要组成部分。

一 中日“鬼文化”的形成与发展

“鬼”是人们幻想出来的一种与人间相对的阴府中的现象，其生活样式多系人间生活的折射和想象。在具有原始宗教观念的人们看来，人死后第一表现形态就是“鬼”。这一概念的形成，尽管时间有先有后，但两国的“鬼文化”意象的变迁基本相同。

中国的《小戴礼记·祭法》云：“大凡生于天地之间者皆曰命，其万物死皆曰折，人死曰鬼，此五氏（黄帝、尧、舜、禹、汤）之所不变也。”由此可见，“鬼”概念的形成在中国由来已久，在人类社会形成之初，就已经有了雏形臆造，并且随着人类社会的发展，不断赋予“鬼”以新的形态。《左传·宣公四年》云：“鬼犹求食，若敖氏之鬼不其馁而！”由此推断“鬼犹求食，不其馁而”说明鬼已明显地具备了类似“人”的习性和情感。

早在中国春秋时代，“鬼”的形态就已经由木魅山怪转变成人死后之精灵，幻形为“鬼”（即“魂”）。而日本的原始社会相当漫长。当中国的孔子郑重地教悔其弟子：“不语怪、力、乱、神”时，日本才刚刚从原始社会脱胎。当时的日本人尚处在向“山之神、海之神、太阳神”顶礼膜拜，向“物之怪”乞求赐福却灾的阶段。

在中国文化传入日本之前，日本人就信仰“物之怪”，他们相信天上地下、山川草木，到处都有“物之怪”，他们还相信人死后还有一个永恒的冥府世界。当佛教传入日本以后，又将“物之怪”和“鬼、魂”合为一体，将冥府世界称之为“常世”。《大日本百科事典》释云：“鬼，变幻莫测。多与日本古来就有的鬼蜮合并，或与怨鬼相结合。自古以来，恐怖之中心集中于鬼类。”日本人相信幽灵不灭，同时也惧怕鬼魂作祟人间。这种惧怕鬼魂的心理一直延续至今。有趣的是，越是惧怕鬼魂，越赋予鬼以新的可怕的形象。日本《今昔物语》称：“鬼无言，身有八九个人高，发如夜叉，肤色黑红，眼圆如猿，皆裸，身上有毛。”可见，这种样态还没有完全脱离山怪的形象，某些器官很有点像大猩猩。鬼形象的演化，从中可见一斑。

“鬼文化”的形成与发展，大体经过三种形态的演变：

1. 原生态　即“鬼文化”的雏形阶段。产生于人类社会的早期，主要表现为人类对诸如阴晴雨雪、风雷电闪等自然现象的恐惧。此时的鬼形象大都为自然属性，与人类万物有灵观念密不可分。

2. 衍生态　即“鬼文化”的形成阶段。主要表现为鬼神并行于世。此时人们已经有了善恶观念，原来为一统世界的鬼开始分化，一部分因常做善事，被奉之为“神”；另一部分因于人为恶，被斥之为“鬼”。

3. 新生态　即“鬼”的作祟阶段。此时的鬼有了更进一步的发展，以全新面貌出现于世。

其表现之一：“鬼”的形象已从凶残、恶毒，青面皂发、锯齿镣牙的单一模式中解脱出来。其中一部分尚未脱离张牙舞爪的可恶形象；但另一部分已变得和蔼可亲可近了。且性格亦变得多样化了，除了野性之外，还具有各种复杂的人性。如：与人谈情说爱，帮助人类做好事，等等。

其表现之二：“鬼”的领域大有扩展，并与佛教、道教相融合，形成了新的地狱之说。这主要是由于佛教、道教等侵入了具有原始宗教意识的“鬼文化”之中，使之从思想到内容产生了新的飞跃。

其表现之三：“鬼”的中心活动场景进一步扩大，不仅有阴世间的，也有阳世间的。其中阳间的鬼感情丰富多彩，表现繁杂绚丽。而阴间的鬼则凶残暴戾，充满了惩治者（闫罗、小鬼）与被惩治者（亡灵）之间阴森可怖的气氛。这与佛教的传入大有干系，根据佛教行善除恶这一朴素的思想，阴世间的鬼有了更加形象逼真的活动内容。伟大的现实主义巨著《红楼梦》第二十五回“魇魔法叔嫂逢五鬼，通灵玉蒙蔽遇双真”和第百十二回“活冤孽妙尼遭大劫，死雠仇赵妾赴冥曹”对此均有形象的描绘。据佛经《俱舍论》和《大乘义章》释解阴间的八大地狱，均为惩治恶魂所设。即：1. 等活地狱：恶魂相残、死去活来。2. 黑绳地狱：黑绳绞勒、备受其苦。3. 众合地狱：刑具交加、恶兽撕咬。4. 哀号地狱：酷刑不已、号叫不止。5. 嚎啕地狱：苦痛不堪，嚎鸣连天。6. 炎热地狱：铜镬熬煮、炭坑灸烤。7. 大热地狱：烈火焚烧、其苦无比。8. 阿鼻地狱：堕入深渊，恶兽食之。

随着佛教的不断传播，地狱之说广泛深入民众意念之中，成为中、日两国人民的信仰观念，并突破了原有的数字概念，形成了新的十八层地狱惩治恶魂之说。

二 中日“鬼文化”的相似点

中日两国民间的“鬼文化”及其形成和发展，有着一脉相通的血缘关系。因此，有关“鬼”的想象和传说也存在许多相似之处。

1. 以“鬼”喻示人间之丑恶

“鬼在人们心目中时隐时现，飘忽不定，其法力手段远远超出了人类的力量范围。《淮南子·泰族训》写道：“夫鬼神，视之无形，听之无声，望山川，祷祠而求福，云兑而请雨，人筮而决事。”这是人们热望得到鬼神的保佑和以鬼神之力惩治丑恶的心理写照。

正因为如此，以鬼喻示人间丑恶的传说、故事、小说，可说中日两国大同小异。其数量之多，范围之广，恐怕占民俗文学之首。“鬼文化”在中国有广泛而深厚的生存土壤，不少同人们的生活息息相关，人们往往把现实无法解决的矛盾寄托于传说中的“鬼、魂”，借“鬼”解气，借“鬼”讽世，“鬼”是深入研究中国传统文化无法回避的一个课题。如元代杂剧《感天动地窦娥冤》中的窦娥，为了表明自己的清白无辜，死前发誓：“不要半星热血红尘洒”，要让那一腔热血都飞上“丈二白练”。结果行刑之时，六月飞雪，以表奇冤。窦娥临行前发出的三桩誓愿得以应验，这不是关汉卿的幻想，而是真实地表达了窦娥的信念。窦娥之所以责天骂地，指天明誓，是因为她坚信自己的千古奇冤足以震动神祇为自己伸张正义。甚至连刽子手和监斩官也都相信血上白练和六月飞雪昭示着“这死罪必有冤枉”。

在惩治恶鬼方面，日本的民间故事“桃太郎”则反映了世人希求惩恶扬善的心理。故事说的是，古时有个老太婆去河边洗衣服时，发现从上游漂来一个大桃子，于是带回家去，奇怪的是从大桃子里生出一个小男孩。无儿无女的老两口欣喜若狂，视为己出，精心抚养，这个取名为“桃太郎”的小孩很快就长成了一个英俊勇武的小伙子。一天，他告别老父老母，奔赴“鬼之岛”，路上又收下“犬、猿、雉”作帮手，经过与恶鬼的一番争斗，大获全胜，惩治了作恶多端的恶鬼，并缴获了恶鬼许多金银财宝，代表世人伸张了正义，讴歌室町时代人们所崇尚的忠、孝、勇、武之德。

对于无情无义的恶鬼，人们深恶痛绝。日本鬼才作家芥川龙之介的名篇《蜘蛛之丝》就以天堂和地狱为舞台，展现了佛家天堂、地狱、人间等“六道轮回”之说。说是一个叫健陀多的恶魂，生前系杀人放火、无恶不作的江洋大盗。他到了阴世间在接受惩治的过程中，仍不思改悔，继续伤天害理，最后落入十八层地狱的可悲下场，鞭挞了社会上极端利己的丑恶现象。

此外，日本诸如《能》、《狂言》、《净琉璃》等传统戏剧，也有不少惩治恶鬼的场面，借以或讽刺大名，或表示农民对寄生阶层的轻蔑，反映出庶民除恶务尽的思想感情。

2. 赋予“鬼”以人之情感

对于黑暗社会的腐朽现象，庶民阶层深恶痛绝，但又敢怒而不敢言。于是乎，借助部分“善鬼”，赋予其人的思想情感，为人类广做善事。在封建社会，朝廷腐败，贪官污吏层出不穷，加之世态炎凉，人们迫切希望好人多多益善。蒲松龄的《聊斋志异》就描述了好多与人为善的好鬼，这些好鬼为人处世往往超过了人类。比如“王六郎、牛成章”等就属此类。特别令人叫绝的是蒲松龄笔下的女鬼群像，如：青凤、婴宁、聂小倩、连城、阿霞、辛十四娘、小谢、阿秀、细柳、小梅……她们色艺俱全，或为人友、或为人妻、或为人母，做了许许多多人类难以做成的善事。单就她们音容笑貌、秀姿倩影，就足以使芸芸须眉分心动情的了。你看她们：姿容秀丽、华美若仙、丰韵殊艳、含香吐玉，真可谓倾人倾国，世间有几个女子能比得了！清人纪晓岚评价蒲松龄笔下的女鬼群像赞曰：“燕昵之词，媟狎之态，细微曲折，摹绘如生……”

日本人自古以来就崇尚自然，他们演化出来的善鬼远不及中国善鬼那么俊秀贤淑、多情善感，但却善解人意、活泼可亲，野性之中透出几分清秀。

日本民间有个撒豆驱邪的习俗，在立春的前一天抛打炒豆、驱鬼却灾。江户时代曾有一个故事，说的是一个男子撒豆驱邪，可偏偏这个男子是个结巴，他的本意是想说“福进门，鬼退去”，但结结巴巴没说完，已经被驱赶到门口的鬼又返回来追问道：“到底往哪里去，快说呀！”结果被炒豆打着了逃了出去。故事里的小鬼很是可爱，重又返回来追问的举动很是叫人好感。

3. 鬼神相通，如出一辙

鬼即神、神即鬼，上天为神、入地为鬼。鬼神相通的文化意象，在中日两国的民间意识中是一致的。在原始的宗教观念中，山川、河流、生物、气象，或凡属人类不能理解的一切自然现象，均以为是“鬼神”所使。“鬼”和“神”并没有截然分开，而是一个统一的整体。“鬼”多指人们观念中的灵魂，更确切地说，人们观念中的灵魂，就是以“鬼”的形象出现的。所谓“鬼神”概念，实质上是“鬼”的代名词。

日本人的“鬼神”观以为：“鬼神这一词汇的内容具有重要意义。一方面是作为神的要素被供奉，另一方面则是鬼类的根源，诸如流行病、灾祸等都是鬼之所为。”在日本鬼神信奉者的心目中，作好事的为神，作坏事的为鬼，善良之鬼可为神，恶魔之神变成鬼。

在中国，由于佛教的影响，鬼神亦可互相转化，与人为善者上天为神，与人为恶者入地为鬼。二者均为隐形的，飘忽不定的，有时速来速去令人琢磨不透。总之，在人们心目中，鬼神为同一概念。

中国农村在除夕晚和正月初三夜有“请神”和“送神”的习俗。所谓“神”就是先祖的“魂”（即“鬼”）。在虔敬慈善的人们看来，神须敬，鬼生畏。既然有善解人意的善鬼，就有暴戾凶煞的恶神。当然宜敬的是善鬼，宜却的是恶神。善鬼神也，恶神鬼也。

三　中日“鬼文化”的相异点

中国的“鬼文化”传入日本之先，日本就已经存在着敬畏“山之怪”、“山之男”的文化意象，加之日本民族固有的排他性，对中国“鬼文化”的输入持审慎态度，对己有利的积极消化吸取，对己不利的则拒之国门之外。因此，日本的“鬼文化”蒙上了一层朦胧的山野、渔猎的怪异色彩，对于“鬼”的意识有它独特的地方。

1. 喻“鬼”之意，不尽相同

中国民间传说的“鬼”，很明显有善恶之分。而日本民间传说的“鬼”，善恶之分却不十分明显。日本人幻化出来的“鬼”大多都带有可亲、可敬、可怜、可畏、可憎等一些特点。

中国人对作祟人间的恶鬼，内心怀有强烈的畏、恨、避之心态，不过在表面上又采取虔敬供奉的做法，生怕待之不周，招来不测。如，在旧社会农村盛传的因冲了某路神灵、鬼魂而烧香烧纸还愿的做法，就是一例。这种矛盾心理的形成，多与佛教的影响有直接关系。在封建社会，庶民无权无势，只好俯首听命，而且还得装出一副甘悦治下的“忍相亲”的可哀相，以求相安无事。但是在心理上却愤懑不已。于是借鬼喻世，发泄不满。封建恶势力就是鬼，在这方面，堪称人鬼同一。人们希冀的是世道公正，善恶分明。对人间的乱臣贼子，贪官污吏应大加惩治为快，恶人应下地狱，永世为鬼。《红梅阁》中的李慧娘死后化为厉鬼，惩治了作恶多端的贾似道，令人拍手称快；《感天动地窦娥冤》中的窦娥死后化为冤鬼感召天地，令人甚表同情。这种厉鬼、冤鬼重返人世报仇雪恨的意象，在日本却不多见。

中国民间所传颂的善鬼，种类繁多，性格不一，他（她）们身上，除带有野性外，还兼有千姿百态的人性，还具有许多人类所不及的优良品质。尤其在表现男女爱慕之情方面，相当委婉动人，不亚于人间男女相爱的情感。潇洒的男鬼可使多情女子久思成病，俏丽的女鬼可使善感的男子动心、动情、动容。

日本民间传说的善鬼，却不具备这般本事。日本幻化出的女鬼，为人女者有之，而为人妻者却寥寥无几。因为日本传说中的女鬼，野性有余，人性不足，试想这样的女鬼，有哪个男子敢贸然染指、涉足！这与日本民族历来崇尚山怪、精灵有关，可以说与人谈情说爱的鬼微乎其微，而戏谑人生的鬼却不在少数。

2. 怕“鬼”之心，程度不一

中国民间幻化出来的恶鬼的形象，经过长年演变和完善，其形象已基本定型。各地庙宇、寺院墙壁上所绘制的阴间恶鬼，有的青面皂发、锯齿镣牙、血盆大口、目若朗星，一副凶煞恶魔相；有的披头散发、声嘶凄厉、举止龌龊、阴森可怖，一副暴戾凶残相。这种恶毒、凶残、暴戾、阴险的形象，令人毛骨悚然，畏之更畏、怕之更怕。如，墓葬坟茔，往往被认为是鬼魂经常出没的场所。因此，夜间很少有人敢单独出入，对于外鬼一般采取内心默默祷告的做法以求相安无事，对于家鬼（亲人灵魂）多施祭奠、颇于祈祷，以求保佑赐福。在自家茔地上坟心安，在他人坟墓出入惶恐，多半出于这种心理原因。

日本民间幻化出的恶鬼形象，却不甚可怕，因为日本的鬼是个欢乐的形象，多与人友善、滑稽幽默、引人发笑，且具有同情之心。据说，有时在同情人的场合，还满眼饱含泪水，令人感佩。有时还以无所不能的精灵形态出现，为人做好事，这样的鬼，当然可处之为友。

3. 祭奠鬼魂，对象不一

中国的文化土壤所幻化出来的鬼，人际关系很浓。所谓阴间冥府，实际是阳间府衙的写照。民间传说的钟馗捉鬼，实际上捉的是阳间人鬼，人生在世结下人情关系网，死后也照样带往阴府。

中国民间诸如人死安葬之前亲属要组织报庙、送盘缠、打茔幡、接旌、烧冥纸、出殡；过年请神、发子、送神；元宵节（旧历正月十五日）为自家坟茔送灯；寒食节（旧历二月一日）忌火忌热；清明节扫墓；中元节（旧历七月十五日）上坟等这些举措都是维系与阴府的关系而为。

而日本对亲属亡灵的缅怀之情远不及中国的强烈，所谓参拜，只是礼节性的祭奠而已，没有烧香烧纸等繁杂内容，充其量是送一束自然色彩浓郁的鲜花而已。多数日本人认为，人死即重返自然，“质本洁来还洁去”何乐而不为？这也是日本人追求自然美的一个具体体现。

他们注重的是对自然界的所有精灵的祭奠，诸如：“山之神，海之神，道之神，五谷之神”等等均是祭祀对象。日本民间五花八门的“祭”，多与祭祀上述精灵有关。

四 “鬼”涵容的扩展

社会在发展，历史在前进。如今，在历史辩证唯物主义者看来，世界上本来没有“鬼”而人们却怕鬼，岂不荒谬绝伦！然而，“鬼”毕竟是民俗文化的产物，“鬼”概念在长年演化中而产生的“鬼”意象也在不断变幻。可以肯定，由“鬼”而生成的“鬼文化”丰富了人们的生活，增加了生活内容和生活情趣，同时，也极大地丰富了语言。因为“鬼”这一定义，本来就迷离恍惚、深奥莫测。所以由“鬼”衍生的词汇就更加生动活泼、耐人寻味。汉语中以“鬼”组成的成语，可谓俯首即拾，洋洋大观。当贬斥阴险、狡诈、恶毒、行为不端时，往往引用“鬼鬼祟祟、鬼迷心窍、鬼蜮伎俩、鬼头鬼脑、鬼哭狼嚎、神嚎鬼哭、鬼使神差”等成语。有时形容技艺高超、行动神速、行为诡秘时则引用“鬼出电入、鬼斧神工、鬼怕恶人、鬼神莫测”等成语。除成语外，在其他诸如谚语、俗语、歇后语、谜语、俚语中，以“鬼”字喻义的语言现象也相当丰富。如，借鬼褒义，以“小鬼、机灵鬼儿”形容敏慧、聪颖等。

在日语中借“鬼”喻义的语言现象也相当普遍。可谓“鬼”字比比可观。如“以鬼形成的谚语就有：心中有鬼还是有蛇（喻：人心莫测）；是出鬼还是出佛（喻：前途莫测）；鬼持铁棒（喻：如虎添翼）；阎王不在小鬼翻天（喻：老猫不在家，耗子上房笆）；鬼得霍乱（喻：平时健康的人得了病）；像取下鬼头一样（喻：洋洋得意）；鬼装作念佛（喻：假慈悲）；鬼中也有佛（喻：坏人堆里有好人）；鬼有时也掉泪（喻：铁石人也有心软时）；鬼眼也有看不到的地方（喻：老虎也有打盹时）；粗茶乍泡亦芳香（喻：丑女妙龄也好看）；鬼也是熟悉的好（喻：人熟为宝）；把鬼泡醋吃（喻：天不怕，地不怕），等等。

“鬼”在中国文学作品中也充分展现了它的博大精深之处。在作家的笔下，“鬼”像丛生、绚丽多姿，鬼话、鬼文、鬼意象等在陶冶人的思想等方面也功不可灭。以“鬼”入诗，抒怀展志之作也不在少数，如：

身既死去兮神似灵，子魂魄兮为鬼雄。

——《楚辞·九歌·国殇》

崖州在何处，生度鬼门关。

——唐·李德裕《贬崖州》

时平堡堠生青草，欲出军都吊鬼雄。

——清·康有为《过昌平望居庸关》

鬼蜮实难测，魑魅乃不若。

——黄遵宪《逐客篇》

魑魅羞争焰，文章总断魂

——章炳麟《狱中闻沈希兄杀》

僧是愚氓犹可训，妖为鬼蜮必成灾。

——毛泽东《七律·和郭沫若同志》

在日本文学作品中，展现“鬼”的文化意象，也屡见不鲜，层出不穷。如影响日本文坛的不朽之作《源氏物语》中就揭示了大量鬼现象。仅以和歌展现的就有多处。如：

郎君快把前裾结，系我游魂返本身！

——第九回　葵姬

皇灵见我应悲叹，明月怜人隐入云。

——第十二回　须磨

我身成异物，君是昔时君。
何故明知我，佯装陌路人。

——第二十四回（下）　新茶续

在中国人看来，“鬼”的一个鲜明的特点在于：它表现的是人间的纠葛、纠争、冤恨、爱恋、友谊等等，而不是单纯表现“鬼”的行为和生活。由于“鬼”与人紧密相关，反映了人和现实生活的种种特征，并逐渐变化、完善，成为一个庞大的“鬼”的种类及其群体。

1. 以死时状态为特征的鬼：吊死鬼、淹死鬼、冻死鬼、饿死鬼、冤死鬼……

2. 以外形为特征的鬼：长毛鬼、长舌鬼、长脸鬼、小面鬼、红发鬼、长颈鬼、尖头鬼、大斗鬼、小头鬼……

3. 以性格为特征的鬼：小气鬼、调皮鬼、孝子鬼、贪心鬼、缺德鬼、机灵鬼……

4. 以做坏事为特征的鬼：催命鬼、产妇鬼、赌鬼、色鬼、烟鬼、酒鬼、讨债鬼……

此外，还有夫妻鬼、兄弟鬼、胖瘦鬼、贫富鬼、善恶鬼等成对的鬼。

在与人的关系上还有：“鬼父、鬼母、鬼妻、鬼女、鬼丈夫、鬼姊、鬼妹、鬼嫂、鬼友、鬼邻居、鬼师”等诸多鬼以及“鬼婚、鬼缘、鬼为媒、鬼言、鬼侠、鬼债、鬼市”等与人的瓜葛。

总之，在“鬼文化”的形成与发展过程中，不乏宣扬消极、格调低沉的内容。然而其主导方面还是积极、正常、健康、向上的。“鬼文化”从它形成那一天起，就在积极探索自然界和人类的奥秘，它崇尚真善美，鞭挞假恶丑，在表现人与自然、社会斗争的同时，也表现了人们向往美好，追求幸福的愿望，这种正义战胜邪恶的结局，凝聚了人的精神和智慧，展现出人类丰富的想象力。

参考书目：

《大日本百科事典》小学馆

《日本まっんと年中行事大事典》仓林正次编　桜枫社

《日本民俗语大辞典》石上坚著　桜枫社

《広辞苑》新村出编　岩波书店

《文化人类学百科辞典》祖文江孝男　米山俊直　野口武德编　晨星社

《とわぢ・名言辞典》本冈书店编

《源氏物语》紫式部著

《辞海》，上海辞书出版社

《中国成语大辞典》，上海辞书出版社

《中国鬼活》，文彦生选编，上海文艺出版社

《日汉成语谚语辞典》，金中编，辽宁人民出版社

《中日民间故事比较研究》，于长敏著，吉林大学出版社

《红楼梦》曹雪芹、高鹗著，岳麓书社

《聊斋志异》蒲松龄著　岳麓书社

日本传统家族秩序述论

——兼谈中日家庭秩序比较

李 卓

家庭是社会的细胞。不同的国家和民族，由于不同的历史发展条件和历史发展过程，其家族制度也各不相同。父权家长制、长幼差序、男尊女卑是日本封建家族秩序的三大基本特征，反映出中国儒家思想对日本的影响。但由于中日两国封建制度及家族观念存在着差异，上述特征又有明显不同于中国的封建家族秩序之处。

一 家的父权家长制

父权家长制，顾名思义就是父亲在家族与家庭中的绝对统治权。在人类历史上，父权家长制是随着个体家庭的出现而产生的，是伴随着生产力发展，男女在社会生产和家庭经济中的地位与作用都发生了根本变化的结果。在以农业为主的社会中，家庭作为社会细胞而存在，为统驭一家起见，家长权具有重大意义。在日本的“家”制度下，对于家庭成员来说，立于个人之上、支配个人的“家”是第一义的存在，权威自然而然授予家长。因此，实行父权家长制统治是家制度的根本内容之一。日本的父权家长制虽形成较迟，但十分发达，在家族生活中几乎无所不包。究其原因，主要在于：第一，家长是家的继承者和家业的掌管者，与家族成员的关系自然形成被依赖与依赖的关系；第二，在十分注重祖先崇拜的日本，父家长是主祭者，被视为祖先的化身，这便使父亲具有至高无上的权威；第三，国法维护父权，使父权日益巩固。日本的父家长权主要表现在以下几个方面：

主婚权。在封建家族制度下，男女结合不是以双方感情为基础，而是要基于家的利益，遵照父母之命。律令时代的法律与幕府法律皆将长辈的主婚视为婚姻成立的条件之一。尤其是在武家社会，婚姻的缔结完全要听凭父母之命。1615 年（元和元年），德川幕府明令“不可私自缔结婚约”，①未经父母允许的婚姻不被承认。在这种情况下，只要父母向裁判所提起诉讼，男方便会被问以诱引密通罪，女方的家长可强行将女儿带回。近代以后，家长的主婚权丝毫未减。时至本世纪 20 年代，还有人在临时法制审议会上公开鼓吹“我邦的风习是以父母或祖父母为主婚者，互赠订婚礼品、婚姻披露的宴请、婚礼皆以父母或祖父母的名义而为之。故不限年龄，婚姻皆由父母或祖父同意，于我国风颇为必要。”②在这种情况下，婚姻当事人双方的意愿完全被无视，如不服从家长的主婚权，就是不孝和不道德的行为。

卖子权。子女对家的生活上、经济上的高度依赖使家长将子女视为私有财产，所以，可以对子女任意处置，甚至买卖、典质，这是父权的极度表现。在封建社会里，卖儿鬻女的现象屡见不鲜，尤其是在江户时代，人口买卖盛行。一旦交不起年贡，便以子女作抵押。封建社会后期，娼妓泛滥。除了幕府和各藩纷纷经营花柳业（当时称之为“廓”）之外，还有不少私娼。许多农家因生活所迫，便卖女为娼，一般农家女子卖给妓院只能换钱十三两。③这种情况一方面反映了农民生活的贫困，同时也反映出家长具有绝对权力。在当时，武士为领主大名家服务是奉公，商家的佣人为主人服务也是奉公，同样，女人出卖肉体的职业也被称作奉公。对于女子来说，服从父母对她们的这种安排，是履行孝道的体现。在这一点上即使与中国相比，日本的家长权也是有过之无不及的。

财产处分权。在家族成为社会基本单位后，家长被认为是全体家族成员的供养者，全部家族财产都属于家长所有，家长有支配、处理这些财产的绝对权力。在北条泰时任执权时，有一场兄弟争夺家业的诉讼：哥哥将父亲因贫困卖掉的领地买了回来，还给父亲，而父亲却让弟弟继承全部家产。哥哥不服，上诉到幕府，幕府裁判的结果却是按照父亲的意愿，让弟弟继承家业。④这说明，家长可以自由选择继承人，即使继承人已经决定，也可以根据家长的意愿变更之。对于家产和已让与子女的领地，家长可随意反悔，再转让给其他子女。

决定子女的居住地。这一条在封建社会姑且不论，在明治民法中仍明确规定家族成员不得违反户主之意而决定其住所。若不服其指定，户主可免除对该成员的扶养义务，直至使其离籍，即断绝父子（女）关系。近代以后，随着资本主义的发展，许多人进入工商业各部门，不再依赖家族而生活。在这种情况下，这一法律显然是对家长权的刻意维护。

教令权与惩戒权。家长所具有的教管子女的权力，由教令权与惩戒权组成。所谓教令权，即家长按自己的意志管教子女的权力，实际就是父家长的思想专制。家族成员对家长要绝对服从，而且要以家长的意志为意志，以家长的是非为是非，不能有独立的思想、爱好与情感。“纵然父亲如何无理，作为子女，不能对父亲表示不满和反抗，此乃天下大法也。”（《伊势贞丈家训》）⑤正如《菊与刀》一书的作者本尼迪克特所说，在日本有一个众所周知的谜语，若译成我们的谜语形式就是：“想向父母提意见的儿子犹如一个想在头上长出头发的和尚，这是为什么？”回答是：“不管他多么想干也办不到。”⑥违反父母的意志就是违反教令，就是犯罪。古代的法律曾规定：“子孙违反教令徒两年。”⑦与教令权相应的是惩戒权。子女违反家规，违背家长意志，家长可予以惩治，或殴打，或禁锢。即使在惩戒子女过程中因惩戒过度致子女死去，也不受法律制裁。只是在无故杀害没有过错的子女的情况下，才受到较轻的处罚。德川时代的法律除允许自行惩戒子女之外，还赋予家长以送惩权，即把违反教令的子女送交官府处理。在惩戒权中还有一个重要内容——“勘当”和“义绝”(勘当和义绝是相同的概念，但勘当一词主要用于下级武士及庶民之家，义绝一词用于上级武士之家)，就是与不孝子孙断绝关系，将其赶出家门。与不孝子女断绝关系，一方面是对子女的惩罚，同时也是为了回避未教育好子女的责任或不负责子女借贷的偿还，甚至还包括逃避子女犯罪的株连。在德川幕府时期，武士家族的父母与子女“义绝”只需向幕府的“奉行”申报，平民则在五人组会上向町村官吏提出申请，再分别登录在“勘当帐”上，即可生效。家族成员被扫地家门，就等于丧失了生活来源和生存的基础。在重视家族关系的封建社会，勘当、义绝是对子女的最重处罚。它助长了家长权，对于“人皆有党”的武士家族成员及依赖家族经济、生活贫困的农民家族成员来说，受到这种处罚无疑是一场灭顶之灾。

正因为家长在家中拥有极大权威，所以家族成员对家长极为敬畏。日本有句名谚：“地震、打雷、失火、父亲”把父亲与地震、打雷、失火视为同样的最令人恐怖的灾星之一。在一切为了家的信念之下，家长即使怎样行使家长权也不为过，家族成员所处的被管辖和服从的地位绝不会因成年和才华而有改变。即便是在平常的家庭生活当中，家长的特权与威严也无处不在，无时不有。比如，家长被称作“亲爷”、“父上”。家长的座席叫做“主座”、“上座”、“正座”。如同“小猫和傻子也不敢沾正座的边”这句俗话表示的那样，正座象征着家长权，即使家长本人不在也不许其他人坐。家长吃饭用的是“从祖先传下来的”饭碗，要比其他人的大，筷子也要比其他人的长。饭菜都要由家长先尝，若家长还没动筷，则谁也不许吃。⑧入浴的规矩也是家长优先，这一传统一直保留至今。

尽管日本的家长具有极大的权力，但是他们本身也置身于家的约束之中。在“家”的制度下，家长们被认为是家的一时的代表和物质与精神产业的管理人。他们好像是一场接力赛的选手，其任务是接过父祖手中的接力棒再传给子孙。对于家长而言，他们实际上也是为了家而活着，所以，家长的品德和才能至关重要。与中国“祖在则祖为家长，父在则父为家长”⑨的情况相比，日本的父家长权不是终身的和永恒不变的。为了家的延续，在强调家长权的同时，也有对家长的规范与制约措施。最突出的一项就是隐居。在中国人的观念中，隐居指辞官退职，偏居乡野，往往是对时政不满或有厌世思想的人的消极对抗行为，即所谓“隐居以求其志”。⑩而日本的隐居事实上就是“让位”，即在家长上了年纪，或者因病难以料理家业的情况下，要把家长权让渡给继承人。一般来讲，因疾病的原因必须隐居者要视实际情况而定。而因年龄而隐居，各地的年龄限制则不尽相同，如幕府规定70岁，尾张藩60岁，纪州藩50岁。从这些足以看出隐居已不单是一种习俗，而形成了一种制度。已经让出了家长权的父亲不再具有家长的权威，降至与其他家族成员一样的地位，变成被新的家长——继承人的抚养者和对家族的依赖者，往往还要分居到别处。有的家训中甚至规定，“隐居之时，不可假借其子之力”。⑪隐居之风最初起自武士家族，由于武士家族通过侍奉主君才能得到俸禄，这是武士家族生活惟一的经济来源。在家长因病或其他原因不能继续侍奉主君的情况下，要维持这份俸禄，必须实现家长权的交替，由继承人继续对主君履行奉公的义务。后来，庶民家族受武士家族影响，也实行隐居制度，在家长不堪家长之任时实行家长权的交替。由此可见，隐居制是对家长的一种制约，与中国家长的至高无上的地位和重孝养的意识形成强烈反差。因此可以说，日本的家长的绝对权威是任期制的，而不是终身制的。⑫再比如，日本人对家长的品德和才能的注重，超过对作为生物学上父亲的意义的注重。中国的家长的权威，与其说来自他是一家之长，不如说他是子女的父亲，父亲或祖父就是天生的家长，因此，只要他活着，就有这种权威。而在日本的家长制之下，不仅要求家族成员服从家长的权威，还要求家长自觉维护这种权威。不少家规、家训中都不乏对家长行为的规定，如“主人乃一家之模范，我勤众何怠，我俭众何奢，我公众何私，我诚众何伪”（《安田家宪》）；“主人要牢记，财产非己有，自己是传自祖先、达于子孙的财产的一时支配人”；“欲与骄乃败家之基，惠与施乃立身之源”；“以信为旨，不可虚言”；“孝敬父母，亦教子孝”（《多势家家宪》）。[13]诸如此类的内容反映出，家长的言行品德是多么重要，作为一家之长，首先要成为一家的楷模。在继承人的选择上，为了家的利益，往往不唯长幼顺序，而首先看继承人的才干。像1306年武士中原中通“守器量，以四郎秀赖为嫡子”[14]之类的例子在日本历史上屡见不鲜。若以无能不才的长子作继承人有可能危及家业的话，宁可废嫡而另择他人，甚至以无血缘关系的女婿取而代之。由此观之，日本的家长虽被作为家的象征和祖先神的化身，但至高无上的是家长权而不是家长本人。中国的家长的权威在于他是父亲，而日本的父亲的权威在于他是家长。正如中根千枝所说，“日本的父亲的权威实际在于家长的权威，而非父亲本身”，家长权不过“是指一个人处于家长地位时所持的权威”。[15]日本的“家”制度被称作“家的父家长制”，其原因也正在于此。

二 长幼差序

十几年前，日本电视连续剧《阿信》在国内播放的时候，阿信（据说是以当今蜚声亚洲乃至全球的日本企业八百伴的创始人和田加津为创作原型）的苦难生活及其百折不挠创业、发家的经历，曾经牵动了亿万中国电视观众的心。人们在对阿信深表钦佩的同时，又都为他的丈夫龙三的窝囊感到遗憾，更为关东大地震以后，走投无路的阿信夫妇回到丈夫的老家之后，饱受丈夫家人的虐待而愤愤不平。对于中国人来说，家乡和家永远是最安定、最温馨的归宿，在外面的人总是要“叶落归根”。在家庭中，人们崇尚的是“父母爱子贵均，同居长幼贵合”。⑯虽然也存在着家长制，但同胞兄弟之间的地位还是比较平等的。所以，人们无法理解龙三的母亲和哥哥为什么那样苛刻地对待自己的亲骨肉、亲弟弟。也无法理解龙三为什么在家中丝毫没有安定感，而总是出去冒险。实际上，《阿信》反映出的这种家族关系并不是由某个人的品质问题而造成的个别人的家庭悲剧，而是日本传统家族制度造成的几代人或者说整个社会的悲剧。

日本家族结构示意图

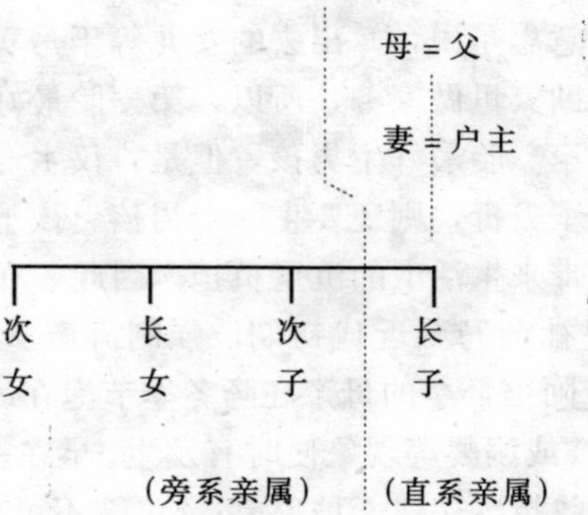

日本传统家族制度本身存在着严重的不平等。除了前面叙述的由于家长制的存在造成的家长与家族成员之间的不平等，还有男女不平等。这些与同受儒家思想约束的中国的家族伦理并没有明显的差别。而同胞兄弟之间也存在明显的上下尊卑之别、长幼之序，则是日本家族伦理的突出特色。由于祖孙一体、家族永续是日本人家族观念的核心内容，家督继承制是实现家族永续的具体保证，在数个子女当中，只能由一个人（一般是长子）继承家业与家产。正因为如此，日本人的祖先一体的概念，是指纯粹的从祖先到子孙的一脉的、纵式的延续，而不包含相同辈分中的横式关系。所以，日本人所说的直系亲属，仅仅是指继承家业的人，由此构成的家族被称作“直系家族”。在这种“直系家族”内，其他子女虽是父母血缘的同样延续，但命中注定他们只能作为家的旁系亲属而存在。家中的所有不平等便因此而起源。

长子与次子以下成员的不平等，首先体现在人们的生育传统上。生儿育女，不仅仅是简单的生殖行为，更重要的是为家的延续而繁衍继承人。就生育顺序与子女数量说来，“一姬两太郎”（意为一个女孩两个男孩）是日本人最理想的生育传统。在农村一些地方，曾经长期流行着“一是卖，二是留，三是防止夭后愁”这样的顺口溜。意思是说，嫁出去的女儿等于是卖给人家的，在出嫁前还可以帮助家里做家务，所以，第一胎最好是生女孩；从家的继承考虑，第二胎最好生男孩，但是，仅生一个男孩又怕不保险，为防止长子夭折，则还要生一个男孩。孩子再多，不仅于家业无益，还将带来生活上的沉重负担。因此，在人们还不懂得节制生育的封建社会乃至近代初期，强制流产（比如电视连续剧《阿信》中就有阿信怀孕的母亲在隆冬季节泡在冰冷的河水中，以期坠胎的情节）或溺婴等现象便时有发生。早在室町幕府时期，一些耶稣会士就曾指出这样一种现象：人们“不可思议地虐待子女，说孩子多没有必要，维持家族有一人或两人足矣，故把孩子于幼小时杀之”。[17]到江户时代，坠胎、溺婴、弃婴几乎是全国的普遍现象。“百姓困穷，十室之邑年年坠胎阴杀赤子者，不下二、三人，或一国及七八万者往往有之。况于四海之大，可胜算乎？然皆惯习，绝无有咒其国君之不仁者。”[18]这样，普通百姓不论生几胎，而最终成人者只有二、三人，“富家也不过三四子，有生五人以上者，则为世之稀罕，合璧四邻皆怪而谤之”。[19]坠胎、杀婴的盛行，导致日本人口下降。比如，会津藩若松町在1697年（元禄十年）有人口20700多人，到1746年（延享三年）下降至16700人。虽每年出生人口约300人，但坠胎、杀婴数却是这个数字的一倍。[20]这种人为的人口限制是德川幕府后半期人口停滞的主要原因。杀害婴孩是违反人类本性的行为，“但事实却告诉我们，只要杀害婴孩在经济上是有益的，人们就会非常情愿地去干这件事”。[21]在日本，坠胎、溺婴与弃婴的行为不仅在农民百姓中普遍存在，即使生活较有保障的武士家族和较为富裕的町人家族中也有这种情况。这就说明，百姓生活贫困只是“经济上的原因”之一，而“家”的利益的需要则是最根本的原因。可见家族中的长子与非长子的不平等实际上是与生俱来的。由此想到中国人的“多子多福”的传统观念，“五男二女”曾经是人们最理想的生育模式。虽然历史上也不乏因生活贫困而卖儿鬻女的现象，却不曾有日本历史上那种全国普遍性的坠胎、溺婴、弃婴行为。归根结底，这是中国人的家族观念使然。中国人重视的是宗族的利益，讲究人多势众，人越多，宗族的力量越强，因此与重“家”的日本人形成强烈的反差。

从在家中的待遇看，将要继承家业的长子与非长子之间有着云泥之差。日本有句俗语：“兄弟始为陌路人。”大武士家族的子弟子间，只有上下一岁之差的兄弟可以直呼其名，相差两岁以上，就必须冠以尊称以示尊敬。因为非长子是为了防止长子出意外而来到世上的，所以，只要这种意外不发生，他们可以有，也可以无，只不过是家业继承人的后备军。只要长子在，他们就永远是多余的人。在家族永续这个至高无上的原则下，长子不仅是家的继承人，也是家长夫妇晚年生活的赡养者，所以，在各个方面都受到特殊照顾，形成对他人的优越感和凌驾他人之上的态度。在他们未成年时如此，在他们成年继承家业之后更是如此。被誉为近代自然主义文学里程碑的《家》这部小说中，作者岛崎藤村生动地描述了在家督继承制下，家族成员之间的不平等，尤其是长子作为家督继承人，对其他成员拥有绝对支配权这一点。小说的主人公、排行第四且早已外出谋生的小泉三吉（实际是岛崎藤村本人）常常要在长兄阿实的长子威严之下忍气吞声。阿实不顾三吉只是一个乡村教师，生活并不富裕的情况，常常打电报要弟弟给他寄钱，而且“电报的口气就像命令似的”。在三吉连丧三个女儿以后，阿实“又命他筹一笔款”，并不由分说指定弟弟拿家具为他的借款做抵押。他对屡屡给弟弟一家添麻烦没有丝毫歉意，而永远是以一副世家的家长对晚辈的态度对待“吃冷饭的”三吉（“吃冷饭的”是封建家庭制度下对次子、三子等的蔑称）。这些“吃冷饭的”人从小就受到人格的蔑视。比如在长野县农村，次子、三子一出生，就被称作“猫尾巴”、“没人要的”、“吃冷饭的东西”、“屎克螂”。长大以后，又被讥讽为“吃闲饭的”、“靠人养的”、“光棍”、“食客”、“饭桶”等等。[22]从封建社会直到战前，“厄介”一词是对家中的次子以下成员的统称，“厄介”的意思是“麻烦”、“难办”。足见这些人不受欢迎的程度和处境之艰难。他们日常衣着与长子有明显区别。吃饭要在全家人之后，还要常常吃冷饭、剩饭、煳饭。他们只能坐房间入口处的“下座”，在家中总是要小心翼翼，低三下四，几乎与下人无异。在沼津一带，孤身一人的老二老三们，不论年龄多大，死后也只是用草包包上草草埋葬。江户时代中期以后，“厄介”的问题变得日益突出，尤其是武士家族的次子、三子既不满在家中的地位，又碍于身份不愿自谋生计，便到社会上滋事，败坏社会风气，成为江户时代的一大社会问题。幕府也苦于对此问题的合理解决，于1722年（享保七年）曾下令“厄介应从事一家之耕作，或外出做相应的奉公”。[23]

从在家中的经济地位看，长子与非长子也截然不同。在家的财产继承方面,武士家族与农民家族中一般实行长子单独继承,其他人则与家产无关。只有商人家族中的次子、三子出于家业经营的需要而有希望分得一定家产,并建立一个分家,但是与本家的关系也是统辖与服从的关系,甚至是主人与佣人的关系。这种不平等在经济比较落后的东北地区尤为明显。据《全国民事惯例类集》记载,有的地方规定“二三男不到40岁以上者不许分家,且资本给予事宜遵从户主之意而无定分”(东山道陆奥国津轻郡)。有的地方干脆“依禁止增加户数之法律,不许二三男分家”(北陆道佐渡国杂太郡)。稍好一些地方“二三男分家根据户主的自由,分与财产份额虽无定分,然不过十分之一二”(北陆道越前国足羽郡、东山道羽后国平鹿郡)。家业继承人之外能予以分割的,至多不过全部家产的十分之三(东海道远江国敷知郡、山阳道备后国深津郡)。[24]没有家产意味着他们只能依赖长子生活,置身于对长子的终身的隶属地位。到了成年,很多人不能结婚,不仅因为幕藩对家族次子以下成员结婚有严格的限制(如仙台藩规定:百姓二男以下至末子及没有土地者,三十岁以前不得娶亲),[25]即便没有这样的限制,这些人结婚也是很困难的。不少人都是孤身一人,在贫困与冷遇中了此一生。据史料记载,1636年(宽永三年)在肥后国芦北郡津奈木村被饥饿困扰的59家中,27家有独身的“阿叔”(“阿叔”也是人们对老二老三的蔑称,由于他们多不能结婚、分家,而一直与长子住在一起,早晚要成为长子的孩子的叔叔,所以从小就被以此称之),数达36人之多,而且大部分是七、八十岁的老人。他们终身未得婚娶,在哥哥家或者侄子家过着“吃冷饭”的生活,在悲凉凄惨中度过一生。[26]近代以后,由于家督继承制被法制化,长子与次子以下成员的差别依然如故。那些沦为无产者的非家业继承人便义无反顾地离开家,加入产业工人的行列。

上述家族成员之间的不平等,从根本上决定了家族成员的不同的生活道路。残酷的命运迫使那些无由继承家业的次子、三子不得不在以下出路作出选择。第一，终身不娶，寄长子及其后继者篱下，如下人一般苦度人生。第二，外出当雇工，当佣人，江户时代町人和商家的“奉公人”大多数都是农家的次子、三子。比如，在伊豆的初岛，几乎所有次了、三子都出外找活干，只留下长子在家守着家业。㉗第三，给别人家当养子。封建时代后期乃至明治初期，生活贫困、过分限制生育等原因使许多家庭无子女，不得不以养子来弥补这一缺陷。据说在明治初年的户籍中甚至可以看到某地户口总数三分之二是养子的情况，人口一半或三分之一是养子的更为多见。㉘总之，对于非家业继承人来说，家没有温馨，缺少亲情，只有离开家才有出路，才能实现人生的价值。

三 男尊女卑

从人类步入文明社会的门槛，到现代文明社会之前，被压迫、被奴役可以说是妇女的共同命运。尽管不同时代、不同社会、不同国家、不同民族因其经济、政治、文化、风俗等各种不同因素的影响，所表现出的对妇女的压迫和奴役的程度与方式各不相同，但这种压迫与奴役却是共同存在的。在日本历史上，夫妇关系的重心是随着女性社会地位的变化和家族的演变而变化的。与世界上许多国家与民族一样，大和民族最初生活在母权制社会。日本有一句歌颂女性的名言：“原始社会，女性是太阳。”她们用自己的聪明才智和辛勤劳动创造了两度女性的历史辉煌。第一次是“女帝的世纪”。从公元6世纪末至8世纪初，先后有六位、八代女帝秉政，她们是推古、皇极（重祚齐明）、持统、元明、元正、孝谦（重祚称德）。不仅第一位女帝即位的时间早于中国的“大周皇帝”武则天和新罗的善德女王，而且女帝人数之多在世界史上亦绝无仅有。这几位女帝掌权的时间正值大化改新前后，她们在位期间在内政、外交和文化方面颇有建树，在中央集权制封建国家的建立方面功绩卓著。“大宝律令”、“养老律令”的制定，迁都奈良等大业都是在女帝任内完成的。“女帝的世纪”是日本女性在政治上表现最为杰出的时代。第二次是平安时代贵族女子对日本文化发展的突出贡献。从小接受文化教育的传统造就了许多才华横溢的女性。她们几乎横扫文坛，从《蜻蛉日记》、《和泉式部日记》、《紫式部日记》、《更级日记》，到作为日本古典文学代表作的《源氏物语》、《枕草子》等，几乎全部出自女性作家之手。假名这一日本独特的文字也是由女性创造并发展起来的。

由于女性在社会生产和生活中居重要地位，加上招婿婚传统的存在，中国儒家的“三从”、“七出”的思想虽早已传入日本，却并没有立即得到全面贯彻。至平安时代，女性仍然有着较高的社会地位。即使是到了武士称雄的幕府时代初期，贱视妇女的观念已经产生，但是男尊女卑的观念并未发展到极致，妇女的地位也没有一落千丈。在人们心目中，“夫妇乃人伦之大纲，父子兄弟由此所生”。[29]在镰仓幕府法律《贞永式目》中，尚在亲权的概念上将父母并称，即父母均为亲权人。这些事实说明人们还能较为正确地认识夫妇关系。随着以家督继承制为核心的家制度的形成，以及中国儒家的伦理纲常日益深入日本社会，加上女子逐渐从农业生产的重要劳动力的地位退居到以家务为主的社会分工的变化，尤其是到了江户时代，家的制度成为幕藩统治的支柱之一，女性在家族中的地位才彻底沦落，昔日的辉煌消失得无影无踪。

女性地位由盛而衰的主要表现是女性观发生了根本变化，中国儒家男尊女卑的道德发展到登峰造极的地步。贱视妇女的观念在《女大学》中得到集中体现。《女大学》是江户时代中期的武家女训书，堪称幕府时代以来众多女训书之集大成者。因影响大、流传广而成为日本儒教女训的代名词。《女大学》强调妇女要以夫为天，“妇人别无主君，以夫为主君，敬慎事之，不可轻侮，妇人之道，一切贵在从夫”。《女大学》还毫不隐晦地阐述贱视女性的观点:“大凡女性在心性上的毛病是不柔顺、怒怨、长舌、贪心和智浅。她们十之七八有这五种毛病，这是女人不及男人的地方，”“女人属阴性，和夜晚一样黑暗，所以女人比男人愚笨。”这些无非是要说明男尊女卑的正当性。《女大学》在当时成为“女子长大成人去他人之家仕奉公婆”而必读的“圣典”。按照《女大学》的要求，妻从夫与仆从主、子孝亲一样，是武家社会乃至全社会妇女必须遵守的行动准则。为人妻者，“不可轻侮妇人之道，贵在从人”。所谓“为妻之道”，就是要“对夫之词色应殷勤而恭顺，不可怠慢与不从，不可奢侈而无理，此女子之第一要务。夫有教训，不可违背。疑难之事问诸夫，听其指示。夫有所问，宜正答之，返答有疏者，无礼也。夫若发怒，畏而顺之，不可争吵，以逆其心。女以夫为天，若逆夫而行，将受天罚”。妻子的本分就是“万事自忍辛劳而勤之”，还要求妇女早起晚睡专念家事与育儿。对公婆“要比对自己的父母还要精心侍候。既嫁就要以夫家为自己的家而事之，不要被休掉”。一旦出嫁，不论怎样不幸也绝不可自己离开婆家。[30]可见，一个女性一旦结婚为人妻，丈夫的家就成了她的世界，她就成了这个家奴仆。她的职责就是小心翼翼侍奉丈夫、公婆，操持家务，为夫家生儿育女。

近代以来，日本资本主义经济的迅速发展和“文明开化”运动，带来了家庭生活和人们思想的巨大变化。近代教育的普及使女子与男子有了相同的受教育的权利。纺织工业的优先发展，使得大批士族和农家女儿走进近代产业工人的行列。封建社会完全无视女性人格的传统道德已经远远落后于新的社会现实。明治维新后，启蒙思想家们把一夫一妻制之下与男子具有同等权利、在教育子女方面颇有见识的西欧女性作为理想的母亲形象，批判女子在家从父，既嫁从夫，夫死从子的儒家道德，提出造就在人格上与丈夫平等、具备足够的教育子女的教养与知性的母亲是社会的重要任务。中村正直在《明六杂志》上发表题为“造就善良的母亲说”的文章，文中指出：“子女的精神心术大体与其母亲相似，连后来的嗜好癖习也多似母亲。人民改变情态风俗进入开明之域必须造就善良的母亲，只有绝好的母亲，才有绝好的子女。至子孙后辈，日本要成为结好之国，人民要成为接受修身敬神之教之人民，接受技艺学术之人民，知识上进、心术善良、品行高尚之人民。吾辈先天之教育滋养不足，中年碌碌，志业难成，于穷庐悲叹，徒羡欧美之文明，深望使吾辈之子孙受善良之母之教养。造就善良之母要在教女子。”中村还提出，为了实现“造就善良的母亲”的目标，要男女受到一样的教育，实现共同的进步。[31]1887年，文部大臣森有礼在视察岐阜县的教育情况并发表演说时，更明确指出：“国家富强的根本在教育，教育的根本在女子教育”。“女子教育的着眼点在于培养足以成为人之良妻、人之良母、料理一家的气质与才能。”[32]中村正直的“造就善良的母亲说”和森有礼的女子教育观是近代新的女性观即“贤妻良母论”的起源。因此，在明治初期大力吸收西方文明的所谓欧化时代，学校教育实行男女共学，教学科目和教材也完全相同。然而，从明治时代中期起，随着天皇专制主义的确立，强调维护日本固有传统的国家主义思潮和家族国家观开始滋长，并日益在意识形态领域中居主流地位。经过民法论争后公布的明治民法肯定了封建家族制度，把妇女置于无权地位。在教育领域也通过“教育敕语”的颁布，对明治以来的欧化教育政策进行了总清算，确立了以儒教理论为中心的教育方针。在这种形势下，女性观再次发生了变化。一些人提出要塑造“日本独特的女性形象”。这种女性形象“不是能讲流利的外语、精于算术理科之学，却拙于家事，尤其是盲目于现今社会风俗的欧化妇女，也不是长于咏歌弹琴却迂于育儿的职业妇女，而是适应此过渡时代的国情，足以培育下一代国民的妇女”。[33]明治启蒙期开明的、近代的贤妻良母观遂转变为日本式的儒教型的贤妻良母观。这种贤妻良母的标准包括：1. 胸怀国家观念；2. 通晓日本妇道；3. 具有作为母亲的自觉；4. 具备科学的素质；5. 富有健全的情趣；6. 身体健康。一言以蔽之，贤妻良母即“排除个人主义思想，具备日本妇人固有之从顺、温和、贞淑、忍耐、奉公等美德”㉞的女性。培养造就贤妻良母是近代教育的重要使命。在当时的社会中，女性一般都在十六、七岁结婚，所以，高等女校（女子高中）便成了女子的最终教育机关。因此，女子高中教育的指导思想和教育目标就是培养贤妻良母的素养，涵养优美高尚的风气和温良贞淑的资性。正如菊池大麓（文部次官、后任文部大臣）所说：“女子结婚后要为人妻，为人母，男女互相帮助是各自的本分。家乃一国之本。一家之主妇成为贤妻良母是女子的天赋。故高等女学校是为了实现这种天职而进行相应的中流以上的女子教育的必要的机关。”根据1899年颁布的《高等女学校令》，在当时的女子高中的教学内容当中，除了加强女子修身教育之外，增加了家务、裁缝、手工艺授课内容，而外语、数学、理科的内容大大减少。在女子实业学校（如家政科、裁缝科等），则以培养“不辞劳苦，具有勤勉素质的普通家庭主妇”为主要任务，教学内容全部为家务和修身教育，其他课程的教育仅仅保持在复习的水平。贤妻良母的思想反映出女性在家庭中地位的提高，即女子由毫无权利变为男主外，女主内，由完全从属的关系发展成为表面上的对等关系，这与封建时代相比是一个了不起的进步。尤其是妇女的教养水平提高以后，对于子女的早期教育和整个国民素质的提高都有着积极的作用。因此，日本妇女有“教育妈妈”的美称。但是贤妻良母思想的根本出发点还是从传统的家族道德出发，把妇女限制在家庭内。它似乎提高了女子的社会地位，实际上是一种打上了“男性地位优越，女性地位低下”的家制度烙印的封建女性观。在对外侵略战争中，军国主义政权重弹“家绝不是以夫妇关系为中心，而是以亲子关系为根本”的老调，婚姻的概念也“不仅仅是妻子与丈夫结婚，而是妻子嫁给了这个家”。因此，作为女性。“不仅要成为对丈夫敬爱随顺的妻子。还要生养祖先的后继者，培育将来奉仕国家的国民”。[35]这种女性观不仅贯穿了家的思想和儒教女性道德，也染上了浓重的国家主义色彩。在战争中，军国之妻、军国之母成为新形势下理想的女性和母亲形象。因此，贤妻良母思想不过是“家族国家观的女子教育版”。[36]

自日本传统家族制度形成起，妇女便被置于家庭和社会的最底层。儒家的三纲五常是她们的精神锁链，在家从父，既嫁从夫，夫死从子是她们一生必须遵守的准则。日本家族制度本身决定了妇女一生“三界无家”的命运。所谓“三界无家”，即女人降生人世后，由父母抚养，其家是父母的；长大成人出嫁后，其家是丈夫的；丈夫死后，家是儿子的。因此，女人一生的宗旨只有两个字：服从。

家族秩序在一定意义上来说是社会发展水平的标志。日本封建社会乃至整个近代的家族秩序的核心是重“家”而轻个人，充满了家长与家庭成员之间、兄弟之间、男女之间的不平等。明治维新之后，经过《明治民法》确立的近代家族制度保留了浓厚的封建残余，家庭成员之间的不平等依然如故，并迫使人们去接受整个社会的不平等。经过战后民主改革，这种状况才得到根本改变。

注释：

①《武士诸法度》，见《日本思想大系·27·近世武家思想》，岩波书店1977年版，第454页。

②矶野诚一：《家族制度——以淳风美俗为中心》，岩波书店1977年版，第100页。

③日本女性史总合研究会编：《日本女性史·近世》，东京大学出版社1990年版，第145页。

④福尾猛市郎：《日本家族制度史概说》，吉川弘文馆1977年版，第81页。

⑤第一劝银经营中心：《家训》，中经出版1979年版，第236页。

⑥［美］本尼迪克特：《菊与刀》，社会思想社1977年版，第63页。

⑦《律逸文》斗讼律。

⑧信浓教育会北安云部会：《北安郡云郡乡土志稿·第8集·家及劳动形态篇》，信浓每日新闻社1976年再版发行，第3—4页。

⑨《清律辑注》。

⑩《论语·季氏》。

⑪第一劝银经营中心：《家训》第81页。

⑫尚会鹏："中日传统家族制度比较研究"，见《日本学刊》1991年4期。

⑬第一劝银经营中心：《家训》第422页。

⑭羽下德彦：《总领制》，至文堂1966年版，第69页。

⑮中银千枝："〈家〉的构造"，见东京大学公开讲座《家》，东京大学出版会1976年版，第7页。

⑯《袁氏世范》睦亲。

⑰关山直太郎：《近世日本人口的研究》，龙吟社1948年版，第199页。

⑱《佐藤信渊家学全集》上卷，转引自关山直太郎；《近世日本人口的研究》，第199页。

⑲《磐城志》，转引自儿玉幸多：《近世农民生活史》，吉川弘文馆1957年版，第272页。

⑳关山直太郎：《近世日本人口的研究》，第204页。

㉑［英］罗素：《婚姻革命》，东方出版社1988年版，第9页。

㉒信浓教育会北安云部会：《北安郡云郡乡土志稿·第8集·家及劳动形态篇》，第19页。

㉓福尾猛市郎：《日本家族制度史概说》，第159页。

㉔《明治文化全集·第8卷·法律篇》，日本评论社1929年版，第298—303页。

㉕儿玉幸多：《近世农民生活史》，吉川弘文馆1957年版，第161页。

㉖同上书，第266页。

㉗桥浦泰雄：《日本的家族》，日本评论新社1955年版，第140页。

㉘宫本常一：《日本的民俗》，河出书房1964年版，第208页。

㉙《吾妻镜》宝治二年七月十日条。

㉚《女大学》见《日本思想大系·34·贝原益轩.室鸠巢》岩波书店1977

年版，第203页—204页。

㉛《日本妇女问题资料集成·第5卷·家族制度》，家庭出版1976年版，第348—349页。

㉜野崎衣枝：〈森有礼的家族观〉，见福岛正夫：《家族·政策与法》第7卷《近代日本的家族观》，第253页。

㉝1989年《教育时论》，转引自田中寿美子：《妇女解放的思想与行动》，时事通讯社1975年版，第132页。

㉞《关于战时家庭教育指导的文件》，见《日本教育制度史料·第7卷》，金子书房1957年版，第54页。

㉟文部省教育局：《臣民之道》，见《日本妇女问题资料集成·第5卷·家族制度》，第475页。

㊱《日本教育论争史录》第1卷，第一法规1980年版，第232页。

浅论传统文化在中日两国近代历史转折期的意义与作用

吴弘乐

19世纪中叶，中日等亚洲国家都面临西方文明的冲击和严峻挑战。在历史即将出现重大转折的这一关键时期，日本首先进行了明治维新的各项改革，并继之以“激荡的百年史”，在工业科技为主要特征的近代社会变革方面，赶上了欧洲资本主义国家用300多年才走完的路程，进而在经济上跃居世界发达国家前列。与此同时，中国作为东方文明古国，历史上不仅创造了以四大发明和汉字、儒学等为代表的优秀文化，而且通过各种交流渠道，使亚洲邻国甚至遥远的欧洲都得以分享，但自清末起，却走过了一段饱受帝国主义列强侵略、内外战争连绵不断的曲折道路。这无疑是造成近代中国长期以来比较贫穷落后的主要原因之一。中日在以近代化为目标的社会发展中，之所以经历了不同的历史道路，不仅可从当时两国的国情中寻找其直接原因，而且应当从两国传统文化各自所具有的不同特点，及在这一时期产生的不同变化和作用，来获得更深层的理解。

一　关于传统文化形成过程的比较

在19世纪中叶至20世纪前半期的历史中，若仅就吸收近代西方先进科技文化，以实现本国的近代化而言，日本确曾因其卓越的学习、模仿和赶超所取得的成就，引起各国惊讶，并使之争相探求其原因。但同时，在此历史转折时期，中日同样引进西学，命运却如此不同，这也是一直受到学术界重视和引起世人深思的问题。

在近代中日移植西方科技文化的过程中，两国既有的传统文化无疑发挥了重要的作用。然而，同是依靠本国原有的传统文化来应接外来的先进文化，何以会出现如此之大的差异呢？这不能不从两国传统文化的形成过程及其各自不同的特殊条件，来分析其更为内在的原因。

1. 中国文化的先行与日本第一次外来文化移植

首先，中国古代国家形成较早，在可称之为传统文化的早期文化中，即使某种程度上含有外来文化的因素，其主要还是在特定区域内形成的具有独自特质的文化（即没有明显的直接大量引进外来文化的现象）。而日本在传统文化形成过程中则带有较明显的移植文化的特征。

其次，日本虽然在风俗习惯和文化方面，与中国有许多相同相似之处，但其在地理、历史上的一些特殊条件的意义也是不应忽视的。日本是个岛国，其虽与朝鲜同为中国近邻，却又不像朝鲜与中国接壤。作为单一民族的岛国，一旦具备了一定的条件，往往比别的大国更容易实现全国性的统一或变革。而其四面环海的地理位置，又是在古代保持国家独立，免遭外来侵略的有利条件。例如，文永十一年（1274 年）和弘安四年（1281 年），元朝蒙古大军的两次进攻都因此未能如愿。然而，虽然对马海峡的风浪能阻遏海上的入侵，却从未妨碍海路成为古代大陆文化传入日本的交通渠道。

由于中国古代文化的先行，使日本在明治以前的各个历史时期，都能够通过吸收借鉴中国文化的先进成果，以促进其本国传统文化的形成，并为接受另一种新的外来文化准备了基本的历史条件。

以汉字、汉文为例，相传日本最早引进汉字是在应神天皇十五年（284年），即晋武帝泰康五年。当时阿直岐自百济渡日，曾为皇子菟道稚郎子师。后又荐王仁。翌年王仁至，并携来《论语》和《千字文》等诸多汉文书籍。因在此以前即有不少“归化人”赴日，故极有可能已先将汉字传到日本。但无论如何，日本从引进汉字到平安时代能够比较熟练地运用汉文，并逐步创造出自己的假名文字，其间不过400多年。而中国作为创造汉字的国家，从殷商时代出现甲骨文字，到秦时汉字统一定型，却历经1000多年的时间。从中不难看出移植文化的效用。汉字不仅是日本早期记载历史，书录公文和接受汉文化所必不可少的工具，而且在明治前后，还对翻译西洋书籍，传播其先进的科技文化起到过重要的作用。例如，当时荷兰文的化学（Chemie）被翻译成“舍密学”，最早的化学书即为1837年宇田川榕庵译的《舍密开宗》，当时还设有司管化学实验、生产的“舍密局”。再如，日本启蒙思想家西周，最先将philosophy一词定译为“哲学”。诸如此类，汉字使日本在吸收西洋文化时享有便利。这一点，在近年日本学者就“汉字的功过”进行辩论时，仍被认为“功大于过”者引为主要论据。其实，汉字对日本历史发展的惠益何止于此。由于其不但可用以表达思想，记录事物，还独具一种书法艺术的价值，并能与诗、画融为一体，形成古雅的东方艺术特色。不仅中国，日本历史上最著名的书法家和流派，如“三笔”、“三迹”和“世尊流”①的艺术魅力无不来源于此。同时，汉文中随处体现的“至高”、“至上”的皇帝尊严，也随汉籍的传入和外交往来，给日本古代统治者以很大的影响和启发。增强了其“独立”和“统一”的国家观念和“唯我独尊”的皇权意识。据对6世纪“江田船山古坟刀铭”和“隅田八幡宫人物画像镜铭”文字的考察证明，早先日本的最高统治者称“大王”，而不是称“天皇”，只是到了推古天皇

(554—628) 时，才在一封交隋使裴世清带回的国书中，首次自称为“东天皇”。无疑，正是在同中国皇帝的交往中，受册封制的影响及对汉字文化的吸收，促使日本最高统治者的称谓，完成了从“大王”到“天皇”的演变。

佛教的传入与传播，是东亚各国在由氏族部落社会向统一国家的进程中，适应其新的统治需要而出现的宗教形象。源于印度而盛于中国的佛教，在汉字和儒学传入不久，即早在大和国家②末期，就传入了日本。据《日本书记》、《扶桑略记》等日本史籍记载，在日本民间，南梁人司马达等于继体天皇十六年（522 年）来到日本后，即在大和（今奈良）的坂田原建造草堂，并在其中安置佛像礼拜。经由百济圣明王使者的官方正式传入，也在此后不久的钦明天皇（6 世纪中）时期。圣德太子时期（574—622），由于统治者崇信佛教，并与隋朝通使，佛教的传入出现了兴隆。奈良时代（710—784），中国佛教十三宗中的律、成实、俱舍、三论、法相、华严等六个主要佛教宗派都传到了日本。平安时代（794—1185），传教大师最澄和弘法大师空海，又在入唐求学归国后，分别建立和传播了天台宗和真言宗。镰仓时代（1185—1333），留学中国的日本名僧又将宋、元禅宗的诸多宗派传入了日本。至此，由于佛教在民间的广泛传播，及与日本固有神祇信仰的结合，已逐渐形成日本式的佛教。

印刷术的出现，最早也是和宣扬佛、儒的需要分不开的。“中国最早的印刷，即为佛经和佛教图像，”③而“儒家的雕版印刷为大规模印书的开端”，④故印刷也随之传入日本。称德天皇（718—770）时，佛教大盛。为“延年益寿”、“超登极乐”，竞按无垢净光大陀罗尼经中的指示，敕命刻板印刷100 万张，客观上促进了日本印刷的发展。

汉字和儒、佛的传入，为日本律令制度和贵族文化的建立，提供了重要的基本条件。至7 世纪“大化改新”时，日本得博采盛唐的先进制度、文化，用以在氏族社会的基础上，建立起以天皇为中心的中央集权的国家体制。隋唐以前，日本主要通过朝鲜间接地吸收中国文化，而到隋唐时，则开始陆续向中国派遣留学生和留学僧，进行直接大量地引进。特别是"在8世纪和9世纪中，唐代首都长安如有什么好东西，几乎无不传入日本，而且迟早会在日本的首都奈良加以仿效。如果长安的宫殿饰为红色，奈良的宫殿也就如法炮制。如果中国政府在每省建立和维持一所寺院，那么日本就如法炮制。如果中国皇帝的诞辰成为举国庆祝的假日，那么日本也是如此。如果长安的贵族和上层阶级喜欢蹴鞠，奈良的贵族们就立刻仿行。"⑤尽管9世纪末，鉴于唐朝的衰落等原因，在菅原道真的建议下，停止了遣唐使的派遣，但于民间，不久即有奝然等名僧的入宋。在至明治以前的各个时期里，无论中国的文艺、工艺成就还是宗教、政治思想流派，都不绝传于日本。一方面有助于形成日本本国的传统文化，另一方面，也为幕末的维新倒幕势力准备了可藉以实现自己奋斗目标的基本历史条件。

2. 古代政治统治形式和社会结构中的不同点

中日两国尽管在历史上，特别是近代以前，都以汉文化为其文化背景，但作为承受这一文化的不同主体，在诸如地理位置、国土面积、资源情况、民族构成以及社会发展进程的先后等方面，都存在其各自特殊的条件。对于中日两国而言，这些特殊条件的存在，不仅使这一文化所具有的意义带有许多根本性的不同，而且在历史的进程中，必然也要以种种不尽相同的发展形态表现出来。这其中，尤以两国在政治统治形式和社会结构组织方面存在的不同，对于两国在近代同遭外来势力压迫时的不同反应有显著影响。

首先，中国历史上的政治统治，一直是以皇权专制为其特点的。尽管也曾出现过一些分裂、割据局面，但总的来讲，直至辛亥革命成功以前，基本上始终维持了皇帝的"一统天下"。这点与日本实际的统治权后来一直操在幕府将军手中的情况是殊为不同的。

皇权的威势是与古代国家的历史分不开的。国家是阶级斗争不可调和的产物。在距公元2000多年前的中国，禹建立夏王朝即反应出当时生产力的发展，已使夏部落群中出现的阶级矛盾，尖锐到非以国家的形式来处理不可了。与此同时，禹也首开世袭之端，将王位传与子启。对于那个时代的王位继承等政治状况，早期的儒典如《尚书》、《礼记》等均有“天下为公，选贤与能”的“禅让”说。但同时，在《古本竹书纪年》和《韩非子·说疑》等史籍中，也提出了“昔尧德衰，为舜所囚”之类夺权论的说法。虽然韩非子在《五蠹》中曾认为：“夫古之让天下者，是去监门之养而离臣虏之劳也”，但启不见有功而袭王位，还是说明做王会有不少好处的。《左传》云“夏有乱政，而作禹刑”，说明随着“各亲其亲，各子其子”，“天下为家”（《礼记、礼运》）的世道出现，利益斗争愈益加剧，国家及其最高统治者的权力、地位也日渐其重要了。经过夏、商两朝千余年的发展，至周代，农业和手工业的生产力水平均有很大提高，财富不断增加。这使生产关系也随之发生了变化。统治阶级内部出现了所谓“周公划制天下七十二国，姬姓独居五十三”（《荀子·效行》）的分封制度。其原则是以“周天子”和“宗周”王畿为中心，按血缘关系的亲疏，宗法关系的长幼、嫡庶，以及所在地区的远近来分封。分封制公开体现政治的“公”、“私”两面，并加强了等级制和等级观念。在公的方面，除中央官员按太师、太保、三事大夫等职衔，有官阶高低、职权大小之分，诸侯有公、侯、伯、子、男五等之分，在诸侯国，从卿大夫到贵族内部最低层的“士”，也实行层层再分封的食邑制度。在私的方面，即以民族血缘关系为基础的宗法秩序方面，也有严格的规定。，周天子在等级制度的公私两方面皆为最大的“大宗”。在公的方面，诸侯相对其为“小宗”；在私的方面，因规定由嫡长子继承父位，其相对于同母弟和庶子称大宗，反之受封，称小宗。

这种区分大宗、小宗和嫡庶的制度初形成于商代后期，而于此时得到了巩固的确立。

为维护上述制度的稳定，此时也出现了集三代大成的礼、乐、刑、政等一整套统治思想和统治术。其中最核心的是“礼”与“刑”，此二者中更以礼为根本。因为“礼义以为纪，以正君臣，以笃父子，以睦兄弟，以和夫妇，以设制度”，故对其重要性，“孔子曰：夫礼，先王以承天之道，以治人之情，故失之者死，得之者生”。周礼分吉、凶、军、宾、嘉等五类，合称五礼。其规范作用涉及政治、军事、礼仪等诸多方面。礼重道德教化，认为刑是不得已才使用的手段。如只一味“道之以政，齐之以刑”，则“民免而无耻”，而“道之以德，齐之以礼”，民才会“有耻且格”。(《论语·为政》) 2000多年来，这套礼制及其思想体系始终成为后世儒家所师法和引据的经典。周朝制度、文化的重要意义即在于：首先，它是在本国的社会经济基础发展到一定阶段后，自然地建立起来的。其次，它作为封建以前的最高基础，已具备中国传统文化的最完整的雏形和主要特征。其中的一些内容，如“大同”思想，直到近代仍为中日人士所广泛援引、发挥。最后，它作为反映较发达的自然经济的社会经济基础的意识形态，具有包容对立、调和矛盾、缓和对抗的特殊功用，因此非常有助于长期维持皇权专制的封建统治秩序。

日本国情的不同，首先就表现为不适于皇权专制制度的发展和巩固。在日本的历史上，由外戚、贵族和将军专权，即成功地“犯上作乱”的时期，比天皇专制的“正统”时期要长得多。大化革新以前，日本还处于氏族社会，天皇家族也是其中一个强大的氏族，而不具备封建国家那种能使皇帝具有真正的绝对权威的权力制度基础。例如崇峻天皇（？—592）时，当时在朝内专权的大臣苏我马子，不仅能以反对接受佛教为由，灭掉重臣物部守屋，而且竟能暗杀崇峻天皇。后又谋杀了皇位的继承人山背大兄王。苏我、藤原等豪强氏族还不断以联姻手段，迫使天皇成为自己手中的傀儡。而天皇方面则一面忍气吞声，一面力图扭转这种局面。到白河天皇（1053—1129）时，为扼制外戚藤原氏的势力，在其尚能理朝之际，就将皇位让给了儿子崛河天皇，自己则表面出家当了"法皇"，实际上却在自己的宫邸，以上皇的身份开始行使更高层次的统治权，这便是所谓"院政"。后来，因武士势力的急剧壮大，加之在摄关势力影响下，常使令出上皇、天皇两头，造成矛盾（如药子之乱⑥），院政仅三代而亡。武士阶级的总代表——将军的专制时期则由此开始。以后，后醍醐天皇（1288—1339）虽搞过一次短暂的史称"建武中兴"的皇权复辟，但很快即被室町初代将军足利尊氏（1305—1358）挫败，终未能挽回皇权之颓势。镰仓时代中期，在后嵯峨天皇（1220—1272）让位后，出现了以后深草天皇（1243—1304）的持明院统与亀山天皇（1249—1305）的大觉寺统两朝并立的局面。1317年，由幕府出面导演了这两位天皇的"文保之御和谈"，并达成了轮流执政的协议，史称"两统迭立"。至1392年，又是经将军足利满做工作，南朝的后亀山天皇（？—1305）回到京都，把象征皇权的三种神器（八咫镜、天丛云剑、八坂琼曲玉）交给了北朝的后小松天皇（1377—1433），从而结束了两统迭立的历史。此后，直到明治时期，皇权始终形同虚设。即使明治维新时由于形势需要，也只取其一"贤君"，是所谓"夺玉"。而作为皇权重要组成部分的"公家"，实际却未能东山再起。由此可见，与中国不同，日本的特点是皇运短，霸业长。这深刻反映出两国不同的国情。大化改新时期，日本虽以氏族社会为基础，全面引进了盛唐的制度文化，但其近期效果却主要是促进了贵族文化的发展。由于社会经济基础和地理条件的限制，日本古代地方生产力的发展比较缓慢。在接受唐代先进文化的同时，其政权形式的最终确立和整个社会进步，一直是有待于地方经济实力的增长。随着平安时代庄园制的出现，为保卫新的财富和解决势力纷争，以及军事上的需要，武士集团也就应运而生并迅速发展。他们作为掌握和直接代表地方实力的新生力量登上历史舞台，参与朝政，并最终以将军幕府的权力形式取代了皇权。由于朝廷与武士集团之间，并不具有中国皇帝对诸侯的那种权威和控制力，加之时时困扰的财政困难等原因，天皇始终未能真正掌握和统帅这支强大力量。建武中兴时，后醍醐天皇虽得楠木正成（？—1336 日本南北朝时代的武将）等勇将以死相助，却终因未能满足有功武士的利益要求而遭背弃。武家政权的确立，在某种意义上甚至可以说，谁掌握了地方实力，谁在政治上就具有相应的势力。这点在动荡的日本战国时代（1476—1568）表现得更为明显。

室町幕府中期以后，以庄园制为基础的社会矛盾日趋激化。与承久之乱⑦、建武中兴及南北朝（1336—1392）内乱为代表的幕府与朝廷权力之争不仅最终使朝廷势力一蹶不振，继镰仓幕府灭亡后，室町幕府统治势力内部的纠纷战乱也不断发生。1467—1477（应仁元年至文明九年）年，以京都为中心发生的应仁、文明之乱，拉开了战国大名时代的序幕。内乱波及幕府将军，使其不得不求助于地方实力较强的守护大名。例如，足利义材于1490年继将军位后，被前管领（室町幕府中辅佐将军的最高官职）细川政元以实力逐出京都，被迫投靠地方势力。后由周防（今山口县）守护大内义兴保驾入京。但其时已仅在形式上拥有对守护的任命权而已。另一方面，随着地方势力增强，这一时代的历史，即主要围绕反映地方社会自立成长的一揆运动和战国大名领国的建立这两条主线而展开。

在12世纪前后，随着庄园制逐步确立，在庄园制下，生产力取得了较大发展。经营、耕作者的地位渐趋稳定，并出现了围绕乡村自卫、灌溉用水等共同利益的惣村自治组织。土地权已可买卖。以京畿为中心，工商业等非农业商品经济取得了相当程度的发展。但由于幕府统治的腐败及体制上的弊病，引起了社会上各种形式一揆的反抗。一揆是日本历史上，地方势力为捍卫或争取共同利益，按照所定盟约章程中的共同意志，以解决特定矛盾或实现奋斗目标的社会组织及其行动。它反映出，随着地方生产力的提高，其要求自主发展的趋势日益增强。

从一揆的目的、性质来看，有的是新兴的工商业等非农业经济势力，为反抗幕府的腐败和高利贷重压而结成的。如正长元年（1428 年）和嘉吉元年（1441 年）的德政一揆，就是京畿一带从事运输业（马借）和物资中介交易（问丸）的市民，为要求幕府废除高利贷债务和发布德政令而举行的。国一揆更是具有主流代表性。如著名的山城国（京都）一揆，从1485 年起，在36 名国人（镰仓末期，由地方的地头、庄官、有实力的名主自立形成的小规模的地方领主）领导下揭竿而起，并得到农民等社会成份的广泛参加。他们联合击退了幕府战乱对该国的波及，并以36 人组成的合议制取代了原来的守护支配，这一广及一国的一揆坚持了八年。

此外，还有由寺社势力为主导，以宗教为纽带，结合僧众和世俗信徒举行的大规模宗教一揆。其著名者如加贺（石川）的一向（宗）一揆，由本愿寺第八代主持人莲如以宣扬“信心为本”和“王法为本”的两手为攻守策，率领一向宗徒众在北陆灭掉守护富樫正亲，夺取加贺、越后、能登等地，“以为百姓所有之国”。其建立的门徒自治的本愿寺领国政权，维持了近一个世纪。一揆斗争的不断涌现，说明各种社会势力都企图借机实现以地缘为特征的发展和扩张。但这场角逐，最后仍是以战国大名实现对领国的全面统治，和织田信长与丰臣秀吉对全国的统一而告终。

战国大名的出现主要有两个来源，一是随着幕府统治的式微，一些原有守护大名在参与内部纷争和相互兼并中，积极改革，扩充各自领国实力，从而转变为战国大各；另一个主要生成渠道是，在以管领和守护家的家督（家族中最高权力者）继嗣斗争为主因的内部纷争中，首先夺取了在地方上的家族统辖权，进而直至演变为一领国之长的新兴战国大名。经过势力较量和相互兼并而形成的战国大名，各自都建立了地跨数国的大名领国。他们纷纷制定了称为战国家法或分国法的战国大名法典，并据此在领国内锐意实行改革和加强建设与经营。如兴建城下町，加强水利灌溉，开发矿山，修筑道路等。这些措施有力地促进了工商业和交通的发展。在完成向战国大名转变的过程中，各有力守护还镇压了各地的一揆运动，并在领国内实现了适应新的社会发展的全面统制。同时，正如由尾张国（爱知）出身的织田信长和丰臣秀吉所建立的织丰政权，完成了对全国的统一，以及后来的历史所表明的那样，在日本封建社会逐步确立和趋于成熟的前近代历史上，幕府所代表的武家政权是比较适合日本生产力发展的统治形式。

再就与政治统治形式密切相关的社会结构方面的特点而言，首先，在中国就是士阶层的存在。中国封建历史上，以皇帝为中心的中央集权制之所以能够长期存在，不仅是由于建筑在庞大而严密的官僚等级制度之上，从而形成了一种统一的纵向政治结构，而且还因为有形形色色的封建宗教、伦理思想，不断起到维护和加强其统治的作用。这种封建思想体系的创造者和主要宣传者，就是以儒家等为代表的，有时统称为“士”的古代知识阶层。这一特点直至近代，仍对社会发展的历史进程产生着重大影响。例如太平天国时，缺少大量文人的支持，也是导致其失败的重要原因之一。尽管近代文人与古代文人有许多不同之处，但在维护正统的政治立场和饱学儒典、科举仕进等特点方面，还是有很多一脉相承之处的。

“士”最早出现于商周时期，即作为贵族中的最低阶层存在。由于其地位较低，又大多受过良好教育，习六艺而通文精武，故春秋时多为卿大夫的家臣，有的有食田，有的以俸禄为生。到战国时代，由于出现了大的历史变革和社会动荡，使他们得以有更为生动精彩的表现，并为历史镜头所特定。在著名的“百家争鸣”中，他们各言其说，各展才能，“遂使三墨八儒，朱紫交竞，九流七略，异说相縢”（《北史·周武帝记》）。在“八儒”中，又以孔孟之道影响最著。其学说极为推崇西周的礼法制度。而这种制度的主旨，则是要以“天人合一”的思想为理论根据，来把人世间所有的各种关系，包括天然的父子、兄弟，人为的如君、臣、民等，都按一定的秩序加以思想上的固定和制度上的规定。并认为，为维护这种秩序而牺牲一切是“顺天意”，会得到鬼神嘉许的。而让人们“存天理，灭人欲”，则与佛家用“来世”的美妙来骗人一样，只能起到为统治阶级以现实利益来填充欲壑提供保障作用。如以分析社会结构的眼光看待士阶层的地位，则其近乎于君臣统治者与被统治者的平民百姓之间，又不断向上下两极分化。其思想观点也通过向两极渗透而影响到历史的发展。儒法道墨等所谓“九流”思想，在中国历史的不同时期和不同领域，虽各自都产生过不同的影响，且有相互影响的情况，但总的来看，法家受重用于社会变革时期，即所谓“乱世”，而儒家发挥才能于创业时期即“治世”的观点，恐为多数人所接受。儒家在中国历史上的命运，真可谓宠辱 皆极。秦时方遭焚坑之大劫，汉时又获独尊之殊荣，皆以其时其君而异也。儒者，柔也。儒生、儒雅、儒将等褒词皆言其饱学、中度而给人以清高、智慧、谦和等美感。当然也有谓脱离实际、食古不化者为“腐儒”的。“士”因在晋时曾特指官宦门阀而享恶名。后来逐渐成为知识阶层的统称。这其中，既有中状元而高官厚禄者，也有众多命运如杜甫在《茅屋为秋风所破歌》中所同情的寒士者。到了近现代，知识分子在许多革命运动中都起到探求、传播真理，唤起民众的“先锋桥梁作用”，但作为一个阶层因其既能服务于统治阶级，又能服务于被统治阶级，故被视为附生在两张皮上的“毛”。

日本在上述方面的主要不同特点在于，由于其历史发展的特殊性，到江户时代后期，具有较高的政治地位，同时又掌握了相当程度的汉、洋文化知识的下级武士，最后能登上历史舞台，并扮演了明治维新领导者的重要角色。而武士的学问和思想基础的奠定，又是同僧侣的重要历史作用分不开的。如前所述，从中日文化交流的一开始，日本留学中国的僧侣们即主要承担了将中国先进文化引进并加以传播的使命。他们在广泛深入地吸收、引进中国文化的同时，还注意避免了接受其中的一些不良的东西，如宦官制度和缠足等。但即使如此，由于这种原封不动地引进的文化所带有的浮华性质，虽然在日本皇室和宫廷贵族当中曾得以迅速传播，却未必适合宫廷以外的阶层。所以，当历史为日本的统治形式选择了将军幕府，即因武士的军人风格，使文化的主要用途之一——政治方面的需求相对减少。幕府的法规，最初只是适用于武士内部的道德规范性条文。所以，像镰仓幕府的“御成败式目”和室町幕府的“建武式目”，其内容、形式都很简单。镰仓的佛教改革，也因为去掉了许多原有的繁缛仪式，才适应了“武家”时代的国情，并具有了日本自己的特色。在“浮华”的古代贵族文化之后，反而出现了实用无华的“武家文化”，说明外来文化与日本的历史国情开始协调统一了。由于引进的大量汉文化，需要有一个消化的过程，僧侣们又担负起了保存和先期消化的重任。他们建起了以“五山文学”⑧而闻名的文化基地，并根据武士阶级在不同时期的文化素养，不断向其输送经过自己研究乃至再创造过的汉文化营养，对幕府政治起到了教师和顾问的作用。例如，近世初期，五山南禅寺出身的金地院崇传，即作为幕府的政僧，在“武家诸法度”、“禁中并公家法度”、“寺院法度”的起草制定，以及对基督教的禁教等方面，都起到了重要作用。在代表武士精神特质的“武士道”中，不仅有山鹿素行倡导的，以儒家人伦思想为基础的“士道”的存在，而且在反映其武艺、武术侧面的所谓“武道”的“心论”中，还渗透着诸如“排除一切杂念”和“胜敌必先在内心胜己”等禅理的深厚影响。例如，宽永年间（1624—1629），禅僧泽庵宗彭在传为著名新阴流兵法家柳生宗矩所写的《不动智妙录》中，即籍禅理来阐说剑术，其作为兵法书的价值不仅限于剑术，而且于各种武艺的基础原理方面都有指导意义。此外，在与山鹿的“士道”对立的《叶隐》，和宫本武藏等著名兵法家的著作中，也都体现出禅理的指导思想作用。到德川时代，武家的统治已有了相当长的历史，对林罗山等人的重用，反映山幕府更加需要有裨于治人理政的儒学。林罗山家族世代作为幕府儒臣而深受重用，直到其孙辈凤冈时，才脱去僧服，蓄发出任大学头。这也可视为儒僧分离的一个标志。由此可见，僧侣阶层长期以来对于武士阶级在思想文化等方面有着重要的影响作用。

二 关于对西方文化冲击的反应和适应过程的比较

这实际上是中日两国在本国传统文化与外来的西方文化相冲突时，如何作出各自的反应及通过斗争与自我调适，以实现与之再融合和跨入新的社会发展阶段的问题。在这一历史时期，对于中日两国来说，不啻是对其传统文化在此方面的理论与实际的结合，在初期，尤其是对其在社会变革方面的实践与适应能力的一种考验。

由于当时中日两国存在着不同的国内国际社会历史条件，从而导致在近代历史转折时期，经历了殊为不同的发展过程。就此，本文中仍拟主要以政治社会结构的角度，来观察和说明，两国在这段历史中，何以会形成不同的适应和发展过程。

首先，在探讨通过引进吸收西方先进科技文化，以使本国生产力发展水平迅速提高方面，日本有哪些特殊条件时，学者们已有许多不同角度的分析论述。例如，对于日本当时何以能够避免沦为殖民地，从而得以实现自主的改革和发展，有的学者认为，是由于列强先对中国下手，使中国“多少年来一直扮演着阿塔兰塔的金苹果⑨的角色，日本才得以幸免沦入狼狈之境”。⑩有的学者注意到，两国对西学吸收、传播的速度不同，对于其后的历史发展关系重大，指出，西学虽几乎同时传入中日（1581年利玛窦把西学传入中国，1549年，另一个耶稣会教士方济格·沙勿略把西学传入日本），但至19世纪中叶以后，就出现了较大差距。例如，“1853年以后，西学在日本加速传布。1868年全国240所藩学中设有‘数学’者141校，有‘洋学’者77校，有‘医学’者68校，有‘天文学’者5校。理科学科所占比重，在1853年即达35%。⑪而中国则直到1862年（第一次鸦片战争后22年）才设立第一所讲授西学的学校（同文馆）。据《福泽谕吉传》记载，1862年，中国能读能教洋书的只有十一人，而日本当时已有五百多人”。⑫还有的认为，日本明治维新时所面临的外国侵略的情势远不及中国“维新变法”时期严重。⑬有的则认为“帝党”败于“后党”导致了维新失败，从而是造成中日在近代分道的重要原因。⑭然而，笔者比较注重的是，中日当时形成的不同社会政治结构及其在外压下产生的必然结果。以下拟从作为日本明治维新主导力量的改革派藩士如何登上历史舞台，以及如何评价其历史意义的角度，就此作一浅析。

如所周知，明治时期，日本是在与西方外来文化意识出现整体冲突的前提下，被迫实施改革的。而正是这些改革措施，使其出现了以生产力和生产方式为先导的向资本主义的急遽转变。这一跨越性的转变，从社会发展的角度来看，应是有其进步的历史意义的。就当时处于维新主导地位的改革派藩士而言，一方面，正如有的学者在分析明治维新的性质时，曾指出他们作为封建时代的上层代表人物，在思想基础上所具有的局限性。认为，“也不能把下级武士中的进步知识分子理想化，过高估计他们的思想和政治水平”。[15]因为“他们中的一些人，一开始只不过是朦胧地向往资本主义，在开国的冲击下，为寻找自己和民族的出路而斗争，后来才在斗争中不断提高了自己的。如，有些人起初是带着国学派的‘经世致用’、‘华夷之辩’等思想参加幕政改革的尊王攘夷运动的”。[16]但是，另一方面，若从分析维新成功原因的角度，需要指出的则是，他们何以能在追求实现改革目标方面，作出超越旧有思维定式的大胆实践。仅就这点而言，应当说，当时最主要的，并不在于作为其个人素质的思想认识程度如何。福泽谕吉就曾认为，明治维新的成功，正在于维新领导者的“不学无术”。[17]当然，他实际指的是，没有在社会变革的紧要关头，被旧传统观念束缚住手脚。更重要的是，幕末时期，他们在实学（先是从阳明学等儒学中吸取了其理论观点，后经与兰学等泰西学问相联系，渐入知行合一的理论与实际相结合阶段）的思想基础上，已不仅认清了时代的主要矛盾，而且还看出了改革的大方向。例如，萨英战争的失败体验和赴欧美留学考察的收获，已使他们认识到“攘夷终难实行，觉悟非开国之方针不可维将来国家”。安政大狱，和以岛津久光为代表的“公武合体”派对主张“天皇亲政”的“草莽志士”的镇压等现实，也足以使吉田松阴这位改革派重要人物认识到，“幕府、诸侯皆成醉人而无扶持之术。非寄希望于草莽崛起之人无所望矣”。[18]而“英国的工厂、道路、铁路和运河”等西方文明所显示出的勃勃生机，竟会使旧武士出身的维新领导人之一，时年仅43岁的大久保利通，发出“像我这样年近半百的人，今后已无能为力。已不能适应时代的要求，只有引退了”[19]的明智感慨。这些人在明治维新时期的杰出作为，诚不愧孙中山先生曾为之抒发了“昔日本维新之初，亦不过数志士为原动力耳，仅三十余年，而跻于六国之一”[20]的钦佩之情。

在已有相当深厚的儒学文化基础，且对泰西学问有了两百多年接触、了解的日本，尤其较之中国更难得的，勿宁说应是另外两个条件。第一，他们所处的社会地位，使其具有较强烈而彻底的改革要求和坚定不移的大胆实践精神；第二是客观条件能够把他们推上维新的领导地位，并赋予其实践的历史机会。特别是从改革派藩士的上台，更充分反映出，作为其背景的日本政治结构方面所存在的一些特殊性。

如前所述，由于历史上日本的自然经济力不足以维持一个庞大而靡费的中央集权政府，所以才形成幕府这种“武家政权”。室町时代的幕府，实际已是守护大名的联合政权。由于守护大名的发展，渐渐出现了地方分权的倾向。德川幕藩体制的形成，更加强了这种趋势。幕末时，通过藩政改革和萨、长等强藩的出现，事实上已显露出各藩发展的不平衡。而这种政治上的“板块结构”在内外压力不均时，就更容易出现“断裂”和“重组”。各藩的实力不等和政治观点不一，又加剧了政治动荡和变革的发展，并为改革派藩士走上领导地位创造了客观条件。由于享保、天明、天保“三大饥馑”[21]，和“大盐之乱”[22]为代表的日益频繁、激烈的人民斗争的打击，虽经享保、宽政、天保“三大改革”，[23]终难重振幕政，而一些老中（江户时期直属将军统掌政务的最高官职）虽为庸才，却依然能够操纵幕权。至幕末，幕藩内部“雄藩联合”与“谱代[24]小藩”之间，围绕“将军继承”之争的矛盾尖锐化，说明将军政权已十分虚弱，危机四伏。在此情势下，“黑船”的武力叩关，使惶然失措的老中出于无奈，而求助于朝廷和强藩。于是在“公议”的名义下，引出了朝廷和强藩的参政。此举在客观上为改革派藩士上台，打开了第一道障碍。以后，在“公武合体”、“尊王攘夷”、“讨幕运动”等由众多事件组成的三大阶段的斗争中，不仅使“草莽志士”的理想愈益具体化，斗争方向益加明确，而且，在改革的深度上打破了幕藩上层的限制，并实现了其原有思想基础的自我超越。而斗争的结果之一，便是他们取得了明治维新的领导地位。

中国由于地大物博，自然经济比较发达，使中央集权的封建专制制度得以长存。《三国演义》开首的“话说天下大势，分久必合，合久必分”，从现象上概括了中国历史上“乱世”与“治世”亦即“易姓革命”的反复。而在中国需要大变革的清代后期，统治政权却能够继续维持“一统天下”，而且因其代表没落阶级，政治上日趋腐朽反动，在鸦片战争以来日益增强的外来压力下，出现的是“上”与“下”之间的阶级“断裂”。而在相互对立的力量对比中，政治、文化等许多方面都于反抗者明显不利。尤其政府与洋人的勾结，更助长了统治者的气焰。“太平天国”、“义和团”等革命运动终被镇压。从而，中国对外来文化的态度和反应，就被大大限制在统治集团上层的“改良派”所能接受的程度了。以李鸿章为首的“洋务派”主流顽固地认为，“中国文武制度，事事远出西人之上，独火器万不能及”，从而死守“可变者器，不可变者道”的立场观点。因其又握有左右时局的权势和实力，故维新派的“帝党”在与“后党”的斗争中的失败；甲午一战，洋务派苦心经营多年的“洋务成就”一朝毁灭也就势所必然了。在中国式的政治格局中，处于上层的“维新派”没有下层革命力量的支持；而太平天国等革命力量，也缺少日本改革派藩士那些诸如政治地位、阅历、西洋知识和能够利用一部分现成的国家机器等方面的有利条件，所以情况是很不同的。此外，封建“正统”思想的根深蒂固，也使大量各种文化人材不愿为革命力量服务。当太平军到一地时，大知识分子们大抵都早已逃跑。虽有些小知识分子偶被留于军中，且太平军又非常“礼贤下士”，也多如《虎穴逃生记》的作者顾深和《思痛记》作者李圭之流，找个机会就逃之夭夭了。即使一些初步接受了资本主义思想的知识分子，也少有支持“造反者”的。从这点看，也与明治维新改革派势力能够兼有“和汉”知识与西洋知识，并掌握各藩倒幕军的特点无法相比。概而言之，由于中国政治格局的特点，改革的思想理论与实践无法真正结合起来，未能形成一股由社会上下多方面组成的强大改革势力，以战胜根深蒂固的顽固保守势力，这是中国在近代的改革未能成功的主要历史原因。

回顾中日走过的这段历史，使人不难看出，日本明治维新的成功，主要在于：由于政治和经济两方面都迫切需要通过变革而找出一条有前途的新路，于是从各项社会制度着手，进行了较全面深刻的资产阶级改革。至于天皇制等封建残余的存在，则说明整个社会性质的彻底改变,尚需要有一个继续完善改革的过渡期。而且明治天皇的登基,本身就是以代表改革派的意志为前提的。由于长期以加藤弘之、西周和元田永孚等人为师，深受其影响，使天皇个人素质也充分体现了不同角度的改革思想。如，由于认识到“富国强兵”之重要，1874年1月20日，他在当时财政困难的情况下,仍命宫内省从诸费中每年节减出3.6万元,以充陆海军军费之用。这与甲午战争之年，慈禧太后为过60岁生日，竟挪用海军军费大修颐和园相比，似亦很能说明一些问题。从文化角度看，明治维新的成就即在于,经过改革势力的曲折摸索和大胆实践,终于在日本实现了本国传统文化和西方近代文化的“对接”。这以后，作为两种文化不断“化合反应”的结果，日本文化中愈益显示出浓厚的日本式西洋色彩。

日本人常被许多外国学者感到是历史的幸运者。这主要是指，他们虽有社会后发性之先天不足，却又有幸得到两次吸收、模仿外来先进文化的机会。当然还包括二次大战后的两场战争对其经济起飞的刺激、促进作用。经过长期不懈的学习和追赶，日本已在许多现代科技，文化领域，赶上甚至超过了世界先进国家的水平，为世所瞩目。但另一方面，也应当看到，日本在迅速实现近代化过程中的历史教训的一面。正如日本的一些有识之士也早已认识到的，正是这种文化特点，却使得“我们日本没有哲学”。㉕如果说这句名言指出了日本在近代化过程中的缺失所在，那么，由此就不难理解，为什么明治维新初期，日本能够在亚洲率先冲破落后的封建生产方式的阻滞，而在建立新的生产方式和社会文化方面，作出了不少富于实践精神和成效的实验性尝试。但另一方面，又因一味只顾为摆脱本国的困境和增强实力，而不顾因袭列强弱肉强食的非正义的国际规则，终致蹈入战争失败的命运。这对于在这种历史转折时期，期以本国传统文化吸纳外来文化，并藉以解决与之的矛盾冲突的日本来说，无疑应是引以为教训的。

中国在近代与日本几乎同时接触外来文化，并先于日本出现了许多对西方新学颇有见地的人物、著作。其中如魏源在《海国图志》一书中阐发的“师夷长技以制夷”的著名思想，甚至对日本的早期国策，也产生过重要影响。此外，对西方先进文化的实际仿效方面，起初也并未见落后于日本，仅以作为科技近代化首要内容的近代兵器工业而论，尽管日本在此方面比中国洋务运动先行一步，例如，佐贺藩在培理舰队赴日前的1852年，就用反射炉铸成了大炮，并于翌年即接受了幕府制造50门的订货。㉖又，“从1853年6月，各藩藩主向其申请铸造大炮的竟达二百二十五起”。㉗但随着洋务运动的兴起，中国在从1861年安庆军械所建立，到1880年的20年里，已陆续建立起十余处官营军事工业，且从其与日本当时的实力对比来看，总的马力数、工人数和经费数肯定是超过日本的。㉘只是由于这一切都为封建官僚所把持，使这些工业的发展，被局限和束缚于维护其统治利益的狭隘观念，故其以封建专制制度之“不变”，来“应”世界潮流之“万变”的主观臆想，一开始就注定是要失败的。

百年光阴瞬逝。在中国作为一个独立、统一的社会主义国家走过了40余年，且随着香港回归、澳门回归在即，预示着最后的殖民统治历史行将成为过去的今天，为实现振兴和富强，中国正在继续实行改革、开放，这是保障国泰民安和经济持续稳定发展的一项长远政策。以此为背景，如何在市场经济条件下，保持和发扬本国的文化传统，如何认识传统文化在当今的意义和发展趋势，无疑将是目前和今后所面临的重要课题之一。虽然中国在历史上特别是唐代，即具有吸收外来文化的优秀传统，但由于近代以来，世界科技、经济的迅猛发展所造成的强大影响，仍会使人深切感到，在今天，重新分析回味近代历史转折期，传统文化在中日两国的所曾产生的不同反应和历史进程，对于我们较好地解决上述课题，将具有更深刻的参考和借鉴意义。

注释：

①三笔系指日本平安初期的三名著名书法家，即空海、嵯峨天皇和橘逸势。三迹为平安中期三位书法家，即小野道风，藤原佐理和藤原行成的誉称。世尊流亦称世尊寺流，是日本书道的著名流派之一。以平安时代藤原行成为始祖，并由其子孙世尊寺家世代沿袭，直至江户时代。

②4 世纪至 7 世纪中，以大和地方为中心出现的日本早期的国家政权。

③卡特：《中国印刷术的发明和它的西传》，商务印书馆1957 年版，第33 页。

④同上书，第 31 页。

⑤佐伯好郎《大秦景教碑》，第145 页。

⑥藤原药子曾因长女侍奉平城天皇而获宠幸。809 年（大同四年）平城天皇让位于其弟嵯峨天皇后，药子失宠，遂欲与其兄仲成合谋起兵，使平城天皇重祚。但 810 年（弘仁元年）因事泄被镇压。藤原式家也由此衰落。

⑦1199 年源赖朝死后，镰仓幕府内部矛盾频仍。受到幕府排挤的公家势力遂在后鸟羽上皇策划下，于1221 年（承久三）起兵倒幕。但不久即为幕府军所败，后鸟羽、顺德及士御门三上皇也分别被流放。

⑧镰仓末期至室町末期，在京都和镰仓五山禅僧间进行的汉文学活动。前期以诗文为主，包括禅宗法语、偈、论说、日记、随笔等。后期注重于典籍、经文的注释。

⑨阿塔兰塔（Ata Lanta）是希腊神话中一位行走迅疾的美丽少女。她宣称愿与能追上她的人结婚，但同时又以死亡作为失败者的惩罚。希波曼斯在与之竞走中掷出三枚金苹果，并乘其顾拾之机超而取胜之。

⑩万峰、“幕末维新时期的国际关系”,《天津社会科学》1984年第1期。

⑪吕万和“西学与明治维新”,《天津社会科学》1984年第1期。

⑫同上。

⑬《日本史论文集》三联书店1982年版。

⑭同上。

⑮吴廷璆武安隆“资产阶级革命与明治维新”,《日本史论文集》三联书店1982版。

⑯同上。

⑰源了圆:《实学思想的系谱》,讲谈社,1986年版第33页。

⑱“致北山安世信”,《日本思想大系54》第337页。

⑲吉田茂:《激荡的百年史》中译本,世界知识出版社,1980年版,第8页。

⑳《孙中山选集》,人民出版社1956年版,上卷第66页。

㉑日本江户时代,享保年间(1732—1734)、天明年间(1781—1788)及天保年间(1833—1836)发生的全国性大饥馑。

㉒天保饥馑时,大盐平八郎于1837年领导的一次城市贫民起义。

㉓享保改革是江户幕府八代将军德川吉宗于1716(享保元年)继位后,为克服财政危机,强化幕藩体制进行的一次较长期系统的改革。后因遇享保饥馑,改革措施被迫进行了修正。宽政改革是在天明饥馑的背景下,由老中松平定信在宽政年间(1789—1800)进行的幕政改革。天保改革是老中水野邦忠于天保年间(1830—1843)进行的幕政改革。

㉔指世代供职于幕府或与将军等保持这种主从关系者。如,从德川家康在三河建立领国,至关原之战(1600年)以前,即一直跟随德川家的武士,后来成为大名者即称谱代大名。

㉕中江兆民:《一年有半,续一年有半》,商务印书馆1979年版,第15页。

㉖星野芳郎“日中技术近代化的对照”,《经济往来》1987年4月号,第138页。

㉗吴杰“日本机器工业发展的特点”,《明治维新的再探讨》中国社会科学出版社1981年版,第61页。

㉘同上书,第63页。

中日帮会若干特征比较研究

余干生

一 总 论

帮会是人类社会中的一类特殊群体。帮会现象在分类学上通常归入“特殊社会问题”。对帮会的研究涉及历史学、政治学、法律学、社会学和犯罪学等诸多学科。旧中国和日本都属于帮会发育异常完善的国家。迄今为止，两国关于各自国家的帮会研究，已积累了不少文献资料。这些工作，主要集中于有关史实和帮会状况描述。

然而就帮会现象进行理性的研究，应当说目前还进行得很不充分。究其原因，可能因为这方面终究是一个冷门领域，作为研究进程，尚未臻于由现象及于本质的阶段；再者，这种现象的历史和现实的复杂多样性，使得人们很难提炼出较为系统的普遍认识。至于超越国别的普遍规律的探讨，自然就更加困难一些。

但是现实生活正在激发我们对这方面的研究兴趣。如所周知，新中国成立以后，由于政府的有力措施，帮会现象在国内一度趋于绝迹。改革开放以来，伴随着新时期的许多变化，帮会问题又有重新抬头的趋势，表现为域外帮会势力的渗入和境内具有黑社会性质犯罪集团的孳生。两方面都对我国的政治生活、社会安定产生消极影响。而且，随着国际交往的增进和“世界一体化”进程，这种现象可能甚难有效遏制。这使得我们不能再把这一研究领域看作单纯的传统文化课题。

作为研究不充分性的例证之一，是迄今为止，尚难举出一个比较明确精炼的帮会定义，从而也不太容易准确区分帮会（旧称会党）、秘密社会（或秘密结社）、民间秘密团体、黑社会、犯罪集团等相关概念。

笔者认为，为了比较明确地界定我们的研究对象，指出帮会概念所必具的性质（特征）体系是必要的。这些性质应当是：

封建性。无论中国、日本乃至其他发达资本主义社会，被指为帮会的组织，都带有浓厚的封建思想色彩，以忠、义等封建道德观念为凝聚力，以家族、亲子、兄弟式关系为其组织模式。帮主对于会众拥有至高无上的支配权力，帮内实行绝对服从的组织原则，并往往伴有严酷的惩罚制度。

落后性。前述封建性本身也是落后性在思想、组织上的表现。这里所指，主要是多数成员（包括一些领导成员）的出身与文化教育水平低下，思想偏狭，倾向于接受封建、迷信观念。会众甘愿受不合理的帮规和帮主的摆布，盲从、盲信，没有自身的确定是非观念和价值观。其入帮动机大多出于经济考虑或寻求保护，甚或纯属盲从。

民间性。帮会应是非官方的，且常常具有反政府倾向。

以上三性，可认为构成鉴别一个团体是否称其为帮会的必要条件，而将其区别于政党、学派及其他群众团体如工会等。不过在应用这些判据时，还须作些长时间的系统考察，适当结合当时当地历史环境。

例如，同是17世纪中后期产生的具有强烈政治倾向的团体，中国明末清初的洪门（汉留）宜归入帮会，而英国的Tory和Whig则被视为政党（后二者汉译名托利党、辉格党中的“党”字并非英文名称原有，似是为标明其性质而加上去的）。又世纪之交分别由孙中山、黄兴、蔡元培等创建的兴中会（1894年）、华兴会（1904年）、光复会（1904年），以及由之联合而成的同盟会（1905年），虽然在成分上接受了许多旧有“会党”（帮会）成员，但亦宜视为政党或其雏形，因为它们是在新潮思想指导下成立起来的，反映新的阶段背景，其反清行为不同于汉留的单纯正统观念和民族情绪。

除以上三性而外，实际存在的帮会组织还常具有一些非共有的派生性质，例如宗教性、行业性、地区性、秘密性、反社会性和犯罪倾向性等等。

宗教迷信是许多帮会用以笼络成员的重要手段。但纯粹的宗教组织（不具备前述三性者）当然不应视为帮会。

秘密性是众多帮会的共同特征。有些研究者把它看作帮会组织的基本特征，乃至把帮会事实上定义为“秘密团体”①。但实际上帮会的秘密性往往是相对的，与环境、时代有关。例如日本的典型帮会“亚库扎”，从其产生直至今日，基本上都处于公开状态。我国的重要帮会组织青帮（安清帮）②在其创立之初是公开的，后来转为秘密。红帮（洪门）从成立起，长期处于秘密状态，间或有公开活动的场合。但进入民国以后，青、红帮大多转为公开。乃至于1946年在上海两帮正式挂牌成立“中国新社会事业建设协会”并由国民党政府社会部派员“指导”。可见保持秘密状态与否，只是帮会顺应一定环境的生存手段，这与许多政党在一定历史时期的行为是相同的。至于组织内部的某些秘密性，则也为任何一个非帮会组织所共有，更非帮会所独具。唯所不同者，许多帮会秘密性是出于掩盖其反社会活动的目的。

帮会的反社会性，即与正常社会的对抗性，是特别值得我们注意的。这或许是帮会研究的最大现实意义所在。不少帮会在其成立之初，就表现出明显的反社会性，例如日本亚库扎中的“商贩”（的屋）类组织。也有些帮会，虽无此种初衷，但随着历史进程，蜕变为反社会组织。我国的洪门，其成立的动因是纯属政治性的，即为了“反清复明”，但在后期的演变中，其不少支系逐渐蜕变为反社会组织。

帮会反社会性的根源是显而易见的。具备前述三性的社会集团，既然构成一个利益与共的整体，其活动的一部分或全部，必然是为该集团谋求利益，特别是物质利益，而且往往借助不正当手段，从而构成对外界（正常社会）的侵害。这种侵害的升级，便成为犯罪倾向。事实证明，大多数帮会是由物质利益的驱使而形成的，是由各类社会不适应者在集体力量强于个人力量的明显事实驱策下形成的。

帮会的反社会性和犯罪倾向是帮会与正常社会相互作用的重要方面。但能否认为帮会就等于黑社会、犯罪集团或犯罪团伙呢？[3]我们认为至少从中国与日本的历史事实看，只能说不少犯罪集团具有帮会性质，但帮会并不全是犯罪集团。由于帮会概念外延的多样性，也不宜简单地认为帮会就是黑社会。例如一些行业很强的帮会，其主要活动是保护帮众利益，而不在图谋犯罪。

二　思想与组织特征

本文将就中日两国帮会的思想组织和运营方式等方面的特征作些具体的比较。为了研究的方便，我们撷取双方有代表性的帮会，作为各自的“模特儿”。对中国，主要取青帮、红帮，间或涉及其他帮会。其历史时期取为清朝初年至民国末年即新中国成立以前。对日本，取包括的屋、博徒、愚连队三类组织综合而成的亚库扎，[4]其历史时期取为由这些组织的产生迄至当代。

1. 思想·成员

帮会的思想反映于其纲领（大多为不成文的）、行动口号、行为规范和成员入会动机等方面。虽然帮会形式五花八门，但有很多规律性表现，两国间也可找到许多共性。这显然是文化渊源上的共性使然。

两国帮会思想体系中最突出的是一个“义”字。在中国，帮会往往以桃园结义、梁山、瓦岗聚义等为其模仿的典型，所谓“梁山的根本，桃园的义气、瓦岗的威风”。关羽、秦琼等人物是备受注目的偶像。

日本帮会的行为规范很大程度上借鉴于武士道精神，这是一种儒教、禅宗和神道思想相杂糅而形成的武士阶层特有的价值观，提倡忠、义、勇、忍，鼓励自我牺牲、为主子尽忠，动辄切腹自杀。例如在本帮与其他团体发生械斗，往往要求新入帮的成员站在最前列，充当“子弹”和炮灰，以考验其忠诚。

帮会的基本成员。如前所述，是下层劳苦群众、无业游民及各类社会不适应者。在中国，主要有破产农民、失业手工业者、脱离队伍的散兵游勇、落魄学生、流氓无产者、难民等。这类人员往往在社会动乱年代（战乱、天灾等）大量涌现，所以帮会也往往在这些时候膨胀得最快。

日本的情况大体相同，只是有一类成分特别重要，即古代身分等级制度下的贱民阶级，日语中称为“非人”和“秽多”，也合称为部落民。他们按规定只能居住于指定区域，从事屠宰、殡殓等下等职业，并且有许多人身限制，例如婚姻、居住等。为了寻求生活保障乃至跳出贱民阶层，这些人自然有极大的结帮积极性。这种情况一直延续到今天，只是名称稍有变化。⑤帮会中也常掺有官吏、差役、文人、演艺人员、政客等特殊成分。民国以后的中国帮会，这类较上层的成员成分增大。

传统帮会成员大多文化水平甚低。从他们“摆香堂”等仪式中所用的俚俗不堪的词句可以清楚地看出来。但日本战后，特别是近二三十年来，暴力团新成员的文化水平，有了实质性的提高。这为亚库扎的智能犯罪及海外扩张提供了条件。

随着时代的前进，新一代亚库扎们的口号也在不断翻新，例如“团结与前进”、“团结、报恩、沉默”、“遵循侠道精神、促进社会兴隆”，等等。此外，并不断推进对新成员的教育。

考诸中日两国的帮会组织体系，也有共同特征。

第一是基层组织均以准家族关系为纽带，这是帮会封建性的典型表现。在洪门，成员关系拟作兄弟关系，首领往往称大哥（龙头），干部仿兄弟关系排队，称老二、老三……。若有现有成员的子侄辈入会，则要先呼其他成员“大伯、盟叔”三年，类似“预备期”，然后依例与帮中成员称哥论弟。青帮则行家长制，“师徒”之间关系类同父子，有固定的排辈序列，按“清、静、道、德、文、成、佛、法……”等字排辈，不问年龄与在帮资历。例如，“清”字辈收的徒弟，定是“静”字辈，新入会的静字辈成员，也要比“道”字辈老资格成员地位高，等等。这种规模遍及全国的一元化论资排辈体系，是帮会封建性的极好例证。在日本帮会内，则是帮众直接称帮主为“父亲”。

第二是两国帮会虽然体系很鲜明，但并未形成稳定的全国性统一机构。这一点不同于意大利、美国等地的黑手党。中国解放前曾有过“中国新社会事业建设协会”，试图建立青红帮全国性统一组织。日本在本世纪初和六七十年代分别由黑道巨星头山满和儿玉誉士夫撮合，曾有过若干次亚库扎及右翼的全国性联合。但这些都是昙花一现而已，且结构松散而短命。中国的洪门，在不同地区有着全然不同的名称，也说明其分散性。基层组织甚为牢固而不能形成广及全国的体系，此乃帮会之落后性使然。虽然近年亚库扎“垄断化”（组织归并）特征显著，⑥但论及全国的一元化，目前还只是一个设想。

与此形成对照，则是各基层组织的稳定与严密。成员入会，大抵都有固定仪式，十分隆重。例如加入清帮，先要写一份申请交给已在帮的介绍人。介绍人持此申请与师父商権，得其接纳许可后，才可等下次“并香堂”时与一批新入会者一同行礼拜师，即入会。“投师贴”有时并有固定格式。香堂仪式也十分繁琐严肃，以示隆重。有时入会者还要宣读誓词。日本帮会大抵相同。不但入会需经繁琐仪式（见后文），帮主并负有解决全体成员生计的责任，如开拓财源、经营事业等。所以日本帮会从很早起便带有一定企业经营性质，近年则更趋明显。这或许是它始终得以公开面目存在的一个重要原因。

三　帮会运营种种

对于中、日帮会的反社会性活动，笔者拟以专文论述。本文只涉及与帮会组织相关的一些固有的活动特征。

1. 帮规

每个帮会组织诞生之初，通常都要拟订一定的规章制度，有时形诸文字。内容大抵涉及帮会宗旨，组织制度，职官名称与权限职责，入会及其他相关手续，成员行为规范与违规惩罚等。如有的洪门组织规定的罪名有不孝顺父母，不敬长上，殴打兄弟，调笑、奸淫亲属妇女，拐卖人口，告发团体，危害组织，受贿卖法（注意有些帮会成员是政府官吏），贪污财产、礼物，诬陷他人等。日本的亚库扎则通常规定不准勾引会友之妻室（因会众常常行商外出，妻室独居的情况很多）、不许向警方提供组织秘密、严守组织内亲子序列、不许吸毒、不许染指集体经费等条款。⑦比较起来，中国帮会组织的规约中，对会众行为规范的比重，较日本帮会要大些。这大抵是因为，中国多数帮会往往在其形成初期的政治性、行业性比较突出，其反社会倾向不如日本帮会那样，一开始就包藏祸心。试设想如果前述洪门规约能得到真正的贯彻，则断难指其为反社会组织。不过后期有些洪门组织明显堕落，于是在相应帮规中竟有对奋勇抢劫者鼓励之类条文。⑧

2. 集会

帮会的集会是帮会组织活动的重要内容。集会往往采用固定的仪式与程式。

以中国清帮的“进山”（收徒，即入会）仪式“摆香堂”为例，先要选定适当地址，例如深山古刹，并视新入会成员的多寡而定。会场有相当固定的布置方式，包括三位祖师（翁、钱、潘）的牌位，五炉六蜡、子孙炉（小香炉）、家法、纤绳（因为清帮本是船帮）、供果等。仪式前要念请香词、请蜡词、请家法词、请纤绳词，然后进行新弟子拜祖、拜三帮九代。翌日，徒弟要携礼拜望师父师母，由他们交授一个折子或手本，称为“海底”，载有三帮九代基本情况，作为将来帮内活动和联络的资料。⑨洪帮香堂则设“忠义堂”匾额，关帝像、帅旗、令旗、大刀、宝剑、香烛、多列对联横幅、尺、秤、明镜（以上三物表示办事公平、明白、不欺心）、棍棒和有功人物、牺牲者灵位等，过程当中也有繁复的问答程式。

亚库扎的集会统称为“杯”式，会场上有很浓的神道教神事色彩。博徒系亚库扎祭拜天照大神、八幡大菩萨和春日大明神或有时代之以神武天皇、今上陛下及若干大神宫的牌位。而的屋系亚库扎则祭祀神农皇帝（日语写作神农黄帝）、天照大神和今上陛下。的屋系亚库扎祭祀神农是因为神农是传说中尝百草的医药祖师，而的屋起家时是以卖假药为业的（早期他们常被称为药师、野师等）。八幡大菩萨、春日大明神等则为武神，表示武运长久。

根据仪式所涉事务之相关人员的身份，杯式分为亲子杯、兄弟杯，以及新帮主接任的代目杯，履行和解、处分或达成协议等的事务杯。的屋系亚库扎并另有另立门户、改姓更名的分家杯。不同仪式分别设置不同的必要职司人员，通常有司仪、执杯人、见证人、介绍人、推荐人、联络人、亲戚总代表、亲戚代表、友人代表等。这些人员的作用和在仪式中的职责、行动方式都有专门讲究，各按固定程式履行。例如介绍人、推荐人在仪式中，要用脚擦着地行走，颇像茶道和日本舞蹈的步伐。

所有仪式中最隆重者为代目杯，即新旧堂主的交接仪式。帮会虽是封建性组织，然其首领也还并不独占其位直至老死。故一定时候，便有新旧交替，称为代目继承（对老帮主而言则称“隐退袭名”）。用最高级的和纸，请著名书法家写成全国帮主的“芳名录”和有关文书，名录中人名的排序和名字大小要慎重讲究，以免引起争端。名录常常重达三四公斤以上。近年来，在大组织的代目杯仪式上，主宾间的馈赠常可达一亿日元以上，非常近的亲属的馈赠，有达数亿日元者。⑩

1972年山口组和稻川会的和解仪式，是一场亚库扎世界极著名的杯式。由于儿玉誉士夫的长期撮合，10月24日在山口组帮主田冈家中，由田冈和稻川各委托两名代表举行兄弟杯式，首先由联络人大声宣布“山口组的山本健一和稻川会的石井唯博的兄弟结拜仪式在此举行”，然后双方将专用仪式杯中的酒一饮而尽，又用专门的纸将杯包起来，纳入衣服中，相互握手，仪式乃告完成。这是一个典型的“兄弟杯”仪式。由于这一联合，使得日本的47个都道府县中，只有4个县没有这两个组织的势力。⑪

帮会内重大事件的决定，纷争处理以及人员的惩罚等，也要在香堂（或杯式）上进行。

3. 惩罚

作为一种规律，中日帮会内都实行严酷的成员违纪惩罚，而且过去都有帮内惩罚一律不干警方的传统。无论伤、残、死，受害方都不诉诸警方。惟两帮械斗，警方有时出面干预。

在亚库扎组织中，较轻的处分是断指，这特别盛行于博徒帮中。这是在一定仪式上，将犯过者小指最上关节以上的部分切下来，用干净布包好，严肃地交给帮主。帮主将它长期保存。如果再有过失，则从小指第二关节起，或由另一手指的最上关节处，再切去一段。近年这种刑罚的实施频度，比封建时代有增无减。据日本官方资料，博徒系亚库扎份子至少有42%受过一次断指处罚。

受过两回以上的，也达10%之多。⑫

更高一级的处罚是“破门”，即开除出组织。开除以后，帮主会将其名字用名信片通知其他帮的帮主，使其人永远不被任何其他帮会所接纳。由于成员的封建落后意识，破门被认为是奇耻大辱。有些亚库扎份子甚至认为这比处死还要严重。

对于最严重的违规行为，例如反抗组织、泄密、背叛、强奸、偷窃等行为，也有被处死刑者。作为近乎专业犯罪集团的组织，亚库扎所犯罪行罄竹难书，但对其成员的个别性劣迹，却又常常切实地严惩，这似乎有些矛盾。其实这也是其封建性的表现。简言之，干坏事也要体现组织的意志，不允许有个人行为。后者至少有害于其组织的“名声”。

洪门内的刑罚分为5级。最轻的是“降”，即降级、“挂黑牌”等。其次为轻刑，“红棍”（棍责四十或八十）。再重为“次刑”，即剽刃（用刀扎）和锤钉。再重为“重刑”，沉水、挖坑（活埋）。最重为极刑，即凌迟。行刑时也有固定仪式，往往当着全体会众的面进行，以为儆戒。执法人（通常是帮主）、管事人、行刑人、受刑人都要依例而行，各说许多成套的程式化的韵文词句，表示责罚的合理、甘愿受罚、知过必改等意思。甚至接受死刑的惩罚，也往往要从容受死，以示帮会精神。

对于纷争的处理和断案，则有“文场”和“武场”方式。文场在茶馆的密室中讲理，武场在郊外辩论，辩明是非后理屈者受罚。

4. 联络

早期的“的屋”主要是卖假药、假货，所以经常需要到外地去流窜以便兜售。为此特别需要与所到之地的同系帮会联络，才能站住脚。帮会中盛行互助。一旦确认为同帮，便亲如一家。当地帮主有责任安排好外来人员的生活乃至生计。中国的清帮最初也是行帮性质，情况相同。洪帮的秘密性更强，其联络方式更需保密。

缘此，中、日帮会都发展出一系列联络暗号。最典型的是所谓清帮、洪帮的“盘海底”，即双方见面后，为了鉴别、确认对方的同帮成员身分，各自交替依序说出很长的一系列韵文词句，并在其中嵌入自己身分情况的有关信息，如姓名、地域、组织名、师傅名等。由于这些词句是内部严格保密的，所以如果应对无误，便证明对方确实是“流子”（帮会中人）而不是“空子”（外人）。这事实上是一串非常长的稳定的交互式口令。由于内容甚多，此处不予引述。

此外，中日帮会还无例外使用大量隐语即黑话，以达到互相联络时的保密性。在中国，有些隐语是江湖上通用的，正常社会也有些人知其大略。也有很多是某帮会所特有的，下面举出若干洪门的专用隐语：

洪门组织——海湖、玄家；入会——拜正、归标；帮会成员——香、洪员、豪杰；新成员——新丁；外人——疯子；女人——阴马子；打人——斗霸；眼睛——罩子；挖出眼睛——吹灯；旅馆——落马窑子；茶馆——黄汤窑子；监狱——书房；探路——打眼；吃官司——下水；分钱财——开花；扒手——相公；牵着贼走——牵猴子，等等。[13]

日本博徒和的屋的隐语例（为方便理解，隐语及其含义都已意译）：

巡警——一字；警长——胡子；放火；失火——红猫；监狱——暗箱，别墅；打架——跳舞；诈骗犯——蟑螂；告密者——钥匙；放浪女人——圆太郎；从地下潜入室内行窃——玩船的；从厨房天窗等处潜入行窃——云彩；狎娼——祭毛；犯人、告密者——猴子；没钱了——无线电；密探——汪汪叫，等等。[14]

此外，中日帮会还习用手势、身段等无声语言。例如洪门试探对方是否同道时，做任何事都使手的三个指头指向前方，表示洪门的特征“三点”。

四 帮会的演变与政治卷入

对于帮会这一特殊现象之社会意义的评价，甚难一言以蔽之。简言之，在历史上，就帮会对正常社会的作用而言，有其消极的一面，但依据各个帮会自身特征和一定历史环境，有时也有积极的一面。就帮会对其成员的作用而言，总的倾向是保护成员的利益，这似乎有积极作用，但也有不少帮会上层成员欺压、侵害其下层成员，并激发助长其反社会倾向，这无疑又是有害的。而在今日，无论从任何角度，都看不到作为封建落后群众组织的帮会，再有什么积极意义。

还应该考虑到，不同帮会个体间的差异也很大。多数帮会是社会下层群众出于物质利益或安全考虑结合而成的，他们主要关心的是自身利益。这种帮会的反社会倾向较小。各种行业性质的帮会可以归入此类，例如早期的中国清帮和日本的屋。有一些帮会，就其成立的动机而言，就带有反社会倾向，例如日本战后的愚连队。这种帮会应当认为非常接近或基本就是黑社会组织。亚库扎中的博徒系组织，则可认为介乎上述二者之间。

此外还要有历史观点。同一帮会组织在不同历史环境下也可表现迥然不同的性质。帮会的落后性使得它难有一个稳定的方向，有时是近朱者赤，近墨者黑。“近”者，视其受什么势力、什么人物的影响操纵。

在这方面，洪门是一个突出的例子。在其成立之初，它几乎是一个纯粹的秘密政治团体，口号明确：反清复明。但因为历史条件的限制，以及始终缺乏知识阶层的介入，缺少远见卓识，只能停留于帮会的水平。⑮

洪门的反清复明政治组织性质一以贯之地维持了很长时间。

从顺治末年（17世纪60年代初）该组织发端起，涉及过朱一贵（1721年）、林爽文（1786年）等人的台湾起义，1853年的上海小刀会起义，并深深介入太平天国的革命运动。在辛亥前后，则有海外洪门对孙中山民主革命活动的鼎力支持，和国内洪门对辛亥革命的广泛参与。可以说，在推翻最后一个封建王朝——满清政府腐朽统治的斗争中，洪门功不可没。但在民国以后，诸如“反清复明”之类政治主张已完全失去意义，则其消极的一面迅速上升并居主导地位，似是情理中事。

在中国共产党领导的新民主主义革命时期，也曾利用过帮会。例如上海的青帮，四川等地的袍哥。但在这方面也吃过很大的亏。帮会出身人物顾顺章，曾窃据党内重要职务。他的叛变，造成了重大损失。优秀的工人领袖汪寿华等，起先在利用帮会势力方面很有成效。但未料到流氓成性的帮会头目一旦反目，遂被残酷杀害。

民国以后，帮会势力的政治卷入，或者说政界势力与帮会的合流，成为帮会现象的一个新特点。其最突出者为上海的青帮势力。更早的北洋军阀勿论，蒋介石、戴笠、韩复榘等政界要人都有浓厚的青帮背景。青帮大亨黄金荣、杜月笙、张啸林等都领国民党政府的少将军衔。黄金荣是国民政府参议，杜月笙兼任官商企业和商办企业的董事长、理事长等职务达160多个，声称他一生的事业，奠基于反共之上。张啸林则在抗日战争初期“八一三事变”之后与土肥原等勾结，成为汉奸。他组织“新亚和平促进会”，为日军收购、运销战略物资，乃至被日军内定为伪浙江省长（谋划未成张已被军统暗杀）。在大革命时期、抗日战争、解放战争期间，帮会势力都是一股活跃的暗流，他们往往两头吃，只要对自己有好处（包括名誉上的好处），给谁卖力气都行。从主导倾向上说，此时的青红帮都已经堕落成流氓黑势力，乃至国民党特务外围，使群众望而生畏、谈虎色变。

其他地方的帮会与政界合流也很明显。例如袍哥（洪门支系）势力盛行的四川，军阀头目杨森、刘文辉、王陵基等都是袍哥头目。

在这当中，也有一些帮会界的有识之士主张以新的面貌改造帮会，提出“协同共济、振作精神”、“从兹为善、共守法律”等口号[16]，但无法改变这一趋势。

至于解放前一些正直劳动群众和各界人士出于寻求保护目的加入帮会，当然要与帮会中的邪恶势力区分开来。据说川西一些地区农民70%是参加袍哥的[17]。在旧上海，许多著名演艺人员也都入了帮会（有的只是形式上认个师父、联络一下感情），以求人身和演艺生涯的安定。

日本的情形，与此有很多相同之处。日本的右翼，如果也作一帮会势力看待，则它是有极鲜明政治倾向的。虽然没有一个一以贯之的明确政治纲领，但总是站在反动、倒退势力的一侧，抵制历史潮流。亚库扎，无论博徒系还是的屋系，起先并无鲜明政治倾向。自上世纪末起，出现了亚库扎与右翼合流的倾向，以黑道巨星头山满为代表。战后，头山满的门徒儿玉誉士夫把头山的事业推向又一高潮，使黑道——帮会势力与政界变得密不可分。关于这方面比较详细的论述，笔者曾另撰专文，此处不赘。[18]但与中国情况不同的是，无论右翼还是亚库扎——暴力团，从正常的历史发展角度考察（摒弃一些民间传说和部分关系人的偏见），似乎很难发现它们有过什么积极的作用。或曰亚库扎历来曾辅助警方维持一些地方秩序。但这是就既成的现实而言的。设若根本没有这股消极势力，日本警方是否少了这份“辅助”就无法运作？

五　结　语

以上我们主要从内部（自身特性）角度，对中日帮会作了一些初步的比较研究。实际上，帮会问题研究是一个广泛的领域。例如，还可以从外部特征，即它与社会各方面的交互作用角度来作这种研究，从而勾勒一个更加完备的帮会生态图景。此外，本文的主要部分的讨论，采用了撷取典型以充模特的方法，这当然也只是全面探究本问题的第一步。

注释：

①蔡少卿先生定义“秘密社会”为“一种从事特殊的宗教、社会或政治活动的、具有秘密宗旨和礼仪的、抗衡于政府的秘密团体”。见蔡少卿著：《中国近代会党史研究》。此处引文转引自胡训珉、贺建：《上海帮会简史》，1991 年上海人民出版社第1 版第1 页。按蔡所称会党即指帮会，故上引定义实为蔡之帮会定义。

②青帮早期称清帮或安清帮，红帮早期称洪帮、洪门。本文中，谈及早期历史时用清帮、洪帮或洪门，涉及近代时作青、红帮。

③犯罪团伙指“有核心成员或骨干分子，但无固定成员，组织松散的共同犯罪形式。尽管有可能多次作案，但实施具体犯罪的成员往往是临时纠合而成的，犯罪目的一经达到，即自行解散。”犯罪集团是“以实施犯罪行为逃避制裁为目的组成的非法社会群体”。黑社会组织是“以违法犯罪为业，严重危害社会，为国家法律所禁的社会组织。”黑社会似可视为规模宏大的犯罪集团。又在法学中，主要应用“犯罪集团”术语，其含义比较明确。以上引号内文字均引自《中国百科大词典》有关条目。

④亚库扎在日语中的汉字写法是“八九三”，原指赌博中的一种失利点数，后来转为对“无用废物”、“不逞之徒”的代称。

⑤日本的贱民等级至今是一个社会问题。明治四年（1871）虽把这些人编入平民籍而称“新平民”，但事实上差别并未消除。昭和四十四年（1969）通过“同和对策事业特别措置法”，把部落问题改称“同和”问题，但差别歧视仍然存在。目前日本政府正从多方努力解决这一问题，并有多种推进部落解放的全国性组织。

⑥余干生：《战后日本暴力团的若干新动向》，载《日本问题资料》，1993 年第7 期，第24—30 页。

⑦D·卡普兰等:《亚库扎》,松井道男日译,第三书馆,东京,1991年版,第27、194页。本文注释所举该书页次,均指日译本页次。

⑧范春三等著:《旧中国三教九流揭秘》,中国社会出版社,1997年第一版,第83页。

⑨张俊德:《关于清帮摆香堂详情》,载《近代中国帮会内幕》,群众出版社,1992年北京第一版,上册,626—628页。

⑩山平重树监修:《亚库扎大辞典》,周刊大众编辑部编著,双叶社发行,东京,1992年版,第13页。

⑪D·卡普兰等:《亚库扎》,第三书馆,东京,1991年版,第135、136页。

⑫同上书,第33页。

⑬易水寒著:《中国江湖揭秘》社会科学文献出版社,1993年6月,北京,第一版,第183页。

⑭山平重树监修:《亚库扎大辞典》,第310—317页。

⑮据传洪门成立之初,有顾炎武、王夫之、傅青主等知识分子介入。但他们并未成为该组织的主导力量。另在当时的历史条件下,也很难发展成为现代式政党的组织。例如晚明的知识分子政治集团东林党,也不能认为就是政党型组织。

⑯范春三等:《旧中国三教九流揭秘》,第98页。

⑰同上书,第391页。

⑱余干生:《战后日本暴力团及其对政治的干预》,载《世界历史》1993年第6期,第44—52页。《战后日本暴力团的若干新动向》,载《日本问题资料》,1993年第7期,第24—30页。

京剧音乐与日本歌舞伎音乐形成史的比较研究

徐元勇

京剧音乐是京剧艺术的根本基础。京剧音乐的唱腔、念白、曲牌、打击乐等四大部分，融入贯穿于京剧艺术的全部过程之中。其中，京剧唱腔更是居于十分重要的位置。以台上演员自唱自演表现剧情内容的艺术形式，不仅是中国戏曲艺术的一大特征，也是京剧艺术的主要特征。演员的“唱”是京剧艺术极为重要的表现手段。

我们完全可以这样认为：京剧艺术走向成熟与完善的过程，也就是各种京剧声腔艺术逐渐成熟、定型的过程。台上“唱戏”与台下“听戏”形成了京剧艺术演员与观众交流的中心。“唱戏”和“听戏”成了“赏戏”的根本。中国人对于戏曲声腔的审美意识，构筑了中国戏曲艺术这种最根本的艺术特征，而且，这与我国戏曲历史的发展情况也相吻合。中国戏曲自成熟期始，各种地方戏大多都以“腔”、“调”命名就是一个佐证。并且，我国很早就有了诸如：“凡歌一句，声韵一声平，一声背，一声腔。声要圆熟，腔要彻满”①、“字情为一绝，腔纯为二绝，板正为三绝”②、“口唱而心不唱，口中有曲而面上、身上无曲，此所谓无情之曲，与蒙童背书，同一勉强而非自然者也”③等一系列有关声腔审美意识、运腔艺术技巧的理论著述，具有一套中国特有的氍毹声腔理论以及美学思想。使中国戏曲“唱”的艺术风格特征，在这些理论思想的指导下，发展的更加丰富、完善，更具有十分浓郁的中国韵味和神情。

日本歌舞伎艺术是一个“做”与“观”的艺术形式。把京剧艺术的“唱戏”、“听戏”观念，与日本欣赏其歌舞伎的“做戏”、“观戏”意识相比较，我们就能够更加清楚地认识到“声腔艺术”在京剧艺术中的作用意义，认识到它的特殊性，能够更加清楚地把握京剧艺术及其音乐的风格特征。

日本歌舞伎成为今天这种以“做戏”为主的风貌特征，与京剧成为以“唱腔”“唱”为中心的戏曲形式，跟它们各自特殊的孕育形成过程有着直接的关系，有其各自特殊的历史原因。我们知道：“人们自己创造自己的历史，但他们并不是随心所欲地创造，并不是在他们自己选定的条件下创造，而是在直接碰到的、既定的、从过去承继下来的条件下创造。”④对中日这两种戏曲形式形成的历史做一番比较考察后也许我们能够找到一些发展的规律。

一

首先，我们应该明确地提出对京剧形成历史的时代划分问题。这里，试将京剧的形成发展史划分为孕育、确立、成熟三个时期。三个历史时期划分的依据，主要是以唱腔音乐的发展为线索，以唱腔的合流为标准。当然，各个时期的主要名家表演艺术、广为人知的名段、名剧也是要紧的内容。各行当的发展、职业琴师的出现和戏曲音乐的成熟与完善等等都不容忽视。

1. 孕育期（明末清初——清末）

我们知道京剧是一个全国性的剧种，它流布于全中国。其中重要原因在于京剧的许多声腔本来就源于中国南北各地，京剧的唱腔本来就以全国许多声腔为基础，京剧的唱腔是对这些地方声腔艺术的杰出发展。所以，认识京剧的孕育期，应该从全国范围声腔艺术发展的角度出发来考察，也就是说，京剧中的各个声腔艺术，即唱腔与伴奏音乐，在各个地方的发展情况，特别是相互吸收、融合的发展过程，即为京剧艺术及音乐的孕育阶段。

而在这期间，值得一提的是，湖北汉调演员余三胜等人进京入徽班，把楚调（即湖北西皮调）又带进了北京，促成了徽调与汉调的合流，形成了后来京剧艺术主要的皮黄唱腔体系。皮、黄两腔的合流，不仅在适应社会审美意识和在内容表现的需要方面，成为一件自然而然的事，而且，也符合音乐艺术自身的发展规律。这两个阳刚与阴柔、明快与悠扬、高昂与婉转互衬互补、相得益彰的唱腔艺术的合流，为京剧艺术的确立奠定了坚实的基础。

北京的声腔艺术快速、高水准的发展，并拥有程长庚等“前三杰”，以及后来“后三杰”、“梨园三杰”、“四大名旦”等一大批对京剧艺术形式确立、发展做出过卓越贡献的演员；有对唱腔音乐进行充分改造的京剧艺术家；拥有大量被修改和创作的优秀剧目；拥有众多能够欣赏京剧艺术的广大民众。特别是，徽汉二黄各调在北京城的发展，以及，徽汉二黄调演员名流在北京城的辈出，最终形成了京剧诞生于北京的概念。

2．确立期（清末——民初）

我们应该从全国范围的角度来认识京剧艺术的确立这个问题。由于有了前一段时期，全国范围内各种声腔艺术的孕育准备和在北京地区集中的发展，京剧中的主要唱腔在各地的合流、融合，形成了一些共同的、具有可称之为京剧艺术独特特征的戏曲艺术新的形式和艺术表现手段。特别是这一时期音乐唱腔“反西皮”板式的创立、徽戏中“高拨子腔”与京剧唱腔的合流、京剧艺术程式性的艺术特征逐渐在这一时期的确立、伴奏音乐板式的完善与丰富，乐器运用的多样化等，都标志着京剧艺术的逐渐确立。

这一时期，各种唱腔艺术或地方戏剧种中优秀的艺术表现手段，融入京剧艺术之中，成为具有京剧艺术特征的表现手段，并通过京剧艺术大师们在众多的京剧剧目中表现出来，并得到人们的认可，得到历史的认可，作为一种特有的、新的艺术形式得到确立。

谭鑫培当然是京剧艺术确立时期的一位重要人物，他是一位承上启下的京剧艺术大师，他为京剧艺术的确立，做出了不可磨灭的贡献。他把从恩师程长庚、余三胜那里学到的不同唱腔的优点糅和在一起，摄取昆腔等其他声腔艺术，甚至京韵大鼓等其他艺术形式的精华，将其熔为一炉，创立了悠扬婉转、平稳自然的老生艺术唱腔。其行腔特点是“以声带情、声情并茂”，依据剧情和不同的人物感情设计唱腔，并已经注意到唱腔音乐与唱词的结合问题。当然，更重要的是谭鑫培对京剧艺术作了制度上的约束和艺术上的规范，而其中的一些约束和规范至今仍然为我们所遵守。除谭鑫培、汪桂芬、孙菊仙等人的京剧老生艺术有卓越表现外，陈德霖、王瑶卿以及“四大名旦”早期的优秀表现，对京剧旦角这一行当艺术发展的卓越贡献，应该说为京剧艺术的完全确立，提供了又一坚实的保证。当然，重要的是这一时期，唱腔艺术得到了完全的确立。这一时期，不仅皮黄声腔体系的完全确立和诸多声腔艺术作为京剧艺术唱腔，逐渐被认可，而且，它们在板式上也有了进一步的革新，出现了很多的板式变化和新的音乐创作手法。从某种意义上讲，京剧艺术的完全确立是建立在音乐高度发达的基础上。这一时期，无论是生行唱腔或旦角唱腔，无论是唱腔音乐或是伴奏音乐，都达到了一定的高度。

3. 成熟期（民国年间——中华人民共和国时期）

有人说，京剧是呈波浪形发展的，甚至认为京剧艺术在其发展的历史过程中，在确立、成熟后，也有不成熟的时候，并把这些不成熟看成京剧在一定时期的倒退，把京剧在某一历史时期演出不景气的现象，混淆为京剧艺术本身发展的问题。其实，一种艺术形式一旦确立，都是在或快或慢地发展着，或因没能随着时代的步伐前进，或因有其历史的其他原因等诸多因素，在一个时期内暂时处于发展的低潮期。但是，京剧中那些已经确立形成的各种艺术形式和表现手段，即使因种种原因，在某一时期不是那么兴盛，但也不可能把已拥有的艺术表现手段丢掉。京剧艺术自清末民初确立后，的确是经历了几起几伏的磨砺。毫无疑问，谭鑫培等老生艺术行当的建立和巨大成就，与梅兰芳对旦角艺术的改革、丰富和辉煌的发展，是京剧艺术的繁荣时期，在这一时期中，各个行当的表演艺术在其影响、带动下，得到了很大的发展；各行当的唱腔以及音乐伴奏也得到了发展。当然，在京剧艺术发展的历史中，的确也有过处于低潮的时期，有过徘徊不前、不景气的状态。这些情况过去有、今天仍然存在。

通过前一个时期谭鑫培、陈德霖、王瑶卿等许多京剧艺术家们对京剧艺术发展的艰辛努力，京剧艺术得到了完全的确立。在这一时期又出现了梅兰芳、程砚秋、荀慧生、尚小云、周信芳、徐兰沅等各行当的名优和琴师、鼓师，他们为京剧艺术进一步的、全面的发展并走向成熟，作出了具有历史意义的贡献。梅兰芳、程砚秋等人把京剧艺术带出国门，向世界传播了中国的京剧艺术，传播了中华民族文化。京剧艺术不仅为我国民众所热爱与欣赏，而且，也逐渐为世界所熟悉。卓别林、斯坦尼斯拉夫斯基、梅耶荷德、布莱希特等世界艺术大师，都十分欣赏和了解中国的京剧艺术，特别推崇梅兰芳等人的艺术成就。

关于京剧艺术的历史发展情况，最后还必须提到的就是现代京剧艺术。现代京剧艺术，包括所谓的京剧“样板戏”等，无论是剧目内容、舞台美术、灯光道具，还是唱腔设计等，都有许多值得称道的东西。在今天的“现代京剧艺术”中，毕竟利用了现代化的条件，运用了现代化的手法，总会带来一些清新的“空气”，注入一些新鲜的活力。事实上也是如此，“现代京剧艺术”在音乐曲调与唱词的紧密结合，词曲和谐、统一、完整地表现内容方面，就都是以前京剧艺术所不及的。当然，也还有许多在京剧艺术发展中，值得借鉴与发扬的东西。特别是在音乐的创作方面，更有许多成功的经验，值得我们去继续探讨与实践。

二、

日本歌舞伎及其音乐的形成与发展历史，就好比一部完整的中国戏曲发展史的缩影，与中国戏曲在形成发展过程中所涉及到的许多关键性问题，都有相当程度的可比性，而这种比较研究又极有意义。

为了我们能够较全面清楚地了解日本歌舞伎艺术的发展历史，有利于深刻认识日本这门综合艺术，在此，我们姑且也把其发展历史大概划分为孕育、确立、成熟与发展几个时期。但是，歌舞伎与京剧在形成发展过程中的内容却有所不同。歌舞伎孕育期的主要内容与我国戏曲发展史中的歌舞内容大相径庭，更不像京剧是以各个唱腔艺术合流、嬗变的历史为主。日本歌舞伎艺术的发展史，是循着从歌舞到科白、从简单到复杂、从一幕剧到多幕剧、从单一剧目到丰富多彩剧目的发展历程；是在表演艺术、音乐艺术、舞合艺术等各个行当得到高度成熟发展基础上，逐渐形成与完善的。

1．孕育期（江户幕府初期——元禄年间）

日本歌舞伎不像京剧那样，承继了传统的声腔艺术，而是如中国早期的戏曲形式，始自于不能“以歌舞演故事”的歌舞。不过，日本歌舞伎起始的歌舞，是以新奇的舞姿，艳丽的服装，奇异的装束，在近乎商业性的场所中表演的。与中国戏曲早期的巫觋等歌舞不同的是，日本歌舞伎孕育期的这种巫人舞，已经脱离了祭祀礼仪的原始形式和内容，而是更加直接地表现现实生活，更加贴近现实生活，并以其成熟的文化背景为依托。如“能乐”、“净琉璃”等当时日臻完善的各种文化艺术对歌舞伎有巨大影响。而且，这些舞也只是有巫女的表演没有觋男。所以，在歌舞伎的历史中，把这一时期称之为“女歌舞伎时代”。歌舞伎早期的音乐，就是为伴奏这些“小歌舞蹈”的“小歌歌谣”，是当时流行的民间歌谣音乐，以及在一定程度上已经被艺术化了的前一历史时期的民间歌谣音乐。音乐的表现形式主要是歌伴舞。“能乐”的唻子音乐也是歌舞伎的早期音乐。歌舞伎早期的乐队伴奏，直接搬用了“能乐”中被称之为“白拍子”的乐队，其主要使用的乐器有：笛子、小鼓、大鼓、大太鼓等。这些“能乐”的唻子音乐和歌谣，正是歌舞伎音乐之嚆矢。我们从这里也可以看到，歌舞伎艺术自一起始，就对日本传统戏曲艺术，以及其他文化艺术，有了广泛的借鉴、吸收与继承。“能乐”对歌舞伎的影响是全面的、广泛的，不仅是在音乐方面，而且从舞台样式设置、角色安排、剧目内容到艺术指导思想和审美观念等诸多方面，都有或直接的原样搬用，或依据歌舞伎艺术特点的借鉴运用。再者“净琉璃”艺术给予歌舞伎艺术发展的影响，更是直接和紧密的，同时也是相互促进、共同发展的。

这一时期歌舞伎音乐的实际情况究竟是什么样子的，今天，已不甚明了。但是，从日本歌谣史上惟一的一部文献《闲吟集》中，从新泻县“绫子舞”中，还能够寻觅和体验到某些歌舞伎早期音乐的遗音和其舞的风姿。

无论怎样，这一时期的歌舞伎表演，只是歌与舞的结合，是歌伴舞的表演，还没有“戏”的出现，音乐也较为简单。就是在“女歌舞伎”于1629年被禁，继之发展起来的“若众歌舞伎”中，也仍然是以舞为主、配之以歌的表演形式。再至后来的1652年，“若众歌舞伎”也遭禁，在继此之后发展起来的“野郎歌舞伎”的表演中，才开始有了“做、念、唱”的艺术形式。出现了一些可依的简单演出脚本。结束了歌舞伎的舞蹈阶段，逐步进入“歌舞伎剧”的时代，同时，也为“元禄歌舞伎”时代科白剧的辉煌发展奠定了基础。不过，虽然“女歌舞伎时代”、“若众、野郎歌舞伎时代”的歌舞伎表演，基本上是以舞蹈为主，还未能发展成为一门成熟的戏曲艺术，但是，其音乐在民间音乐的滋润下，在其他艺术的影响和促进下所得到的发展，却是不能忽视的。特别是三味线乐器在歌舞伎音乐中的运用，更是值得大书一笔。虽然，三味线这件乐器，并不是歌舞伎音乐最早使用的乐器，但是，在歌舞伎舞蹈兴起后不久的阶段里，即女歌舞伎时代就开始运用上了这种新型的外来乐器，并很快成为歌舞伎音乐伴奏的主奏乐器，这也体现了歌舞伎以奇制胜的发展艺术趣味。三味线无论是在早期歌舞伎舞蹈的音乐伴奏中，或者是在后来科白剧的“歌舞伎剧”的时代里以及今天歌舞伎音乐的伴奏中，都是一件十分重要的乐器，是歌舞伎音乐伴奏中的一件必不可少的乐器，具有不可替代的作用。它的伴奏音乐风格和韵味，也可以被认为是歌舞伎音乐的风格和韵味，甚至有时可以被认定为歌舞伎音乐特有的风格特征。它完全可以与我国京剧中京胡的重要作用和地位相媲美，就如像我们不能想象在京剧演唱中没有了京胡一样，在日本歌舞伎演出中的音乐伴奏，也绝难离开三味线。而且，三味线在日本传统音乐中的运用，远比京胡的运用范围要广，所起的作用也更大。不仅歌舞伎中的各种音乐伴奏流派，如义太夫、常盘津、清元、长呗等，均是以三味线为主奏乐器。甚至，“黑御帘”中的音乐，也经常少不了三味线的加入。日本民众喜爱三味线音乐，喜爱这件既有弦乐器般风格的抒情性，又具打击乐手段表现力的乐器。虽然，这件从中国经由琉球传入日本的乐器，比同样从中国传入日本的筝、尺八、琵琶等乐器都要晚好几百年，但它却是一件发展最快、最完善、最受民众欢迎的乐器，而且，比之前几种乐器的运用范围更宽、更广。同时，它也是随着江户时代，包括歌舞伎在内的日本传统文化发展起来的一种音乐形式。有人甚至认为，所谓江户时代的音乐，主要就是指的三味线音乐，日本现代所指的“邦乐”，有七成以上是这个时代的音乐。所以，狭义的“邦乐”或日本传统音乐，就是指近世的江户音乐，即以三味线为主体的音乐。三味线音乐积淀、浸润了日本传统文化的审美情趣，以及日本民族的艺术风情。它不仅是认识了解歌舞伎音乐风格韵味的途径，而且，更是研究、理解日本整个传统音乐文化审美意识和思想的基点。不过，在歌舞伎的早期阶段，三味线音乐还未完全成熟。但是，到了“元禄歌舞伎”时代，情况就发生了根本性的变化。

2. 确立期（元禄年间——明治前后）

在元禄（1688—1703）初期至享保（1716—1735）年间的近50年时间里，歌舞伎艺术由于受到这一历史时期政治、经济、社会发展的巨大影响，无论是在文学剧本、艺术表现内容、表演形式，以及伴奏音乐曲调等诸方面，都得到了长足的发展。在城市经济发展的时代中，像歌舞伎这样的市民文化，理所当然地就得到了前所未有的发展。歌舞伎是市民文化发展的典型代表，是日本民族独特的民众文化。它既继承、发扬了被称为“贵族文化”的“能乐”、被称为“武士文化”的“净琉璃”等日本传统文化艺术中优秀的部分，而且，更加结合现实生活，创造出了讴歌现实生活和时代，具有日本民族独特韵味的民众文化艺术形式。由人民大众自己创造出了表达自我心声和艺术趣味的艺术种类，“百姓町人——市民，随着在经济、社会方面势力的成长，同时成了创造和普及文化的主力”。⑤町人创造的文艺、艺能、美术等，是这个被称为“日本元禄文化”的主要内容。有人认为：“和这些市民的舞台艺术、音乐相比较，作为武士社会的礼仪艺术，即作为‘式乐’的谣曲、能乐，都只是保持了旧有的传统，没有任何新的发展。”⑥

其实，是由于这一时期庶民町人文化发展得太快，无论是形式和内容都太丰富多彩，太灿烂耀眼，不仅遮挡了原有传统文化的发展，甚至遮掩了其对传统文化继承的痕迹。当然，官方所扶持的“能乐”等传统艺术，的确离民众也是越来越远了。这个境况与我国清廷对“雅部昆曲”等的扶持，并没有使之兴盛，而是处于岌岌可危的状态之中的情况很相似。得到全面发展的是接近于民众、接近于现实生活的民间艺术文化。

现行歌舞伎艺术，包括音乐艺术在内的许多基础性的艺术特征和风格、许多艺术上的基本结构，几乎都是在这一历史时期形成、建立起来的。而科白剧的发展则是这一时期最突出的成就，是歌舞伎艺术由以舞蹈为主，配以音乐、伴唱，或表演一些滑稽、幽默戏的时代，开始步入以科白和表演为主的新的艺术表现形式阶段，加强了故事性、艺术性的表现手段。而且，重要的是这一时期的社会文学，也为歌舞伎艺术的发展提供了充分条件。大批具有高文化修养的文人加入到了戏曲艺术的创作领域，出现了专业的剧本文学创作者。这就大大促进了日本戏曲艺术的发展，促进了歌舞伎艺术的成熟与完善。这一情况，与我国戏曲艺术发展史上，由于有了像关汉卿、王实甫、白朴等具有高文化修养文人的参与，有了他们所创作的大批优秀的剧本，才使中国戏曲在这一时期的科白剧得以逐渐成熟发展的情况一样。日本在这一时期也出现了一些伟大的剧作家，比如，第一位由歌舞伎演员兼剧本作者并成为专业剧本作者的人物富永平兵卫；至今已传承几世的津打治兵卫；发明了旋转的歌舞伎舞台、舞台升降机、创作约有90部戏曲作品的并木正三；被日本国人尊称为日本莎士比亚的近松门左卫门；江户演剧的最后集大成者、歌舞伎艺术确立与成熟期的交替人物河竹默阿弥等。他们不仅创作了大量的、具有歌舞伎艺术特征的、内容丰富多彩的歌舞伎剧目，而且，为歌舞伎艺术的整体发展，也做出了杰出的贡献。

再者，标志着歌舞伎艺术确立的另一重要因素，是这一时期出现了许多优秀的演员，同时演员角色的分类也已经趋于细致和完善。擅长饰演“和事”（爱情戏）的坂田藤十郎，活跃于京都、大阪，即所谓的“上方”地区，他在近松门左卫门的大力帮助下，创立和发展了抒情风格的歌舞伎艺术，发展了上方歌舞伎音乐，为元禄歌舞伎艺术的确立做出了积极的贡献。而历经九世的市川团十郎歌舞伎表演家族，也正是起始、创立于这一个时期的，初世市川团十郎创立的“荒事”（武侠戏）歌舞伎艺术，是江户歌舞伎艺术的一大特色。特别是通过二世、四世、五世、七世、九世等的代代努力，成为歌舞伎艺术表演的主力。集历代辛勤劳动逐渐形成的“歌舞伎十八番”和“新歌舞伎十八番”等的众多剧目，是市川团十郎家族的看家剧目。而且，其中的一些剧目，至今仍然是歌舞伎上演的主要剧目。

3. 幕末的成熟期与明治前后的发展期

日本歌舞伎艺术及音乐的成熟与发展时期的情况，与我国自京剧艺术完全确立之后的发展情况有很多相似之处，特别是从明治末期开始的日本新歌舞伎，和二战后的歌舞伎艺术复兴的许多革新意识和创作思想，与我国力图对京剧艺术实施改革的思想意识和做法，有很多相同的地方。例如，中、日传统音乐艺术由于均先后受到西洋音乐的影响，无论是我国的现代京剧音乐创作，或是日本歌舞伎音乐，在作曲手段上都运用了现代的作曲手段。并根据西洋音乐的理论以及审美观念尝试乐器配置的改革。但是，同时又是在极其胆战心惊的情况下偷食禁果。

歌舞伎艺术通过元禄、宝历各个时期的发展，至幕府末期和明治维新前，所谓的古典歌舞伎已经完全定型和确立。歌舞伎艺术成功地借鉴了净琉璃艺术发展的成果，并丰富完善了“丸本歌舞伎”艺术。关于“丸本歌舞伎”艺术的发展情况，有人认为是在歌舞伎发展盛期之后。其实，无论是“古净琉璃艺术”，或是常盘津节、清元节和义太夫等，都一直伴随着歌舞伎艺术的发展。只是这一时期由于像近松门左卫门等剧作家，积极与净琉璃演员合作，创作和演出了十分具有现实意义、有影响和众多的剧目。同时，正因为净琉璃艺术与歌舞伎艺术的发展是相辅相成的，所以，这些剧目很快便移植成歌舞伎剧目，并也逐渐成为歌舞伎剧目的经典。也由于这一原由，研究歌舞伎音乐就必须研究常盘津节、清元节等净琉璃艺术的音乐。

1868年的明治维新运动，带来了日本政治、经济和社会发展的勃勃生机，文化意识和审美观念有了很大的变化。戏剧界也掀起了“演剧改良运动”，对类似于目前我国正在探讨的关于京剧艺术表演、创作、审美、乃至价值等诸多问题，也都进行了广泛的探索和艺术实践。在日本歌舞伎发展的历史中，歌舞伎艺术有过灿烂辉煌的时代，同时也有过徘徊不前的隐没时期，每一个时代都有其不同的客观历史条件，有其不同的特殊性，日本新歌舞伎艺术所表现出来的问题，与京剧艺术发展的新问题都是随着时代的发展逐一得到解决的，当然，也有一些问题至今仍然存在。从明治四十年前后兴起的“演剧改良运动”，使许多歌舞伎圈外的人，开始注目于歌舞伎艺术的发展，一些戏剧文学家开始介入到歌舞伎剧本的创作中来，歌舞伎剧场里也上演了不少“部外”作者依据歌舞伎的艺术特征和手法创作的被称为“新歌舞伎”的剧目，其中也不乏一些优秀之作，并得到民众的认可和传之后世。以明治时期坪内消遥为首的新历史剧，在音乐创作上西洋作曲技法的运用和民族音乐的结合，开创了歌舞伎音乐艺术的新天地。为歌舞伎艺术的发展注入了新鲜的血液与生机。大正时代以后的真山青果、岗本绮堂等创作的剧目，如《鸟边山心中》、《番町皿屋敷》、《修禅寺物语》等，也是属于“新歌舞伎”的剧目。昭和年间也创作了许多“新歌舞伎”作品。还与我国戏剧界合作，使用我国剧作家写作的剧本，运用我国的一些戏剧创作手法创作了具有新意的歌舞伎作品，这也是日本歌舞伎革新的一些尝试。

三

在前文中，对京剧艺术和日本歌舞伎艺术及其音乐形成的历史和不同发展情况，已经做了较多的分述和浅显的比较。而且，如果我们只要再注意地加以比较，也不难找到它们之间更多的相同和各具风采之处。所以，在论文中采用集中分述之后，而未进一步做现象的比较。因为这样的比较虽然是有益和必要的，但是，却很不够，我们不能只是爬上两个屋顶观其景色，看看两栋大厦的表面装饰，比较一下有哪些异同，更重要的是我们要清楚它们内部的构造，要了解高楼大厦是怎样建造起来的。对于日本这样一个与我国文化相比较具有似是而非特点的文化而言，识别、辨认其文化的性质就显得尤为重要。我们需要进一步了解这两个剧种艺术，在其形成的过程中，在受到各自不同历史文化制约的情况下，是怎样丰富、甚至影响各自文化的发展的。事实证明，两个剧种对两国近现代文化的影响是明显和深远的。特别是日本歌舞伎音乐与日本传统音乐的关系更是极为紧密，而且，日本的这种戏曲音乐与其他传统音乐的紧密关系也是世界所少有的。虽然我国的戏曲音乐与民歌、民间歌舞和说唱音乐等也有着千丝万缕的联系，甚至，一些戏剧剧种正是在此基础上发展起来的，但是，却不如日本戏曲音乐那样对其他音乐艺术具有决定性意义的影响。“长呗”、“常盘津”、“清元”等歌舞伎音乐伴奏形式，既是歌舞伎音乐伴奏的主体，同时，又是随歌舞伎艺术的繁荣而发展起来的。如果不了解日本歌舞伎音乐，不理解日本戏曲音乐，要做到对日本传统音乐或是对近现代发展起来的日本西洋音乐的明确了解，都是不可能的。或者说，了解日本戏曲音乐和日本歌舞伎音乐，对正确理解日本传统音乐，认识日本现代音乐家的作品，是十分有益的。京剧艺术与日本歌舞伎及其音乐的发展形成史，脱离不了两个民族文化历史的整体发展，特别是离不开社会大环境和整个民族文化思想意识的根基。例如在整个东方文化中占有重要地位的儒、佛、道等文化思想意识，对包括京剧和日本歌舞伎在内的东方戏剧、戏曲艺术的影响是极其大的。因此，我们在对这些戏剧戏曲文化进行了解或研究时，理应对这些文化思想有所了解和认识。特别是儒家文化思想意识给予戏剧艺术发展的影响，更是不容忽视的。儒家思想完全渗透在中、日社会生活的各个领域，深深地积淀于两国文化之中，积淀于民族意识和文化心理结构之中。

儒家思想对我国古代社会影响的广泛性、持久性和深刻性，是其他任何一个思想流派都无法比拟的。戏曲是封建社会后期培育出来的综合性艺术。儒家思想对其的浸染也是不可避免的。无论是戏曲的思想内容，或艺术表现形式等各个方面，都与儒家思想有着千丝万缕的联系和有诸多的反映。京剧艺术受儒家思想影响之深也自然是不言而喻的。从大量推崇和极力宣扬忠、孝、节、义等儒家伦理道德观念的剧目内容来看，就能很清楚地了解到这一点。无论是“三国”戏中的刘、关、张“桃园结义”；“岳家军”中的“精忠报国”；或是“杨家将”以及“包公戏”等无不表现着“忠君报国”这一主题思想，贯穿着儒家的伦理道德观念。受儒家文化思想教育与熏陶成长起来的剧作家、演员，他们在戏曲的表现中自然地贯彻着“乐以载道”的思想。所以，我们无论是了解或是研究京剧艺术，都应重视这一问题。而且，我们必须从正反两个方面来认识这一问题。儒家思想作为中国文化的思想基石，既具有不可随意否定的价值，但同时又不可低估它给现代文化发展所带来的阻碍作用。其正反两方面的作用和影响是明显和隐蔽的。它给予包括京剧艺术在内的中国戏曲艺术发展的影响，是巨大的，是无所不在的。人们在接纳戏曲艺术的同时，也就自然而然地接受了其思想和审美观念。正如今天的每一个中国人，肯定都不会承认自己是什么孔孟之徒，然而，思忖一下自己的言行准则，看一看社会周围人们的行为规范，又有多少不是受孔孟思想所支配，又有多少没有遵循诸如“中庸之道”之观念？只是我们没有正视这一点罢了。对于包括儒家文化思想在内的每一种文化和思想的认识，既不要盲目地崇拜和陶醉其中，又不能狂妄地无端否定和无认识地批判。其目的不是对儒家思想和老祖宗的文化传统进行反攻倒算，而是要更好地继承和发展我们中华文化的精粹。

中华儒学不仅是中华民族文化的重要组成部分，而且，从世界文化发展历史的角度看来，也曾经极大地影响、甚至规范了包括日本、朝鲜等国在内的东方文化思想的内涵及其发展进程，成为这些国家文化中不可摈弃、割裂的文化组成部分。“孔教的经典著作、五常原则、重视历史以及孔教体系中的其他许多特征，都是在六世纪到九世纪之间随着中国影响的第一次大高潮进入日本”，“孔教哲学成了主导思想，其处世态度也在社会上流行起来，一直到十九世纪初叶，日本人几乎像中国或朝鲜人那样，成了彻头彻尾的孔教徒”。⑦儒家的“礼乐”等音乐思想也早已传入日本。“由于这种思想的传入，我国逐步排斥激烈的、富有技巧性的、变化复杂的音乐，而逐渐爱好平稳、沉静和没有激烈变化的音乐”。⑧歌舞伎艺术，虽然不似“能乐”等日本所谓的正统文化那样，受儒家思想影响直接与深刻，但是，歌舞伎艺术正是在日本大力提倡儒学的德川幕府时期发展确立起来的，其受儒家思想之影响也可以说是无所不在。且不说在音乐艺术等较深层次方面受其影响，仅剧目中所表现的内容受儒家文化思想、伦理道德等影响的表面现象，就比比皆是。江户儒臣新井白石（1657—1725）不仅是程朱理学的鼓吹者，同时，对中国文化也有广泛的了解，对中国的戏曲艺术更有广博的研究，有人认为他所撰写的《俳优考》，是日本江户时期有关中国戏曲研究和日、中戏曲交流之滥觞。他在此书中明确地提出了元杂剧给予日本猿乐、田乐的影响。这种影响当然会延续到歌舞伎中。与京剧剧目一样，在日本歌舞伎的“脚本中，儒教道德的‘劝善惩恶’思想处处都有反映，到处都能见到忠臣义士、孝子节妇的美谈……”⑨。不仅许多剧目的主导思想是儒家的伦理道德观念，也有许多剧目直接运用了儒家的经典典故。当然，也有搬用中国“三国故事”、“水浒故事”的剧目。这也的确说明了中日两国文化的亲缘关系。但是，中日文化又确实是有根本区别的。虽然日本在文化的很多方面都承继了我国文化的形式，但是，其文化内涵已被改造。今天，在我们看来，日本许多的文化现象和思想意识与我国没什么两样，但是，实际上已经被日本人改造发展为“你中有我”、“我中有你”或“似你而实为我”的东西了。这是我们在学习和研究包括日本歌舞伎艺术在内的日本文化时需要特别注意的。比如，对儒家“乐而不淫”“哀而不伤”的艺术审美观念，日本人历来津津乐道。但是，仔细看看日本的文化风采，读读日本的文学著作，听听日本的音乐，就不难领会到与中国文化决然不同的一种文化，一种日本风情的文化，一种我们其实很不熟悉的文化。中国戏曲艺术在把握“哀而不伤”尺度中所形成的“苦乐相错的构成成分，女性为主的悲剧人物，先否后喜的悲剧结构，令人鼻酸的悲剧效果”等悲剧特点，和“乐而不淫”尺度下形成的“刺过讥失，论功颂德，时而谐诨，时而庄严，寓哭泣于歌笑”的喜剧特征，在包括歌舞伎在内的日本戏曲艺术中是很难对得上号的。相反，像“曾根崎情死”、“冥府邮差”、“天网岛情死”等爱恋妓女的“殉情剧”则很普遍。在这些剧中，对情欲的、甚至肉体的深刻露骨的描写，早已远远超过了“乐而不淫”的尺度。而那种都以双双殉情而亡的悲剧结局，则更不符合我国“大团圆”的喜剧认识观念，但是，与日本“武士道”精神却息息相通。而且，不仅在观念上有异，在很多剧情中，也只是假托、假借中国的文学题材和故事，甚至有的只是用其名字而已。如像“国姓爷大战”那种与我们所熟悉的郑成功的故事，根本不是一回事的歌舞伎剧目，是极为普遍的。有人说日本人的许多认识观念是自相矛盾的，其实不然，那正是日本式的思维方式，正是符合日本人的心理和性格特征的世界观。他们虔诚地学习、接受儒家文化及其思想，也衷心地遵循儒家的教条，但是，在行为上却是我行我素的表现。这也是中日文化迥异的主要原由之一。

从歌舞伎的“时代物”剧目中，可以见到许多描写“事主忠君”、“君君臣臣”的故事，见到许多好像在我国剧目中也有的那种戏剧文化现象，但是，一旦加以仔细分析和注意，就不难发现那不是中国儒家“忠君思想”的表现，而是“武士道”文化的精神实质。密切反映现实生活的“世话物”剧目中，主人公为追求色欲而毫无顾忌地杀人场面和暴露的色情场面，在中国的戏曲艺术作品中是很难见得到的。

京剧艺术与日本歌舞伎艺术都有几百年的历史，在各自不同的社会历史环境下，都有各自不同的兴衰经历。在今天看来，它们红火的时代也许会一去不复返了，也许会如有人所说的那样，这些艺术都将成为“博物馆艺术”。其实，那种在京剧艺术和日本歌舞伎艺术中同样存在的不景气问题，过去有过，今天也存在，但我们都没有必要刻意去究其表象。且不说历史的发展以及各门艺术的发展都有其各自的规律，更主要的是我们必须认识到在今天这个思想文化艺术和科学技术日新月异发展的时代里，文化门类是那么的多，艺术形式是那么的丰富，期望全民都像在过去那些文化贫乏的时代里，只是酷爱诸如京剧艺术或歌舞伎等单一的艺术形式，似乎既不切合实际也不可能，同时，也没有这个必要。而且，像类似于歌舞伎音乐伴奏的长呗和义太夫等晦涩的词句，如果不打印字幕或印制说明书，对一般日本人来说都难于理解；京剧绵绵的拖腔和“僵死的程式”⑩等问题，也无疑在传统和现代之间设置了一条鸿沟。更何况，对于传统文化的学习与继承，主要还是在于其精神，而不只是究其形式。依据各自的喜爱和兴趣，追求和欣赏本民族乃至世界其他民族五花八门的艺术形式，也许更为现实。当然，我们不能不了解自己民族乃至于世界民族的文化历史和传统，不能不认识传统文化的价值，以及诸多的思想文化意识。我们应该了解传统，懂得民族传统文化的来龙去脉。可以不欣赏诸如京剧、歌舞伎等所谓“国粹”、“国宝”之类的传统艺术，但是，我们要清楚它们的文化价值，了解、认识、甚至研究它们的艺术发展规律。也许只有这样才能把握住今天所谓“现代”的文化脉搏，接受“现代”文化的新鲜血液，也才能为京剧艺术的继承和发展作一点有益的事，才能为今天的文化有所贡献吧。

注释：

①艺术研究所编：《中国古典戏曲论著集成》第一卷，中国戏剧出版社1959年版。

②同上书，第四卷。

③同上书，第七卷。

④《马克思恩格斯选集》第一卷“路易·波拿巴的雾月十八日”，人民出版社1972年1月版，第603页。

⑤井上清：《日本历史》中册，天津人民出版社1976年版，第374页。

⑥同注⑤第378页。

⑦［美］赖肖尔著，孟胜德、刘文涛译：《日本人》，上海译文出版社1980年版，第462页。

⑧［日］星旭：《日本音乐的历史与鉴赏》，音乐之友社昭和六十年三月版，第15页。

⑨户板康二：《歌舞伎鉴赏入门》，创元社昭和四十一年版，第11页。

⑩程式美：本是京剧艺术的一大特征。但是，也是桎梏其发展的紧箍咒。

中国电影中的日本人形象

孙雪梅

提起日本人，我们并不陌生。即便不曾有过实际的接触，大都也在电影里见过。

作为一门综合的、视听的艺术，电影在世界上最早出现于1895年。本世纪50年代以来，它已发展成具有广泛影响的现代艺术和社会文化形象。中国电影自1905年诞生后，作品不断问世。以故事片·戏曲片①而论，截止到1990年，收于《中国电影大辞典》中的有影响、有代表性的影片为1559部。②其中，出现日本人形象、描绘中日关系或以此为背景而摄制的影片有159部，③占总片数的1/10。拍摄为数不少的此类影片，自有其深刻的历史根源与现实背景。众所周知，中日之间一海相隔，交往历史悠久；近代以来，尤其自本世纪三十年代始，日本对中国的侵略，给两国人民，特别是给中国人民带来了巨大的灾难和创伤。这段痛苦的历史难以忘记也不能忘记，自然，它也成了中国电影创作的一个重要题材。及至1972年，中日恢复了邦交正常化。随着中国的改革开放，来华经商与观光的日本人逐年增多，中国电影的描写题材因之更加广泛，上镜之日本人形象亦趋于多样化。那么，究竟中国电影是如何描绘中日关系的，其所塑造的日本人形象又是什么样的呢？下面，我们将通过对这类中国影片的回顾加以考察。

一 出现日本人形象的中国影片

经笔者多方搜集、查找，现将出现日本人形象的中国影片辑录如下。本目录以影片摄制年代的先后为序，计有354部。片名相同，内容亦相同，因其摄制年代不同，亦分别列之。所列影片除注明外，均为有声片、彩色故事片·戏曲片，〈 〉号内为日本人的具体形象或身份，剧情相同的，只列于摄制年代为先的影片处，后不重复。

1932年（3部）

《战地历险记》（无声，黑白）明星影片股份有限公司摄制〈日军〉

《共赴国难》（无声，黑白）联华影业公司摄制〈日军〉

《东北二女子》（原名《战地二孤女》）（无声，黑白）天一影片公司摄制〈日军〉

1933年（4部）

《民族生存》（无声，黑白）艺华影业有限公司摄制〈日军〉

《晨曦》（无声，黑白）义记影片公司摄制〈日军〉

《肉搏》（无声，黑白）艺华影业有限公司摄制〈日军〉

《中国海的怒潮》（无声，黑白）艺华影业有限公司摄制〈日军〉

1935年（4部）

《风云儿女》（黑白）电通影片公司摄制〈日军〉

《劫后桃花》（黑白）明星影片股份有限公司摄制〈日军〉

《落花时节》（黑白）明星影业股份有限公司摄制〈日军〉

《热血忠魂》（又名《民族魂》）（黑白）明星影片股份有限公司摄制〈日军〉

1937年（1部）

《自由天地》(黑白)联华影业公司摄制〈日军〉

1938年(4部)

《八百壮士》(黑白)中国电影制片厂摄制〈日军〉

《游击队进行曲》(黑白)香港启明影业公司摄制〈日军、日军反战士兵〉

《保卫我们的土地》(黑白)中国电影制片厂摄制〈日军〉

《热血忠魂》(黑白)中国电影制片厂摄制〈日军〉

1939年(3部)

《保家乡》(黑白)中国电影制片厂摄制〈日军〉

《孤城喋血》(黑白)中国电影摄影场摄制〈日军龟太郎部〉

《中华儿女》(黑白)中央电影摄制厂摄制〈日军、日军司令官〉

1940年(6部)

《白云故乡》(黑白)香港大地影业公司摄〈日本特务〉

《塞山风云》(黑白)中国电影制片厂摄制(日本间谍川岛)

《风雪太行山》(黑白)西北影业公司摄制〈日军〉

《胜利进行曲》(黑白)中国电影制片厂摄制(日军)

《东亚之光》(黑白)中国电影制片厂摄制〈日本战俘高桥三郎、山本、中村等〉

《青年中国》(黑白)中国电影制片厂摄制〈日军〉

1941年(1部)

《野蔷薇》(黑白)华成影业公司摄制〈日军〉

1943年(2部)

《气壮山河》(黑白)中国电影制片厂摄制〈日本军官〉

《日本间谍》(黑白)中国电影制片厂摄制〈日本特务头目土肥原大佐、日本特务机关长、日本情报机关长、日本宪兵〉

1944年(1部)

《春江遗恨》(黑白)中华电影联合股份有限公司、日本映画

株式会社合作摄制〈日本青年武士高杉晋作、中牟仓田之助、五代才助〉

1945 年（2 部）

《还我故乡》（黑白）中国电影制片厂摄制〈日军警卫队长神尾、日本商人吉田〉

《血溅樱花》（黑白）中国电影制片厂摄制〈日本空军少尉山田桃太郎、其妻春子、日本警察〉

1946 年（2 部）

《圣城记》（黑白）中央电影企业股份有限公司三厂摄制〈日军头目岛崎大佐〉

《民族的火花》（黑白）国泰影业公司摄制〈日军队长桥本〉

1947 年（4 部）

《一江春水向东流》（上下集）（黑白）昆仑影业公司摄制〈日军〉

《小白龙》（黑白）长春电影制片厂摄制〈日军〉

《松花江上》（黑白）长春电影制片厂摄制〈日军伍长、日军〉

《忆江南》（又名《哀江南》（黑白）国泰影业公司摄制〈日本宪兵队、日军〉

1948 年（6 部）

《情谍》（又名《第五号情报员》（黑白）大华影业公司摄制〈日本特务机关长小林少将〉

《群魔》（黑白）清华影业公司摄制〈日军司令山本〉

《热血》（黑白）大同电影企业公司摄制〈日本宪兵〉

《十三号凶宅》（黑白）励华影片公司摄制〈日军〉

《大团圆》（黑白）清华影片公司摄制〈日军〉

《哈尔滨之夜》（黑白）长春电影制片厂摄制〈日本特务长松田及其助手上野〉

1949年（4部）

《梨园英烈》（又名《二百五小传》）（黑白）大同电影企业公司摄制〈日军、宪兵〉

《丽人行》（黑白）昆仑影业公司摄制〈日军、宪兵、日本朋友池田老人〉

《中华女儿》（黑白）长春电影制片厂摄制〈日军〉

《希望在人间》（黑白）昆仑影业公司摄制

1950年（4部）

《吕梁英雄》（黑白）北京电影制片厂摄制〈日军松本小队长、翻译官松山太郎〉

《赵一曼》（黑白）东北电影制片厂摄制〈日军〉

《刘胡兰》（黑白）东北电影制片厂摄制〈日军〉

《我这一辈子》（黑白）文华影业公司摄制〈日军〉

1951年（2部）

《花姑娘》（黑白）香港龙马影片公司摄制〈日军队长佐藤〉

《新儿女英雄传》（黑白）北京电影制片厂摄制〈日军〉

1952年（1部）

《方珍珠》（黑白）大光明影片公司摄制〈日军〉

1954年（1部）

《鸡毛信》（黑白）上海电影制片厂摄制〈日军队长“猫眼司令”、日军小队长久原〉

1995年（3部）

《南岛风云》（黑白）上海电影制片厂摄制〈日军〉

《平原游击队》（黑白）长春电影制片厂摄制〈日军中队长松井〉

《董存瑞》（黑白）长春电影制片厂摄制〈日军〉

1956年（5部）

《母亲》（黑白）上海电影制片厂摄制〈日本浪人、日本兵〉

《为了和平》（黑白）上海电影制片厂摄制〈日本宪兵〉

《扑不灭的火焰》（黑白）长春电影制片厂摄制〈日军司令吉田〉

《冲破黎明前的黑暗》（黑白）八一电影制片厂摄制〈日军〉

《铁道游击队》（黑白）上海电影制片厂摄制〈日军司令小林、特务队长冈村〉

1957年（2部）

《椰林曲》（黑白）天马电影制片厂摄制

《青山碧血》（台语，黑白）台湾华兴电影制片股份有限公司摄制〈日本警察〉

1958年（4部）

《狼牙山五壮士》（黑白）八一电影制片厂摄制（日军）

《患难之交》（黑白）长春电影制片厂摄制

《心连心》（黑白）长春电影制片厂摄制

《永不消失的电波》（黑白）八一电影制片厂摄制（日军）

1959年（9部）

《草原晨曲》（黑白）长春电影制片厂、内蒙古电影制片厂联合摄制〈日军〉

《星星之火》戏曲片（沪剧，黑白）天马电影制片厂摄制〈日本纱厂女老板〉

《金玉姬》长春电影制片厂摄制〈日军〉

《粮食》（黑白）北京电影制片厂摄制〈日军小队长清水〉

《回民支队》八一电影制片厂摄制《日军》

《黄浦江的故事》海燕电影制片厂摄制〈日军〉

《矿灯》（黑白）北京电影制片厂摄制

《换了人间》长春电影制片厂摄制〈日军〉

《聂耳》海燕电影制片厂摄制〈日军〉

1960年（1部）

《永恒的友谊》(曾用名《红色的勋章》)西安电影制片厂摄制

1961年(3部)

《51号兵站》(黑白)海燕电影制片厂摄制〈日军情报处处长龟田〉

《星星·月亮·太阳》(上下集)香港电影懋业公司摄制〈日军〉

《香港之夜》香港、日本东宝公司联合摄制

1962年(5部)

《南海潮》(上下集)(黑白)(又名《渔乡儿女斗争史》)珠江电影制片厂摄制〈日军〉

《东进序典》(黑白)八一电影制片厂摄制〈日军〉

《花团锦簇》(歌舞片)邵氏兄弟(香港)有限公司摄制〈日本女模特〉

《地雷战》(黑白)八一电影制片厂摄制〈日军中队长中野〉

《甲午风云》长春电影制片厂摄制〈日军司令官伊东佑亨中将、日本外相陆奥宗光、日军密探山田〉

1963年(3部)

《小兵张嘎》(黑白)北京电影制片厂摄制〈日军大队长龟田〉

《自有后来人》(黑白)长春电影制片厂摄制〈日本宪兵队长鸠山〉

《野火春风斗古城》(黑白)八一电影制片厂摄制〈日军顾问多田〉

1964年(1部)

《大地儿女》邵氏兄弟(香港)有限公司摄制〈日军少将西尾〉

1965年(4部)

《地道战》(黑白)八一电影制片厂摄制〈日军队长山田〉

《三进山城》（黑白）长春电影制片厂摄制〈日军警备队长小野〉

《节振国》戏曲片（京剧）长春电影制片厂摄制〈日军〉

《苦菜花》（黑白）八一电影制片厂摄制〈日军〉

1968年（2部）

《金燕子》香港、日本联合摄制，张彻导演

《飞刀手》香港、日本联合摄制，张彻导演

1969年（1部）

《扬子江风云》香港，李翰祥导演〈日军〉

1970年（1部）

《红灯记》戏曲片（京剧）（剧情与长影1963年摄制的故事片《自有后来人》大体相同）八一电影制片厂摄制

1971年（1部）

《沙家浜》戏曲片（京剧）长春电影制片厂摄制〈日军大佐黑田〉

1972年（3部）

《精武门》香港嘉禾电影有限公司摄制〈日本武师铃木宽〉

《猛龙过江》香港嘉禾电影有限公司摄制〈日本功夫高手〉

《恶客》香港，张彻导演

1974年（4部）

《英烈千秋》台湾中央电影事业股份有限公司摄制〈日军〉

《平原游击队》(此片为长春电影制片厂重摄,剧情与该厂1955年同名作品相同)

《沙家浜》戏曲片（粤剧）珠江电影制片厂摄制

《平原作战》戏曲片（京剧）八一电影制片厂摄制〈日军大队长龟田〉

1975年（6部）

《吾土吾民》马氏影业（香港）公司摄制〈日军指挥官田中司

令〉

《八百壮士》台湾中央电影事业股份有限公司摄制（剧情与1938年中国电影制片厂摄制的同名影片相同）

《倾国倾城》邵氏兄弟（香港）有限公司摄制

《黄河少年》长春电影制片厂摄制〈日军〉

《烽火少年》北京电影制片厂摄制〈日军〉

《红灯记》戏曲片（维吾尔语歌剧）八一电影制片厂摄制

1976年（1部）

《梅花》台湾，刘家昌导演

1977年（1部）

《笕桥英烈传》台湾中央电影事业股份有限公司摄制〈日本空军将领原田浩〉

1978年（4部）

《两个小八路》长春电影制片厂摄制〈日军〉

《特殊任务》（黑白）上海电影制片厂摄制〈日军佐藤少佐、三木上尉、士兵星野〉

《我们是八路军》八一电影制片厂摄制（日军）

《大刀记》上海电影制片厂摄制

1979年《6部》

《从奴隶到将军》（上下集）上海电影制片厂摄制〈日军〉

《吉鸿昌》（上下集）长春电影制片厂摄制〈日军〉

《蒙根花》八一电影制片厂摄制〈日本特务户田、日军指挥官川井少佐〉

《归心似箭》八一电影制片厂摄制〈日军〉

《丁龙镇》（黑白）西安电影制片厂摄制〈日本战俘〉

《樱》北京电影学院青年电影制片厂摄制〈日本难民高崎洋子、日本专家森下光子〉

1980年（8部）

《蓝色档案》上海电影制片厂摄制〈日本侵华情报官冈田〉

《最后八个人》长春电影制片厂摄制〈日军头目山田大佐〉

《奸细》八一电影制片厂摄制〈日军冈久大佐、特务头目大西〉

《一个美国飞行员》珠江电影制片厂摄制〈日军松井队长、坂田小队长、反战士兵〉

《原乡人》台湾自立影业公司摄制〈日本嫖客〉

《玉色蝴蝶》峨眉电影制片厂摄制〈日本昆虫学女教授竹内君代、其女长念中子〉

《山城雪》峨眉电影制片厂摄制〈日本特务朝野二郎〉

《第十个弹孔》西安电影制片厂摄制〈日军〉

1981年（7部）

《七月流火》上海电影制片厂摄制〈日方董事冈崎〉

《知音》北京电影制片厂摄制〈日本公使日置益〉

《苏小三》中国儿童电影制片厂摄制〈日军〉

《革命军中马前卒》上海电影制片厂摄制〈日本警察〉

《特高课在行动》西安电影制片厂摄制〈日本宪兵队特高课课长青木〉

《西安事变》（上下集）西安电影制片厂摄制〈日本大使川越〉

《情劫》香港长城影业公司摄制

1982年（9部）

《穿心剑》长春电影制片厂摄制

《琵琶魂》八一电影制片厂摄制〈日军〉

《一盘没有下完的棋》中国北京电影制片厂、日本东光德间株式会社联合摄制〈日本棋手松波麟作、其妹忍、右翼领袖桥本、日军大佑尾崎等〉

《开枪，为他送行》上海电影制片厂摄制〈日本驻上海特高课

情报股长松田〉

《台岛遗恨》峨眉电影制片厂摄制〈日军〉

《诱捕之后》长春电影制片厂摄制〈日本义士成川〉

《柯棣华大夫》河北电影制片厂摄制〈日军〉

《一九〇五年的冬天》台湾，余为政导演〈日本少女〉

《投奔怒海》台湾青鸟影业公司摄制〈日本记者〉

1983年（9部）

《武当》长春电影制片厂摄制〈日本武士猿丸、三鬼隆、武士首领荒木宗八郎〉

《风云初起》长春电影制片厂摄制〈日军〉

《再生之地》八一电影制片厂摄制〈日本战犯伊藤弘一、川岛真美子、山本、黑川、反战同盟工作人员春田〉

《廖仲恺》珠江电影制片厂摄制〈日本特高课〉

《瑰宝》峨眉电影制片厂摄制〈日本宪兵木村正雄〉

《贺龙军长》潇湘电影制片厂摄制〈日本人山田次郎〉

《剑归》安徽电影制片厂摄制〈日军大佐、岗田少佐〉

《望穿秋水》西安电影制片厂摄制〈日军〉

《怒拔太阳旗》香港，张彻导演

1984年（9部）

《骑士的荣誉》北京电影制片厂摄制〈日军〉

《蓝色的花》北京电影制片厂摄制〈日军〉

《街上流行红裙子》长春电影制片厂摄制〈日本记者〉

《谭嗣同》长春电影制片厂摄制〈日本友人〉

《将军与孤女》八一电影制片厂摄制〈日本侨民北野树子（美穗子）、日军少尉中原〉

《等待黎明》香港德宝电影有限公司摄制〈日军少佐〉

《一个和八个》广西电影制片厂摄制〈日军〉

《闯江湖》天津电影制片厂、天津人民艺术剧院联合摄制

〈日军〉

《杜鹃啼血》峨眉电影制片厂摄制〈日军〉

1985（7部）

《流亡大学》上海电影制片厂摄制〈日军〉

《死证》长春电影制片厂摄制〈日军〉

《世界奇案的最后线索》峨眉电影制片厂摄制〈日本宪兵木村、日本女人信子〉

《宝石戒指》内蒙古电影制片厂摄制〈拳击场日本女老板秋子〉

《沙哟哪拉，再见》台湾印象股份有限公司摄制〈日本商人〉

《福星高照》香港嘉禾电影有限公司摄制〈东京犯罪组织头目松本〉

《等待黎明》香港德宝电影有限公司摄制

1986年（12部）

《神鞭》西安电影制片厂摄制〈东洋武士佐川秀郎〉

《你的微笑》北京电影制片厂摄制〈日本游客鬼冢、田畑武雄、旅游团随员今野〉

《美丽的囚徒》长春电影制片厂摄制〈日本武士岗野、日军〉

《末代皇后》长春电影制片厂摄制〈日本关东军司令官后藤文、少佐松本三郎、日本医生小野、日本顾问吉岗安直〉

《密令截击》长春电影制片厂摄制〈日军司令白川龟一郎中将、其部下山下、新任日军司令岗村、日本军妓秋江、参加了反战同盟的日本军人吉野少佐〉

《破袭战》八一电影制片厂摄制〈日军旅团长松木、中队长野川、新任中队长村内〉

《望日莲》八一电影制片厂摄制〈日军〉

《血战台儿庄》广西电影制片厂、中国电影发行放映公司联合摄制〈日军〉

《水鸟行动》福建电影制片厂摄制〈日本驻南京副领事山本英明、其妻绫子、东京警察署松井探长〉

《孙中山》(上下集)珠江电影制片公司摄制〈日本外相大隈重信、“民党”领袖犬养毅、日本友人宫崎滔天、平山周正〉

《大上海1937》中国电影合作制片公司、香港三洋影业有限公司联合摄制

《丫环传奇》上海电影制片厂摄制

1987年(15部)

《美人鱼》珠江电影制片厂摄制

《到青山那边去》北京电影制片厂摄制〈日军〉

《天音》北京电影制片厂摄制〈日本姑娘山田叶子、日军〉

《东陵大盗》(第四集)(故事片《慈禧墓珍宝传奇》系列片之四)西安电影制片厂摄制〈日本浪人〉

《望春风》北京电影制片厂、香港振业影业有限公司联合摄制〈日军〉

《关东大侠》长春电影制片厂摄制〈日军〉

《三等国民》八一电影制片厂摄制〈日本人校长、日军〉

《稻草人》台湾中央电影事业股份有限公司摄制〈日本警察〉

《远离战争的年代》八一电影制片厂摄制〈日军〉

《八女投江》八一电影制片厂摄制〈日军〉

《死亡集中营》八一电影制片厂摄制〈俘虏收容所所长野岛、日军大佐板垣、女军医松尾〉

《红高粱》西安电影制片厂摄制〈日军〉

《过江龙》峨眉电影制片厂摄制〈日本军官田中及其侍卫〉

《战争插曲》北京儿童电影制片厂摄制〈日军〉

《屠城血证》福建电影制片厂、南京电影制片厂联合摄制〈日本特使桥本、日军中尉笠原、日本兵佐佐木〉

1988年(17部)

《东陵大盗》(第五集)(故事片《慈禧墓珍宝传奇》系列片之五) 西安电影制片厂摄制〈日本浪人〉

《刺杀汪精卫》广西电影制片厂摄制〈日本驻南京总领事馆副领事藏本英明〉

《天湖女侠》长春电影制片厂摄制〈日本人井口芳子〉

《避难》峨眉电影制片厂摄制〈日军〉

《熊猫的故事》日本田中制作公司、峨眉电影制片厂、中国电影合拍公司联合摄制〈日本女子佳代〉

《春寒》台湾桦梁电影事业公司摄制〈日军大佐横山一夫〉

《风流女探》上海电影制片厂、浙江电影制片厂联合摄制〈国际刑警藤野太郎、日本人高田一夫〉

《晚钟》八一电影制片厂摄制〈日军〉

《神风威龙》西安电影制片厂摄制〈日军少佐佐佐木〉

《神秘的女人》潇湘电影制片厂摄制〈日本女人〉

《长城大决战》广西电影制片厂、香港金马公司联合摄制〈日本武士小次郎〉

《狂盗》内蒙古电影制片厂摄制〈日本导演甜代〉

《行窃大师》北京电影学院青年电影制片厂摄制〈日本商人龟田及其助手英子〉

《乱世英豪》福建电影制片厂摄制〈日本杀手龟山小次郎〉

《末代皇帝》意大利扬科电影公司、英国道奥电影公司、中国电影合作制片公司联合摄制〈日本人甘粕、吉岗〉

《黑太阳七三一》香港银都机构有限公司摄制〈日军石井四郎中将、日本军医〉

《郁达夫传奇》香港，周润发主演〈日军〉

1989 年（15 部）

《悲情城市》台湾年代影视事业股份有限公司摄制〈日本教员小川及其女静子〉

《情人的最后一次谋杀》长春电影制片厂摄制〈日本商人宫本太郎〉

《川岛芳子》西安电影制片厂摄制〈日本特务机关长田中隆直、日军司令盐泽幸一、日本浪人川岛浪速、日本军官岩原一夫〉

《古今大战秦俑情》加拿大天艺集团、香港嘉氏娱乐有限公司、中国电影合作制片公司、中国电影发行放映公司联合摄制〈日本女人山口靖子〉

《哗变》广西电影制片厂摄制〈日军师团长中野、军官田岛〉

《间谍战与女色无关》(又名《军统局禁止女色》)长春电影制片厂摄制〈日本间谍松岗小林〉

《关东女侠》长春电影制片厂摄制〈日军〉

《血溅秋风楼》长春电影制片厂摄制〈日本军官伊藤、武师本田〉

《风流女谍》北京电影制片厂、海南国际影视公司联合摄制〈日本浪人川岛浪速〉

《把他们都杀光》潇湘电影制片厂摄制〈日军〉

《东方美女》潇湘电影制片厂摄制〈日军工藤大佐、山田少佐、小队长中曾〉

《婚礼上的刺客》内蒙古电影制片厂摄制〈日本刺客〉

《秘密战》峨眉电影制片厂摄制〈日本特高课长小本太川〉

《逢凶化吉》广西电影制片厂摄制〈日军联队长龟井仓〉

《赌神》香港,周润发主演〈日本黑社会山口组成员上山、日本女子菊子〉

1990年(16部)

《客途秋恨》(日译为《客途秋恨》)台湾高仕公司摄制〈日本女人葵子〉

《兵临绝境》北京电影学院青年电影制片厂摄制〈日军〉

《父子老爷车》深圳影业公司摄制〈日本人龟井一郎〉

《神州小剑侠》广西电影制片厂、日本富士影像株式会社联合摄制〈日本玄藏大侠〉

《民国特大谋杀案》长春电影制片厂摄制〈日本间谍花谷、日本浪人、武士〉

《国际大营救》峨眉电影制片厂摄制〈日本间谍梅子、特工专家小野武夫〉

《浴血疆城》内蒙古电影制片厂摄制〈日军大佐山田〉

《雄魂》潇湘电影制片厂摄制〈日军〉

《血誓》潇湘电影制片厂摄制〈日军〉

《愤怒的孤岛》潇湘电影制片厂摄制〈日本宪兵〉

《莽女追魂》云南民族电影制片厂摄制

《命夺黄金图》长春电影制片厂摄制〈日本浪人〉

《孤岛情报站》长春电影制片厂摄制〈日军情报专家清川秀夫及其助手板本庆雄〉

《江湖怪狼》长春电影制片厂摄制

《战争子午线》北京电影学院青年电影制片厂摄制〈日军〉

《川岛芳子》香港，梅艳芳主演

1991 年（17 部）

《清凉寺的钟声》上海巨星影业公司、香港豪成影业公司联合摄制〈日本女人大岛和子、战争孤儿明镜法师〉

《烈火金刚》（上下集）珠江电影制片公司摄制〈日军头目毛利、反战士兵武男义雄〉

《东瀛游侠》福建电影制片厂、香港银都机构有限公司联合摄制〈日本武士上地完雄、倭寇矢村、川岛〉

《仗义英雄》广西电影制片厂、海南金岛影视公司、中国电影发行放映公司联合摄制〈日军间谍渡边玲子〉

《三 K 人物》上海电影制片厂摄制

《鬼楼》长春电影制片厂摄制

《紫痕》长春电影制片厂摄制〈日军〉

《侠女黑玫瑰》广西电影制片厂、澳门澳佳影视公司联合摄制

《以血还血》长春电影制片厂摄制〈日军指挥官木村、日本商行老板吉田、日本浪人〉

《杀人工厂》长春电影制片厂、香港雅慧公司联合摄制〈日本军人佐川等〉

《断命纹身》长春电影制片厂摄制〈日军岗本次郎大佐、女特务铁木英子〉

《浴血红马车》北京电影学院青年电影制片厂摄制〈日军官高桥、女杀手吉永美惠子〉

《大峡谷》云南电影制片厂摄制〈日本公司所长小野清、工程师内田耕策〉

《黑影》峨眉电影制片厂摄制〈日本女医生山田洋子、原日本军人小野一郎、大岛健雄〉

《曼荼罗》中国电影合作制片公司、日本考木奈特株式会社联合摄制〈日本和尚空海〉

《梦断楼兰》中国电影制片公司、南京电影制片厂、香港夏帆电影工作室联合摄制〈日本浪人、忍者、教授〉

《铁血群英》长春电影制片厂摄制

1992年（27部）

《零号行动》峨眉电影制片厂摄制〈日军吉野、小村、日本特务、间谍〉

《风雨相思燕》上海电影制片厂摄制〈日军宪兵队长斋藤〉

《三毛从军记》上海电影制片厂摄制〈日军〉

《七三一大溃逃》长春电影制片厂、香港雅慧公司联合摄制〈军医秋山正夫、伊东秀男、山田江石、森岛一郎、犬养、女护士松下浩、队长石井四郎、大佐龟田一雄〉

《无言的山丘》台湾中影公司摄制〈日本妓女富美子、杂务工

纪目〉

《复仇的女人》珠江电影制片厂摄制〈日军司令官〉

《香魂女》天津电影制片厂、长春电影制片厂联合摄制〈日本女商人新洋贞子〉

《慰安妇》香港佳艺制作有限公司摄制〈日本女记者、日军〉

《喋血金兰》天山电影制片厂摄制〈日本宪兵〉

《白山英雄汉》中国儿童电影制片厂摄制〈日军大佐及其子雄石〉

《间谍扑向阿拉木图》峨眉电影制片厂摄制〈日本间谍〉

《龙中龙》珠江电影制片公司摄制〈日本浪人井上、日本餐馆老板梅子〉

《白沙浪》潇湘电影制片厂摄制〈日军〉

《飞越人生》内蒙古电影制片厂摄制〈日本战争孤儿立花八重子〉

《喋血嘉陵江》峨眉电影制片厂摄制〈日本间谍小村〉

《俄得克血酒》长春电影制片厂摄制

《二小放牛郎》安徽电影制片厂摄制〈日军〉

《孤注一掷》长春电影制片厂摄制

《黑色闪电》长春电影制片厂摄制

《九死一生——把一切献给党》峨眉电影制片厂摄制〈日军司令铃木〉

《黑山路》西安电影制片厂摄制

《迷途英雄》广西电影制片厂摄制

《末代响马》长春电影制片厂摄制

《世纪之战》内蒙古电影制片厂摄制〈日本柔道选手大关美枝子〉

《送你一片温柔》北京电影制片厂摄制〈日本商人〉

《义侠黄飞鸿》(又名《少年黄飞鸿》)上海电影制片厂、香港

颍丰影业有限公司联合摄制〈日本浪人十兵卫及其妹樱子〉

《远东间谍战》峨眉电影制片厂摄制

1993年（26部）

《盗亦有道》峨眉电影制片厂摄制〈日本间谍胡政〉

《亲国恩仇》峨眉电影制片厂摄制〈日本浪人、武士、日军、日本人古月正文〉

《云南故事》北京电影制片厂、台湾金鼎影业有限公司、香港仲盛有限公司联合摄制〈日本姑娘树子〉

《激情警探》上海电影制片厂摄制〈日本黑社会山口组成员佐藤、岩下、田中、玄野〉

《霸王别姬》北京电影制片厂、香港汤臣电影有限公司联合摄制〈日军〉

《夺命惊魂上海滩》上海电影制片厂摄制〈日本商人池田邦男及其子浩二、日本特务机关头目田中〉

《乡亲们》峨眉电影制片厂、天津电影制片厂联合摄制〈日本军官小野〉

《陷井里的婚姻》上海电影制片厂摄制

《上海一九二O》上海电影制片厂、香港富艺电影制作有限公司联合摄制〈日军〉

《绑架在午夜》南海影业公司摄制

《报仇》峨眉电影制片厂、台湾宝雄电影传播有限公司联合摄制

《冲出死亡营》北京电影学院青年电影制片厂摄制〈日军、日本慰安妇〉

《东方第一刺客》广西电影制片厂摄制〈日军大佐白川〉

《赌王出山》西安电影制片厂、中国电影发行放映公司、中国电影输出输入公司联合摄制

《关东太阳会》长春电影制片厂、台湾慕威电影公司联合摄制

《军列冲出重围》长春电影制片厂摄制〈日军〉

《决战天门》西安电影制片厂、香港唯益实业公司联合摄制

《绝杀》长春电影制片厂摄制

《泪洒台北》北京电影制片厂、香港南天影业公司联合摄制〈日本医生、女便衣、歌星〉

《满洲虎行动》长春电影制片厂摄制〈日本女记者千鹤子、日军特务机关长秦真次、特务吉田〉

《梅花公馆》长春电影制片厂摄制〈日军〉

《女劫杀》广西电影制片厂摄制

《犬王》八一电影制片厂摄制

《神枪雪恨》潇湘电影制片厂摄制

《同归于尽》上海电影制片厂摄制

《英雄地英雄泪》上海电影制片厂、香港金力制作有限公司联合摄制〈日本特务山本〉

1994年（13部）

《四大天王》长春电影制片厂摄制〈日本特务〉

《绝境逢生》上海电影制片厂摄制〈日军头目西原、三木〉

《精武英雄》北京电影制片厂、香港正东制作有限公司联合摄制〈日本人藤田〉

《慰安妇七十四分队》珠江电影制片厂摄制

《惊魂桃花党》潇湘电影制片厂摄制《日本人吉野》

《悲情枪手》上海电影制片厂摄制《日本女间谍川崎式子》

《古龙镇谍影》潇湘电影制片厂摄制〈日本特务〉

《血搏敌枭》峨眉电影制片厂摄制〈日本间谍须田次郎、香月枝子〉

《末日杀手》峨眉电影制片厂摄制〈日军特别行动课课长佐藤荣作少将、间谍大武一雄、日军大和洋子少佐〉

《步入辉煌》西安电影制片厂摄制

《地狱究竟有几层》广西电影制片厂、香港吕小龙制片公司联合摄制〈日本慰安妇〉

《铁血昆仑》广西电影制片厂摄制〈日军联队长三木武弘、少佐小川、司令官今村、指挥官中村正雄〉

《战争童谣》中国儿童电影制片厂摄制〈日军〉

1995年（10部）

《七七事变》长春电影制片厂摄制〈日军〉

《黑太阳南京大屠杀》峨眉电影制片厂、香港大风公司联合摄制〈日军〉

《巧奔妙逃》峨眉电影制片厂摄制〈日军少佐佐佐木〉

《秘密大追杀》峨眉电影制片厂摄制《日本间谍》

《大捷》上海电影制片厂摄制《日军》

《风流女杰》长春电影制片厂摄制〈日军中佐松本正夫、女间谍〉

《敌后武工队》（上下集）长春电影制片厂摄制〈日军宪兵队队长松田少佐、副队长坂本少佐〉

《南京大屠杀》中国电影合作制片公司、台湾龙祥公司联合摄制〈日军松井石根大将、日本女人理惠子及其女儿春子〉

《戏梦人生》台湾，侯孝贤导演〈日本警察课长川上〉

《南京的基督》香港、日本，区丁平导演，梁朝伟、富田靖子、庹宗华主演〈日本记者木村〉

1996年（12部）

《飞虎队》峨眉电影制片厂摄制〈日军司令小林、特务队长冈村、特务松尾〉

《童年的风筝》天津电影制片厂摄制

《双栖间谍》西安电影制片厂、金龟寿影视责任有限公司联合摄制

《大顺店》北京电影制片厂摄制

《悲情布鲁克》北京电影制片厂、内蒙古电影制片厂、森威影视制作公司联合摄制〈日军〉

《浴血太行》北京电影制片厂、长城国际广告有限公司联合摄制〈日本军官冈村宁次〉

《红棉袄红棉裤》西安电影制片厂摄制〈日军〉

《枪神无畏》上海第一制片公司摄制

《舞潮》北京电影制片厂、北京珠达数码创意影视公司联合摄制〈日军〉

《勾魂女郎》北京电影制片厂摄制

《魔鬼队长》长春电影制片厂、香港雅慧有限公司联合摄制

《铁妹》西安电影制片厂、台湾学者有限公司联合摄制〈日军〉

……

(资料来源见文末参考书目)

囿于资料，本目录尚未臻完善。尤其是港台地区，恐怕多有疏漏，且有几部已知的港台地区影片一时无法查知其摄制厂家，只好附以产地、导演或主要演员名，权资参考。大陆影片1996年部分，因本文完稿时该年度尚未结束，故未能全部收录。上述不足，有待日后增补、修正。不过，有影响、代表性的影片可以说已基本收录在内，所以，依靠本目录所收集的影片，我们已足可对中国电影中的日本人形象予以把握和评介。

二　日本人形象的演变

【1978年以前】纵观出现日本人形象的中国影片，可以发现，战争题材始终占居主流，特别是1978年以前，除个别几部外，皆是这类题材。其中，最早的几部摄制于1932年，即日本悍然发动侵华战争之时，自然，侵略者就成了日本人在中国电影中的最初

形象。影片《战地历险记》(1932年)讲述的就是"九一八"事变爆发后，日本侵占中国东北，女青年丁明霞与男友分赴战区，丁在途中先遭日军抢劫，后又被抓去做饭。日军二小头目调戏丁，欲将其占有。丁用毒药毒死敌卫兵，逃走后与男友巧逢……紧接着，1933、1935年又拍摄了几部反映日本侵略的影片，尽管这时中国电影的发展尚处于无声的默片时代。此后，由无声到有声，由黑白到彩色，随着中国电影事业的迅速发展，日本侵略者的形象更加鲜明地印入了中国人的脑海。侵略者的身份是多种多样的，在此，我们以日军为例进行探讨。

统而论之，1978年以前，中国电影中所塑造的日军往往以这样的形象出现：身穿土黄色军服，头戴又尖又小的军帽（有的帽子后边还多出两片布），肩扛或手端刺刀，到处烧杀抢掠，无恶不作。由于他们是以群体形象出现，所以除了这些外在形象的塑造外，还谈不上有什么典型性的个性化描写。但是，有个别日军还是刻划得比较鲜明的。这里我们不能不提到一个以扮演反面角色而著称的演员——方化。早在1948年，方化就在《哈尔滨之夜》中扮演过日本特务头目松田。其后又在《平原游击队》(1955、1974年)、《三进山城》(1965年)、《一个美国飞行员》(1980年)、《复仇的女人》(1993年）等影片中多次出演日军头目。尤其是在《平原游击队》(1955年摄制）中，方化扮演的日军中队长松井，嘴上留着一小撮卫生胡（也有人叫仁丹胡），足蹬大皮靴，下穿马裤，身挎腰刀。其个子虽矮小但性格凶狠、狡诈，在这类形象中，很具代表性，给观众留下了深刻的印象。甚至几十年后的今天，一谈到"鬼子"(中国百姓对侵华日军的通称）的形象，人们还会想起方化的表演。

作为塑造日军形象必不可少的一部分，其语言的使用可谓别具特色。如"你们的出发，粮食统统的拿来，土八路统统的杀啦杀啦!""你的明白?""小孩，八路的哪边有？你的说话撒谎的……

唔！……撕啦撕啦的！”④“你的什么的干活？”“良民证的有？”……（语出电影《鸡毛信》（1954年）等）这些句式尽管语序是日文式的，但还算是能听懂的中国话。像“哈依”（ハイ）、“咪唏咪唏”（ミシ、ミシ）、“开路，开路开路”（カ エル、カ エルカ エル）、“八嘎、八格牙鲁”（バカ、バカヤロウ）、“腰细、腰细”（ヨシ、ヨシ）（语出电影《鸡毛信》、《蒙根花》（1979年）等）等则纯粹是日语了。千叶明曾在《ハイ、カ エル、ミシミシ与战争》⑤一文中谈到，“大多数中国人都知道那么几个日语词儿。尽管‘アリガト’、‘サヨナラ’世界有名，但在中国……不管怎么说，首屈一指的还是‘ミシミシ’。这不是地板吱吱嘎嘎的声音⑥，而是饥饿的日本兵发现农民并向他们要吃的时所说的‘メシ、メシ’⑦。虽然（我们）在电视中很少听到这个词，可是却连小孩子都知道‘ミシ、ミシ’。……‘カエル、ハイ、バカヤロウ’属于第二位。‘カエル’是搜了半天也搜不到游击队的日本兵头目说‘先回大本营’时的用语。对中国人来说，‘カエル’则意味着到下次搜查之间的短暂和平吧。是不是正因为此，才铭记于脑海当中的呢？千叶明这样解释或许有他的道理，但立足于中国电影的描写，笔者以为似有不确之处。

探究起来，“咪唏咪唏”的确应是日语的“メシ、メシ”，其意如注⑦所示。“カエル”则表示回去、回来的意思。但中国百姓不懂日语，他们所理解的这两个词儿与原意不尽相同。况且在中国电影中，日本兵根本不是向老百姓要吃的，而是直接抢。如电影《鸡毛信》中，日军头目久原说：“喂，那个羊的统统的拿来，咪唏咪唏大大的好……”、“杀了的咪唏咪唏”。这是让日本兵将羊抢来杀了吃，“咪唏咪唏”是“吃”的意思。而“カエル”在电影里被讲成“开路、开路开路”，意为走、可以走了。再以《鸡毛信》为例，久原看看问不出什么，就装出一副笑脸，拍拍海娃的头说：“良民的！皇军的良民的！开路开路。”这是说海娃可以走了。再如军曹对跑过来的狗腿子们喊："喂，你们的前面快快地开路！"久原对海娃喊："小孩！慢慢的！上面的马的开路的不行！"很明显，其中的"开路"表示"走"。所以，中国人对"咪唏咪唏"（メシメシ）和"开路"（カエル）的理解并非完全如千叶明所言。至于"ヨシ、ヨシ"、"ハイ"、"バカヤロウ"，我们大家都知道分别表示"好"、"是""混蛋"之意。而典型的中日结合式日本兵用语"花姑娘"{语出《丽人行》（1949年）、《我这一辈子》（1950年）等电影}则是指年轻女子、漂亮姑娘。电影中日军形象的塑造，在一定程度上，正是由于这些语言的运用，才显得较为生动、鲜明。

1978年以前的这些影片，因其制作年代不同，描写的角度也各有千秋。大致划分一下，似有这么三个阶段。一是三四十年代。此时创作的影片多以抗战为背景，反映中国军民如火如荼的抗战激情。虽有侵华日军出现，却非主要的描写对象，且因这些影片的摄制年代距今甚远，故知者寥寥。二是1949至1966年。这段时间，由于新中国的成立，电影事业发展迅速。许多影片直接反映抗战，在描写中国人民的不屈不挠及敌我双方的较量中，刻画了众多的日军形象。如《吕梁英雄》（1950年）中的松本、《铁道游击队》（1956年）中的小林、《51号兵站》（1961年）中的龟田、《粮食》（1959年）中的清水、《野火春风斗古城》中的多田等。三是"文革"的十年。由于众所周知的原因，"文革"期间大陆拍摄的影片数量大减，涉及到中日关系、出现日本人形象的影片只有12部。而且，其中的部分影片虽然表现形式或摄制年代不同，但在剧情上却多有重复。如京剧《红灯记》（1970年）与维吾尔语歌剧《红灯记》（1975年），京剧《沙家浜》（1971年）与粤剧《沙家浜》（1974年）；《红灯记》与1963年的影片《自有后来人》，《平原游击队》（1974年）与1955年版的同名影片。其中，现代京剧影片《红灯记》、《沙家浜》与《平原作战》（1973年）还算较有影响，其中的许多唱段，具有浓郁的时代色彩，至今仍久唱不衰。《红灯记》中李玉和一句“鸠山设宴和我交朋友”清楚地点明了这是一部出现日本人形象的影片。值得注意的是，这期间港台地区也有12部出现日本人形象的电影作品，其中不乏力作，如《精武门》(1972年)、《英烈千秋》(1974年)、《八百壮士》(1975年)、《苋桥英烈传》(1977年)等。港台地区的这几部影片，在日军之外，还为我们塑造了日本武士的形象，如武打片的经典之作《精武门》。虽然远在30年前，一部中日合拍的影片《春江遗恨》(1944年)曾对武士有过描写，而且还是正义的形象，但在《精》片中，日本武士不仅害死一代大侠霍元甲，还对中国人以“东亚病夫”相凌辱。武士与日军相比，尽管身份不同，但侵略者的形象未变。

1978年以前，日本人除以上述反面形象出现外，还有反战士兵、模特等形象，因只在个别影片中才有，故影响不大。

【1978年以后】自1979年起，于战争题材之外，和平题材的影片不断出现，令人为之耳目一新。如《樱》(1979年)、《玉色蝴蝶》(1980年)、《一盘没有下完的棋》(1982年)等。这些影片多以反思战争、呼唤和平为主题，以其凄婉的人生悲欢离合故事，揭露战争给中日两国人民带来的伤害。

影片《一盘没有下完的棋》以中日两国的围棋名家况易山与松波麟作的交往为线索而展开。在侵华战争中他们不但不能互磋技艺，松波还被逼当了二等兵，况易山因不肯与侵略者对弈愤然断指。况的儿子阿明自小被松波带回日本学艺，后与松波之妹忍的女儿相爱结婚，并生有一女。为回国抗敌，阿明惨遭杀害；其妻悲痛过度，导致精神失常。到了中日友好的时代，松波与况易山这一对历尽磨难的知己才得以再续棋缘。前中国人民对外友好协会会长王炳南将此故事述之以诗，曰：

中日名弈手，同下一盘棋。本是兄弟情，往来无猜疑。
突因战火起，被驱东与西。……

况家骨肉散，松波生死离。翘首盼团聚，风雨苦相催。
劫后重对局，一掬伤心泪。……⑧

其后拍摄的《再生之地》(1983年)、《你的微笑》(1986年)等影片则反映了一部分侵华日军的忏悔心情。总的看来，和平题材的影片尽管数量不多，但其涉猎的领域较宽，出现的日本人形象也不同以往，人物身份有棋手、工程师、昆虫学家、导演、战犯、孤女、记者、商人、刑警、教练等，改变了过去"日军"独揽日本人形象的局面。特别是1990年以后，以《清凉寺的钟声》(1991年)、《云南故事》(1993年)等影片为代表，描写战争孤儿的命运成为中国电影的新题材，战争孤儿也就成了日本人在中国电影中的新形象。

然而，1978年以后，在数量上居多数的仍是战争片。50年前结束的那场战争成了影片创作的一个重要题材。由于排除了极"左"路线的干扰，解放了思想，较之1978年以前，此时的影片在表现手法及形象塑造上皆有所突破。比如，从形式上，尽量避免反面人物一目了然的套路，力求新颖、独到。1981年拍摄的影片《特高课在行动》一片较好地体现了这一点。以往的影片，人物出场即知好坏。盖正面人物皆相貌堂堂，反面人物多猥琐丑陋。《特》片则一反常规，由"正面形象"者扮演反面角色。即使是特高课，也是以其性格刻画而非相貌来表现人物。在内容上，1978年以后的影片也以深度和广度见长。许多作品比较注重从人性的角度发掘主题，这里我们可以举《晚钟》(1988年)为例。《晚钟》是一部描写抗日战争前夕，几名八路军战士包围一座日寇军火库并迫使其投降的故事影片。随着镜头的变换我们看到：在荒凉、萧瑟的背景中，饥饿多日、神情恍惚的日本兵唱起了民谣《荒城之月》，歌声充满绝望、凄凉之情，远处传来沉闷的钟声……这一系列的画面，以独特的意境创造将士兵的厌战、反战情绪自然地渲染了出来。《晚钟》以其新颖的创作手法与深刻的思想内涵荣获39届西柏林国际电影节银熊奖。

1995年，恰逢世界反法西斯战争和中国人民抗日战争胜利50周年。为纪念这一伟大胜利，电影界推出了不少新作，如《七七事变》、《南京大屠杀》、《敌后武工队》等。许多老片也重新放映，一时间中国银幕上的日本人形象骤然多了起来。抗战的烽火虽已熄灭了半个世纪，但战争的创伤却久难愈合。在日本一些人士对侵略战争非但不加忏悔，反而大放厥词的情况下，这些影片的现实意义与教育意义是不可否认的。参加影片《南京大屠杀》拍摄的日本演员早乙女爱就曾说："若不是来中国拍摄这部影片，还不知道有这么一回事。历史教科书上没有，历史教师也没有提到过。"⑨面对银幕，我们必须承认，尽管从外形的塑造上，日本人形象较之1978年以前更逼真、更注意细节的处理；在性格的刻画上，避免了生硬、类同的做法，但1978年以后，日军仍是中国电影中日本人的主要形象。

三　日本人形象的分类

自1932年中国电影中第一次出现日本人形象以来，在60多年(1932—1996)的艺术实践中，中国电影塑造了许许多多不同身份的日本人。为了从整体上较为清晰地把握日本人形象，依据影片对人物性格的刻画，我们将其大致分为如下几种类型。

【凶残·野蛮·狡诈型】日本对中国的侵略是无可辩驳的历史事实。许多反映这一时期社会生活的影片，无论是正面地描写侵略与反侵略、统治与反统治，还是以此为背景描写其他层面，其中包括一些反映和平时期交往的影片。总是不可避免地要出现凶残、狡诈、居心叵测的日本人形象。如影片《还我故乡》(1945年)的剧本中，在出场人物一栏，对日军警卫队长神尾是这样予以说明的："敌军官，潜性粗野，而虚重礼貌，故显阴险狠毒之性。”[10]在影片《红高粱》(1987年）中，侵华日军为迫使中国百姓臣服，竟惨无人道地把敢于反抗的罗汉等人活活剥皮示众。这里，且引该片分镜头台本的几处予以说明：

镜号	镜头	内容	尺数
393	中——全	日兵踢打百姓	15
405	半——中	日军官吩咐到（日语）：“告诉那个老家伙，把他俩的皮剥了。”	59.5
427	近	又一桶水浇到吊着的人头上。 ……画外日军官的催促（日语）：“快点！” 翻译官：“太君说了，你今天要是不动手，	36
426	近	就剥了你的皮！听见了没有？快！快点动手！”	3
431	近	罗汉的脸已被打得不成人形。 瘦徒弟拎刀哭喊：“饶了我吧，饶了我吧！” 两把刺刀搭在他肩上。	6

又如，在《死亡集中营》(1987年）中，日军大佐板垣让俘虏在烈日下采矿，稍加反抗就吊起来暴晒。影片还以板垣对待本国同胞的态度来描写他的灭绝人性。例如，女医生松尾向他反映俘虏的恶劣生活，他非但不听，反将其奸污。影片《黑太阳731》(1988年）则揭露了日军解剖活人以及进行人体细菌实验等令人发指的野蛮行为。

以《平原游击队》中的松井为典型，中国电影所表现的日本人另一特点是狡诈。譬如，在撤退的途中，松井会突然变卦，率队杀回马枪，令游击队和老百姓措不及防。这一点，到了和平题材中，代之为狡猾。影片《行窃大师》(1988年）中刻画的龟田就是一个这样的商人。他用调包计窃走唐代杂技俑，使公安人员虽怀疑他，却又无确凿证据不能采取行动。此外，中国电影中还有许多到处寻找“花姑娘”的日军和嫖妓的商人形象（见《原乡人》）（1980年）、《沙哟哪拉，再见》（1985年）等影片，电影通过对这些形象的塑造来展现其好色的一面。

【厌战·反战·忏悔型】军国主义分子发动的侵华战争是违背爱好和平、向往幸福生活的人民意愿的，因而在漫长艰苦的战争岁月中出现绝望、厌战与反战者也就不足为怪了。早在1938年拍摄的影片《游击队进行曲》中，反战士兵的形象已经出现。1940年，《东亚之光》拍摄完成。作为一部反映战俘觉醒、反战的影片，《东亚之光》中的战俘角色由战俘自己扮演，颇有些“现身说法”的意味，影片被当时的评论称为“一柄正义之剑”。太平洋战争爆发前，该片在香港上影时，曾有军警突然闯入劈裂银幕。此事足以证明该片强大的威力。[12]1983年，有一部专门反映战俘改造生活的影片，名为《再生之地》。其大致剧情为，1950年冬天，抚顺战犯管理所接收了一批日本中高级军官，这些人在侵华战争中犯有严重罪行。他们态度蛮横，拒不认罪。为此，管理人员细致、耐心地作了大量工作，战俘们在经历了不同的心路历程后，纷纷反省。影片主要刻画了两个人物，一个是川岛，一个是伊藤。川岛受上司的蒙骗，以为其夫死于游击队之手。后来，当得知其夫是由于同情中国人而被当成了细菌实验品时，这位731部队细菌专家悔恨交加。顽固的伊藤最终也因其失踪的女儿为中国人所收养并送还与他而幡然悔悟。中国这块曾被他们肆意践踏过的土地成了他们的再生之地。

比较而言，刻画这类形象较有成就的当属《晚钟》，因前已述及，在此不复重提。

【无辜·正直·友好型】所谓无辜、正直、友好型，是指那些无辜受难、坚持正义、期盼友好的日本人形象。电影《樱》是1978年以后和平题材中出现日本人形象的首部作品。影片讲述1945年日本战败后，难民高崎洋子在撤回日本途中，将婴儿光子托与陈嫂。解放后，光子为其母认回。1975年，光子以专家身份来华援建，但在“极左”路线的干扰下，兄妹不敢相认，母女不能相见。在焦急的期盼中，终于迎来了重逢。这类形象多见于1978年以后的影片中，如《玉色蝴蝶》中的竹内君代、《一盘没有下完的棋》中的松波麟作等。《天音》(1987年)作为一部战争题材的影片，也为我们刻画了一个叫山田叶子的无辜受害者形象。战争中，被迫当了妓女的叶子漂泊到荒岛后，与中国渔民海牛由敌对到理解、相爱，并建立了自己的家园，生了儿子小牛牛。孰料，一群溃逃的日军来到小岛，害死了海牛，又奸杀了叶子，将他们辛勤建起的家园焚烧殆尽，荒岛上只留下小牛牛哭喊“爸爸，妈妈”的声音。这些无辜、善良形象的塑造，正如该片导演张华勋在创作后记中所写：“想通过表现日本侵华给中国渔民海牛和日本姑娘山田叶子造成的苦难生活和悲惨命运，来揭露法西斯战争的罪恶，表达人民对和平生活的呼唤和向往。”⑬

上述三种类型，其在影片中出现次数的多寡与所属影片分布的时间跨度不尽相同。总的来看，中国电影中所塑造的日本人形象，以“凶残、野蛮、狡诈型”为最多，“无辜、正直、友好型”次之，“厌战、反战、忏悔型”所占比例较小。以时间跨度而论，其分布大致如下表所示：

年代		出现日本人形象的类型
1978年以前	建国前	凶残、野蛮、狡诈型/反战、厌战、忏悔型
	建国后	凶残、野蛮、狡诈型
1978年以后		凶残、野蛮、狡诈型/反战、厌战、忏悔型/无辜、正直、友好型

也就是说，无论是1978年以前还是1978年以后，“凶残、野蛮、狡诈型”的日本人形象最为普遍，而“厌战、反战、忏悔型”则多见于三四十年代与1978年以后，惟“无辜、正直、友好型”主要出现在1978年以后的影片中。

另外，我们还应该看到，艺术是生活的反映，同时也是“生活的教科书”（车尔尼雪夫斯基语）。电影作为一门艺术，它不仅反映特定时代的政治、经济、社会、文化，而且还紧扣时代的脉搏，反映人民的心声。作为艺术的基本单位，形象的作用是不容忽视的。中国电影中所塑造的这些日本人形象，在某种程度上体现了中国人的日本观；而且，在较长一段时期内，对于大多数中国人对日本认识的形成起了一定的影响作用。

注释：

①1995年上海辞书出版社出版的《中国电影大辞典》将电影分为四类：A. 故事片・戏曲片B. 美术片C. 科教片D. 新闻纪录片。本文仅以A类为讨论范围，其中戏曲片（歌舞片）只有八部，余则皆为故事片。

②③同《中国电影大辞典》第1465—1481页，数据为笔者统计所得。

④电影剧本中虽写作“撕啦撕啦的”，但观众一般皆认为是“死啦死啦的”。

⑤《国际文化交流名言集》，国际文化研讨会编，财团法人国际文化研讨会1990年版，第84页。

⑥日语“ミシミシ”，副词，意为咯吱咯吱响，吱吱嘎嘎。

⑦日语“メシ”，名词，意为饭，吃饭。

⑧《大众电影》，1982年第9期，第5页。

⑨《电影作品》，1995年第6期，第77页。

⑩张骏祥主编：《中国抗日战争时期大后方文学书系　第8编电影》，重庆出版社1989年版，第54页。

⑪《当代电影》，1988年第2期，第145—147页。

⑫《大众电影》，1996年第7期，第24页。

⑬《北影画报》,1987年9月号(15),第10页。

参考书目:

1.《中国电影年鉴》,中国电影家协会中国电影年鉴编辑部编,中国电影出版社,1981年创刊于北京,自1988年起由中国电影家协会和广播电影电视部电影事业管理局合编。

2.《中国电影大辞典》,上海辞书出版社1995年版。

3.《中国影片大典》故事片·戏曲片等四卷(1977—1994),中国电影艺术中心、中国电影资料馆编,中国电影出版社1996年版。

4.《中国艺术影片编目》(1949—1979),中国电影资料馆,中国艺术研究院电影研究所编,文化艺术出版社1981年版。

5.《革命样板戏剧本汇编》第一集,人民大学出版社1974年版。

6.《中国电影剧本选集》(1—13),中国电影出版社编辑1959—1988年版。

7.《大众电影》、《上影画报》、《北影画报》、《电影世界》、《八一电影》、《电影故事》、《电影之友》、《当代电影》、《西部电影》、《电影新作》、《电影作品》等杂志。

8.《田汉电影剧本选集》中国电影出版社1983年版。

9. 程季华主编:《中国电影发展史》,中国电影出版社1980年版。

10.《电影剧本选》(1949—1959),上海十年文学选集编辑部委员会编,上海文艺出版社1960年版。

11.《张骏祥电影剧本选集》,中国电影出版社1985年版。

12.《惊险片剧本选集》,中国电影出版社1982年版。

13.《云照光电影剧本选》,内蒙古人民出版社1982年版。

14. 张彻:《回顾香港电影三十年》,三联书店(香港)有限公司1984年版。

15.《香港电影八六》,电影双周刊出版社1986年版。

16. 焦雄屏编著:《台湾新电影》,时报出版公司1988年版。

17. 李焯桃:《八十年代香港电影笔记》,创建出版公司1990年版。

18. 黄寤兰主编:《当代港台电影》(1988—1992),台北市时报文化出版企业有限公司1992年版。

19. 李翰祥:《三十年细说从头》,天地图书有限公司1983年版。

文学篇

日本古代“物语”的形成与《竹取物语》的研究

——日本古文学的发生学研究

严绍璗

10世纪时代日本《竹取物语》的创作，标志着日本古小说的形成。相传这部物语是采用日本民族当时创造不久的文字——“假名”进行创作的，它是日本人第一次在文学作品中实现了本民族语言与文字的统一。由《竹取物语》所创造的这种文学样式，成为以后数个世纪中日本古小说的基本形态，对后世文学产生了巨大的影响。紫式部称它为“物语的元祖”。这便是说，在对于“物语”这一文学样式的根本性理解方面，以及关于“物语”的具体创作方面，作为世界上第一部长篇写实小说《源氏物语》的作者，她认为自己的文学创作是承袭了《竹取物语》的传统的。①

《竹取物语》以瑰丽的想象力，虚构出一个人间与仙界协调的生活空间，以现实性很强的贵族与天皇向月界仙女赫映姬求爱求婚的故事为主轴，一方面以知性为基础，构成了对贵族社会的批判意识；另一方面，又以广泛的对人间的思考为基础，在批判意识中，透露着对人生价值的评估。整个作品表现出作者对于现实的冷峻态度，以及品位很高的浪漫心态。

“物语”作为一种文学样式，是日本民族文学长期发展的产物。飞鸟—奈良时代以来的神话与传说，为早期“物语”的创作，提供了极丰富的想象领域。而如《浦岛子传》这样一类具有日本民族文化个性的古汉文传奇，更成为“物语”成型的直接基础。经过数个世纪的文学性积累，终于在平安文学的“文艺狂飙运动”的时代中，②实现了这种新的文学样式的创造。

先辈学者对《竹取物语》已经做过大量的研究，有过许多精当的阐发。但是，由于这部作品年代久远，文献阙如，从文化史或者文学史的立场上说，关于这部“物语”的创作，不少问题至今仍然是一个“谜”，令人茫然不解，于是，便需要我们继续予以研读和解答。

一 对《竹取物语》篇名的再认识

一旦进入《竹取物语》的世界，首先感到困惑的，便是关于这篇物语的名称、女主人公赫映姬的来历，以及“名称”、“来历”与物语主体之间的关系问题。

1.《竹取物语》题名的由来

众所周知，所谓《竹取物语》，实际上是一个并未能完全确认的物语篇名，也就是说，至今我们仍然无法确证，这篇物语在创作之初，它的篇名到底叫什么，是否真的在当时就被定名为《竹取物语》。

《源氏物语》中保存了关于《竹取物语》的许多有趣的材料。其中题为《逢生》的一回中描述的是常陆宫的千金末摘花的诸种境遇。作者说，这位小姐在独处的日子里，“只能打开破旧的书橱，取出《唐字之绘》啦、《藐射古刀目之绘》啦、《赫映姬物语绘》啦等的图画故事来观赏玩弄”。这里提到的“赫映姬”，即是今本《竹取物语》的主人公。根据这一记载，这篇物语在紫式部时代，其题名被称为《赫映姬物语》，并有“绘本”流传。

然而，《源氏物语》的题为《绘合》的一回中，又有另一种说法。该卷记录当时后宫女性进行关于“物语”优劣的辩论游戏。妇女们分左右两组，各陈长短。作者是这样记录当时的状况的：“先从物语的元祖《竹取之翁》及《宇津保之俊荫》开始，分为左右，使其评论，以决胜负。”如此说来，则本篇物语在日本中古时代，其题名又被称为《竹取之翁（物语）》了。③

平安时代的末期，有长篇作品《今昔物语》。其卷三十一中有《竹取翁见付女儿养语》一篇，这是三人谭求婚的故事④。现在尚不明白，究竟它是今本《竹取物语》的雏形呢，还是《竹取物语》与它都是从另外一个共同的源头演化过来的。

当然，这些仅仅是古代日本文献上的记载。现今保存的关于这篇物语的最早文本，则是天正十二年（1584年）的写本，题名《竹取物语》⑤。后世的许多文本，大都来自此本。可能因为这个缘故，《竹取物语》的名称便广为流传了。此外，后世传本中也有题作《竹取翁物语》的。

“竹取”一词，在日本古文献中，最早大约见于《万叶集》。其卷十六记曰：“昔有老翁，号曰竹取翁也……偶逢神仙，迷惑之心，无敢所禁。近狎之罪，希赎以歌。即作歌一首并短歌。”（NO. 3791—3804）该篇序文原系汉文，作“竹取翁”。所以，《源氏物语》的《绘合》中称为《竹取之翁物语》，其後，也题为《竹取翁物语》，它们是同一意义的不同表述方式。前者是和文式的，后者是汉文式的。

2. 原本是一篇无题作品

早期《竹取物语》名称的不统一，给我们一个很大的启示。从东亚古代汉字文化圈内文学作品定名的惯例来考察，我推论这篇物语在创作之初，或许是根本没有篇名的，可称为“无题作品”。

中国古代文学作品中，从《诗经》开始，到魏晋南北朝大量的“志人”与“志怪”作品，都是直接叙事而不设篇名的。唐代的说话文学的文本，如在敦煌发现的“变文”那样，故事的篇幅都已经很长了，但仍然都没有篇名。现在它们被称为如《伍子胥变文》、《董永变文》等，这都是研究者根据文本的内容而后来命名的，并不是创作者本来写就的。

实际上，在日本古代的文学史上，形成早于《竹取物语》的不少作品，如今本《风土记》中收录的所有的传说、民间故事，原本都是没有标题的。著名的《浦岛子传》，在收录这篇作品的《古事谈》、《续日本纪》中，也都没有篇名。紫式部在《源氏物语》中称这篇作品为《竹取之翁物语》，当是根据作品开始的第一句话“从前，有一个叫竹取之翁的人”而确定的。选取文学作品中的第一句话作为该作品的篇目，这是中国自《诗经》以来，为“无题作品”命名的一种惯例。紫式部又称这篇作品为《赫映姬物语》，这是根据主人公的名字而确定的篇名，这与前述的隋唐说话文本如《伍子胥变文》、《董永变文》等的命名原则是相同的。正因为这样，中国古代文学中，有时一篇作品就会有两个不同的篇名。例如，著名的汉乐府《孔雀东南飞》，这一篇名是根据该篇的第一句话“孔雀东南飞，五里一徘徊”来定名的。然而，这篇乐府又被名为《为焦仲卿妻作》，这是因为乐府的主人公即为“焦仲卿妻”，此系依据主人公而命名。

我们可以这样认为，《竹取物语》作为当时讲故事的底本，原稿在用文字写定的时候，极有可能是没有任何篇名的。现在通行的《竹取物语》这一名称，只不过是后人取了全篇的第一句话作为名称而已。

3. 关于原始文本的文体问题

《竹取物语》原本是一篇无题作品，这一情况是与《竹取物语》的形成过程密切相关的。诚如前述，日本古代最早的“物语”，是以日本的“汉文传奇”为成型的直接基础的。

日本江户时代的国学家加纳诸平，在《竹取物语考》中表述他对“物语”形成的见解时说“（《竹取物语》）原本是仿《浦岛子传》、《柘枝传》等而撰作，后又加入叙述其意的和歌，于是便成物语也。”

这是十分精当的见解。如果对《竹取物语》的文本进行多视角的考察，便可以发现文本中语言文字的表现有不少脱离了假名规则的现象，从而为我们探索原始文本的形态提供了线索。

（1）作品中敬语的使用，紊乱而不成规章。例如在前三节中，对女主人公赫映姬全不使用敬语，但自第四节起，则又添加了敬语；又如对石作皇子等也不使用敬语。如是，则可以推测，这一物语的原始文本一定是用一种不使用敬语的文体写成，现在的若干敬语，是后人添补上去的。在和文与汉文两种文体中，不使用敬语的大抵是汉文的汉文体。

（2）文本中的《龙首之珠》一节中，开始部分在表达“天使”一词时，使用的是“天の使”，这是汉文词无疑。但后面部分同样表示“天使”之意，却使用了“ちみの使”这样一个和文词（见《群书类从》本）。原来，《日本书纪》的古训中，把汉文的“天”，训读为“きみ”，把“天人”训读为“きみのたみ”。可以想见的是，《竹取物语》的原本中，一定都是使用了汉文的“天使”，假名的表现都是在此基础上加工而成的。

（3）当代学者中西进氏从文体学的视角，考察古代物语文学中关于“自我”的表现方式，认为《竹取物语》与《和泉式部日记》、《源氏物语》等，对“我”的表现有相当的差异。假名物语在表现第一人称时，采用“われ”，而且常常主语不完全，读者从上下文中自然理解。《竹取物语》中却使用纯粹的汉文“我”。这种用法与汉文体的《今昔物语》几乎一致。中西进判断，文体上的这种差异，“便是因为《竹取物语》原先存在着一个汉文传吧，即使没有这种汉化传，那么这也是《竹取物语》采用了汉文体写作的结果吧！”⑥

综合各种材料，我们可以推测，在今本《竹取物语》之前，似乎还应该存在着类似《浦岛子传》第三、四类文本那种形式的汉文文本。这一判断或许将来可以得到更充分的材料而确认。这个问题应该再次被提出，并应引起研究者的重视。如果我们连这一基本的问题都不能阐述清楚，那么，我们又怎么能够对《竹取物语》说三道四呢？

二 赫映姬的诞生与中日古代的“竹生殖”心态

从《竹取物语》的主体情节来看，我们实在不明白“求婚与难题”与“竹取”和“竹取翁”之间，究竟有什么内在的关联。令人费解的还有，女主人公赫映姬既然是“月之女”，那么，她为什么一定要经过“竹”的渠道来到人间大地呢？事实上，当她在人世间演出了数幕生动而又深刻的“人生剧”之后，却又直飞月亮，几乎完全忘记了自己与“竹”之间曾经存在过的生命的渊源关系。

“竹”是一种具有特殊生存形态的植物。只是在中世纪后期开始，在日本列岛（北限北海道南部）成为一种广泛种植的植物。室町时代仿中国唐代文化，将“松”、“竹”、“梅”合为“三友”。在此之前，在古代日本，“竹”是一种稀有的珍贵植物，且没有如中国南方所见的“毛竹”般的大竹。从《万叶集》卷十六的《竹取翁之歌》来看，“竹取”或许是一种具有宗教礼仪意味的专业性职业，由此而形成了日本独具民族个性的“竹崇拜”信仰。

赫映姬的诞生，与此种“竹崇拜”心态密切相关。而且，它超越了古日本本土的这一“物”的崇拜，以“竹生殖信仰”的形式，与东亚广泛地区的具有不同发展层次的古老的人文观念相关联。

1. 日本先民的“竹崇拜”信仰

以《古事记》和《万叶集》为代表，日本上古文献中透露出日本人具有“竹崇拜”信仰。归纳这种信仰的内容，大致为两个方面。

第一个内容是把"竹"作为自然美的对象，加以歌颂。在这里，"竹"具有表示一种特殊的俊雅风韵的功能。

《万叶集》卷五有小监阿氏《奥岛歌》一首。歌曰：

梅花落缤纷，花散伤吾心。吾园有竹林，莺啼尚自慰。

(NO. 824 《梅花歌》三十二首之一)

同集卷十九又有大伴家持《雪中作歌》一首：

家屋门前地，纤巧竹叶群。万籁俱寂灭，夕阳风声清。⑦

(NO. 4291)

这两首歌中的"竹"，都是自然之竹。歌人用"竹"表达环境的清幽，从而构筑起清新幽雅的氛围。大伴歌中原有"かそけま"一词，为"光、色、音"全消去之意，于是，只剩下风从竹丛吹过，留下一片夕阳。此种清幽空朦，使读者在心灵上沉醉，感悟到超凡脱俗的气氛。

日本古文献中表现的对"自然之竹"的崇拜，有两点似乎应该特别注意：一是和歌在提到"竹"时，都描写"吾园有竹林"、"御园竹林里"，以及"家屋门前地，纤巧竹叶林"等，这是宣言对"竹"的占有，显示了律令制宫廷社会的权力与容光。所以，在把"竹"作为自然美的对象时，既是表示对于自然的崇拜，也是表示对于权力的崇拜。二是和歌中所表现的"竹"，在同时代或稍前的时代的汉诗中已大量地存在，其中以《怀风藻》为最典型。如释智藏《玩花莺》中有"以此芳春节，忽值竹林风"之句。又如从四位上治部卿境部王《宴长王宅》中也有"送雪梅花笑，含霞竹叶青"之句。汉诗与和歌两种艺术形式共同表现着日本人对"竹"的崇拜。在艺术上，和歌多少是从汉诗中脱胎换骨的。

第二个内容是把“竹”作为化生的咒物加以膜拜。在这里，“竹”具有镇邪驱恶的功能。

《古事记》“神代卷”中，写男神伊耶那岐命到黄泉国去探望妻子伊耶那美命时，曾两次出现了用“竹”制成的“栉”：

伊耶那美命答道：“可惜你不早来……”女神这样说罢，退入内殿，历时甚久。

伊耶那岐命不能复待，点起火来进殿看时，乃见女神身上蛆聚集，脓血流溢……

伊耶那岐命家见而惊怖，随即逃回。伊耶那美命说道：“你叫我出了丑啦。”她随即差遣黄泉丑女往追。

伊耶那岐命乃去黑色葛鬘，即生出野葡萄。在丑女摘食葡萄的时候，伊耶那岐命得以逃脱。但不久又复追来，乃去插在右髻的竹栉，掰下栉齿，抛在地上，即化为竹笋。在丑女拾食竹笋的时候，伊耶那岐命又得以逃脱。⑧

这是“记纪神话”表述宇宙三分观念的重要的一章，则清楚地显示了上古日本人对“竹”的化生信仰。在这则神话中，竹制品“栉”，与其说是一种装饰用具，不如说它本质上是一种咒具(祭具)，它具有退避鬼邪的功能。它化生而成的“竹笋”也是一种稀有的美食，吸引黄泉丑女忘记了自己的使命而纷纷抢食。此种对“化生之竹”的崇拜，在《古事记》中时有记录。又如彦火火出见尊坐在由取自500个竹林的竹子编成的“笼”中，终于到达海神之宫。在这里，“笼”便是神物。与此相同，在《万叶集》中有“竹玉”、“竹球”等，都是具有神力的化生之竹。所有这些，都生动地展现了《古事记》《万叶集》时代的日本人所具有的“竹崇拜”信仰的心理状态。这种信仰在其后的民俗中，便演化为“竹取祭”，至今延续不断。京都鞍马寺每年六月二十日便举行以“竹取”的形式来镇治大蛇的祭礼，便是这种“竹崇拜”信仰的生动形态。⑨

2. 中国古代“竹生殖”信仰的基本特征

《竹取物语》的主人公赫映姬是从竹中直接诞生的，“竹”是孕育并生殖她的真正母亲。从文化史学上说，这是一种独立的“竹生殖信仰”。就东亚地区而论，从现有的史料考察，此种信仰主要存在于中国的从福建至湖南，经由四川，到达云南的以长江流域为中心的文化圈内。或许，在这一片广袤的土地上横贯东西的富饶的竹产地，便是“竹生殖”崇拜的起源地。

我们采用原型形象比较的方法，可以揭示中日两种异质文学中所存在的共同的“母题”，然后可以探索其渊源。所谓“母题”，即是指在特定的文化中创造，并以不同的变体反复出现，而固定为特定文化内涵的文学形象——中日两国的神话、传说和物语中的“竹生殖”，便是一个共同的母题。

公元5世纪由范晔编撰的《后汉书》的《南蛮西南夷列传》中，有“夜郎侯传说”。文曰：

> 夜郎者，初有女子浣于遁水，有三节大竹流入足间，闻其中有号声，剖竹视之，得一男儿，归而养之。及长，有才武，自立为夜郎侯，以竹为姓。
>
> （卷一百十六）

这是一则生动的“竹生殖”信仰的传说，大约是根据当时广泛流传的传说记录的。在此《后汉书》略早一些的《华阳国志》的《蜀志·南中志》中，有一则非常类似的传说：

> 秦并蜀，通五尺道，置吏主之。汉兴，遂不宾。有竹王者，兴于遁水，有一女子浣于水滨，有三节大竹流入女子足间，推之不肯去。闻有儿声，取持归。破之，得一男儿。长养有才武，遂雄夷狄，以竹为姓。捐破竹于野，成竹林，今竹王祠竹林是也。⑩
>
> （卷四）

同样的传说，又记载在5世纪刘敬叔编撰的《异苑》中，文曰：

汉武帝时，夜郎竹王神者名兴。初有女子浣于豚（遁）水，见三节大竹流入足间，推之不去。闻其中有号声，持破之，得一男儿。及长，有才武，遂雄夷獠。氏自立为夜郎侯，以竹为姓。所破自竹，弃之于野，即生成林。⑪

（卷五）

在此500年后，11世纪宋人乐史编纂了著名的《太平寰宇记》，此书的《岭南道》（六），又有如下的记载：

竹王祠，《郡国志》云，竹王者，女子浣衣水次，有三节竹入足间，推之不去，中有声，破之得一男儿，养之有才武，遂雄诸夷地。⑫

（卷一百六十二）

中国的古文献中，关于"竹生殖"信仰的传说，竟有如此频繁的记录，着实使人惊奇。其中有两点似乎应该引起研究者的特别注意。

第一，所有这些记录，都是把"竹"作为传说中主人公的直接生殖的母体，这个怀孕的"竹母"，不采取其他的方式（例如卵生殖的方式），而是表现为用"破竹"，即由"竹"直接生养的方式，把神异之人送到大地人间。这是以"人"的生养方式来幻化"竹"的生殖，是典型的"竹生殖"心理形态的表现。《竹取物语》中的赫映姬的诞生，便是此种典型的幻化的"竹生殖"的产物。

第二，上述四则中国古文献中关于"竹生殖"的记载，《后汉书》与《异苑》的记录，都把传说的发生地确定为"牂牁郡"。据《后汉书》卷三十三《郡国志》的记载，当时，"牂牁"为益州的属郡，汉武帝时建立行政区治。所谓"益州"，即泛指四川地区，而"牂牁郡"则位于四川西南部。《华阳国志》记载的传说，流传地为"蜀郡南中"，即四川中部偏南，而《太平寰宇记》又把此"竹生殖"传说的流行地归为"岭南道"，即今广西一线。总之，可以确认的是，"竹生殖"崇拜是中国古代以四川西南部为中心区域的一种民俗心态。这一地区的确认，在《竹取物语》形成的研究中，具有重要的意义，并使研究者认识到，四川南部阿坝地区产生像《斑竹姑娘》这样的民间传说，并不是偶然的。

3. "竹生殖"崇拜所蕴涵的女性意义

"竹生殖"崇拜的起源，具有十分古老的原始性，它本源于更加原始的"本体生殖"崇拜。所谓"本体生殖"崇拜，指的是把"竹"幻化为女性，进而表现为对"女体"的崇拜。

晋人张华在《博物志·史补》中，有关于"湘妃竹"的记载：

> 尧之二妇，舜之二妃，曰湘夫人。舜崩，二妃涕。以涕挥竹，竹尽斑。⑬

稍后，南北朝时梁人任昉在《述异记》中又记这一传说曰：

> 舜南巡，葬于苍梧。尧二女娥皇、女英，泪下沾竹，文悉为之斑。⑭

"湘妃竹"(即"斑竹")的传说，从神话人类学的视角可以判定，传说是把"竹"与"女性"作为一体来表现的（即二物的共感）其潜在的意义则在于隐喻"竹"即为女性的化身。既然"竹"为女性的化身，它便具有了女性的功能。

前述刘敬叔的《异苑》中，又有"竹孕"的记载：

> 建安有筼筜竹，节中有人，长尺许，头足皆具。

这里表现的"竹孕"、"竹胎"，它是"母胎"的隐喻和象征。此种对"竹"的隐喻和崇拜，与中国曾经流传的"桃崇拜"、"瓜崇拜"、"葫芦崇拜"等一样，都是原始的对女性生殖器崇拜的延伸与演化。⑮中国南部与西南部的居民，自古以来把"竹"的荣枯，作为家族兴败的象征，并且盛行妇女不育则向山竹献祭祈祷的风俗。这些无疑都与把"竹"作为女性生殖器加以崇拜的遗迹密切相关。由此，便孕育出了许多把"竹"幻化为女性托体，且具有生育功能的美丽的传说。

前述诸种关于“竹”的传说，可以整理成两个彼此连接的“竹生殖”崇拜系统。

由“湘妃竹”“筼筜竹”这些传说，构成了“竹生殖”的前系统（即第一系统）：

竹——幻化为女性——竹孕（竹胎）

由“夜郎侯”、“斑竹姑娘”、《月姬》（下详）等传说，构成了“竹生殖”的后系统（即第二系统）：

竹胎——（有声）——（拾拣）——破竹而出

[胎动标识]　　　　[生殖]

这两个系统前后相接，便描绘出了中国南部“竹生殖”崇拜传说的全部轨迹。《竹取物语》的女主人公赫映姬的诞生，属于这一轨迹的第二系统。当然，第二系统的存在，是以第一系统为前提的。所以，当第二系统以独立的形态出现于文学作品中时，它实际上是以潜化了的第一系统为心理出发点的。或许，从这个意义上我们可以断定，《竹取物语》中的“竹取”与赫映姬的诞生，它是由中国南方原始的“竹生殖”崇拜所辐射出的一个分支吧。

三　中国日月神“新神话”与赫映姬的身份

在《竹取物语》情节的进展中，女主人公赫映姬终于展现了作为“月都之人”的神秘的身份。《物语》的著者，让他的女主人公先是通过“竹生殖”来到人间，继而让她在人世间演出了多幕情爱戏剧，最终让她于八月十五日（中国的中秋）之夜，穿羽衣，饮不死之药，登云车，飞升回归了故乡——月亮。这是一个极富浪漫幻想的构思。

日本学者一般都以“羽衣说话”或“飞天造像”来解释这一构思，恐怕并不一定符合其在文化史学方面的真实的意义。实际上，这个构思中包孕着相当丰富的思想史材料，包括古代中日文化融合的历史事实。

1. “羽衣说话”论与“飞天造像”说的误区

有些学者以日本本土的传说为根据，强调本篇《物语》的结尾，在类型上应当属于“羽衣说话”系统。例如，他们认为，古代近江国伊春小江的“天女白鸟传说”，便是赫映姬“回归”情节的渊源之一。[16]他们的主张，可以称为“本土传说论”。

有些学者在研究赫映姬的回归时，受了佛教故事、特别是佛教壁画美术的影响，主张赫映姬的“回归”即属于“飞天”一类。例如，日本古山城国日野法界寺本堂（阿弥陀堂）中有“飞天”画像”。所谓“飞天”，梵语原为“apsara”，意为“飞向有情的天界虚空而为伎乐散天花者”。这部分学者都倾心于她的“飞升”造型，而认定赫映姬为“飞天”之一种。[17]他们的主张，可以称为“佛教飞天说”。

“羽衣说话”论者与“飞天造像”说者，几乎完全忽视了女主人公赫映姬在作品中的真实的身份，以及这种身份与回归在文化史学上的真正的意义。

这两部分研究，都把“天”作为赫映姬最后的回归之地。这里的“天”，高空浩渺，不知所在，是一个抽象的概念。这与《竹取物语》为女主人公所确定的身份不合。《物语》非常清楚地写明，赫映姬说：“我非本土之籍，乃系月都之人也。”所以，她的回归，并不是抽象的“飞天”，而是目标明确又具体的“奔月”。前述两说之中，佛教“飞天”之说法似尤不合情理。《竹取物语》的“回归”情节，明显地表现了作家的道教思维心态，而且，就其外观形态来说，“伎乐散天花者”的“飞天”，与赫映姬的“奔月”，也没有什么类似之处。

从形象学的视角观察，或许可以这么说，《竹取物语》中由赫映姬的身份（月都之人）所创造的文学形象，在日本古代文学史上是第一次出现，并没有先例，也无共同的类型——这是一个杰出的创造。

2. 原始神话中的“日月神本体论”

赫映姬这样一个多彩的文学形象，是从“月宫仙女”的观念出发而创造的。从文化史学上说，此种“月宫仙女”的观念，并不是日本民族传统的神话观念，也不是世界上普遍的原始神话的观念。它实在是中国秦汉时代“新神话”中表现的“新观念”

在世界各古老民族的神话中，“神”与人一样，都具有七情六欲，生老病死。事实上，“神”就是人。这些民族中的关于太阳与月亮的神话，与其他的神话一样，无论是日神或是月神，都是作为人的“折光”而存在。因为它们本身就是“人”，所以，从来也没有一种神话在讲到“日神”或“月神”时，会让另外一些所谓的“仙人”寄身于它们的肌体之内——即从来也没有一种“日神”神话，或“月神”神话，会让另外一部分“仙人”居住在太阳或月亮之中的。我们称此种神话观念为“日月神本体论”

中国的《山海经·大荒南经》中记载太阳的来源说：

> 东南海之外甘水之间，有羲和之国。有女子名曰羲和，方浴日于甘渊。羲和者，帝俊之妻，生十日。[18]

羲和是位伟大的女子，她是太阳的母亲，生下了十个太阳，在甘渊替它们洗澡。所以，太阳不仅是炽热的火球，它本身就如同人一样，具有生命的形态。《楚辞·九歌》中的《东君》，对太阳神极生动的描述：

> 暾将出兮东方，照吾槛兮扶桑；
> 抚余马兮安驱，夜皎皎兮既明；
> 驾龙辀兮乘雷，载云旗兮委蛇。
> …………
> 青云衣兮白霓裳，举长矢兮射天狼；
> 操余弧兮反沦降，援北斗兮酌桂浆。[19]

这里的“东君”，便是羲和的孩子——太阳神。这位日神，驾龙舟，载云旗，上着青衣，下着白裙，举长矢，射天狼，是一位英俊的武士。

中国原始神话中关于月亮的传说，虽然没有这样生动，但却认为“月神”是“日神”的同父异母兄弟，则是没有疑问的。它的母亲叫常羲，也是帝俊的太太。《山海经·大荒西经》曾这样记述“月神”的来源：

大荒之中有山，名曰日月山，天枢也……有女子方浴月。帝俊妻常羲，生月十有二。此始浴之。

与羲和为其太阳的儿子洗澡一样，月亮的母亲常羲也把她的孩子打扮得干净光洁。这生动地表现了日月生命之神的人间情感。这些关于太阳与月亮的传说，便是中国原始神话中的“日月神本体论”。

欧洲的原始神话也是这样。希腊神话中主神宙斯与女神拉多生了一子一女。子称阿波罗，女称阿尔忒密斯。宙斯的正妻赫赖把他们赶出天国。于是，阿波罗成为了日神，阿尔忒密斯成为了月神，他们是一对兄妹。甚至在北欧的神话中，日神索罗与月神玛尼诺，也都是巨人蒙底巴里的子女。与中国上古时代的日神与月神一样，他们也是兄妹。

古代人又常常以人间生活的形式来解释日月的自然变化。喜马拉雅地区神话中的“月”，原来是人世间的一个“人”，因为调戏岳母，被岳母用草灰撒在面孔上，因而逃到天上为月亮，正因为它的脸的一半是灰黑的，所以月亮便有了阴面。喜马拉雅地区还有一则神话说，太阳与月亮原为人间兄妹，当时因为还没有日月，所以人间是漆黑一团。为兄的却奸污了自己的妹妹（这可能是一种“血族婚制”的传说，被后人曲解了——著者），妹妹因不辨何人，故以泥涂其面，以待将来勘查。当妹妹知道调戏她的人原来是她的哥哥时，便羞怒而跑至天上，此为太阳；她的哥哥追到天上，此为月亮。这样，月亮便永远地追逐着太阳，但月亮有一半的脸常常看不清楚，这是因为为兄的脸上被她的妹妹还涂着许多泥巴呢。

这种“日月神本体论”的神话十分生动有趣，它几乎是一切民族中关于太阳与月亮的原始传说的共同形态。日本民族关于太阳与月亮的最古老的传说，其基本形态也仍然具有“日月神本体论”的共同特征。《古事记·神代卷》在描述日本的太阳与月亮的来源时，讲了这样一个故事：

（伊耶那岐命去黄泉探望亡妻伊耶那美命，却被妻子用黄泉丑兵赶将出来，一路逃命）伊耶那岐命至竺紫日向之橘小门之阿波岐原，举行祓除……

伊耶那岐命洗左眼时所生的神，名为天照大御神。其次洗右眼时所生的神，名为月读命。其次洗鼻时所生的神，名为建速须佐之男命。

此时，伊耶那岐命大喜道：“我生子甚多，今最后乃得贵子三人。”

因取下颈上的玉串，琮琮地拿在手里摇着，赐给天照大御神，命令道：“你去治理高天原。”

此项颈串称为御仓板举之神。其次，命令月读命道：“你去治理夜之国。”

其次命令速须佐之男命道：“你去治理海原。”⑳

这则神话所说的“天昭大御神”，便是日本的“日神”；所谓“月读命”，便是日本的“月神”。他们虽然不是正常分娩所生，是一种“化生”，但它们仍然是开创日本的主神伊耶那岐命的孩子。与世界各民族的“日月神本体论”神话一样，彼此也仍然是同胞手足，本身也就具备了“人”的特征。

3．赫映姬的身份

《竹取物语》所创造的女主人公赫映姬，却与《古事记·神代卷》中所表现的原始的“日月神本体论”的观念完全不同。赫映姬是这样向她的养父母表述自己的真实身份的：

先前承蒙诸事关照，我的心十分悲伤、混乱。本想沉默不言，但终究是要说出口来。我非本土之籍，乃系月都之人也。原先有约，来此世上，今应返归。本月十五日，本籍月亮之国将来迎接……

到了八月十月的半夜，果然从天上来了许多的“人”，他们以隆重的仪式，把赫映姬接回月亮中去。女主人公穿上了羽衣，饮过仙药，便登上云车，在百人的蔟拥之中，飞向了月亮。

在这篇物语中，月亮本身已经不再是神，因而便失去了作为“人”的特征的生命之光。在世界各处的原始神话中曾经充满着生动气息的月神，现在变成了只是仙人们聚居的一个处所——变成了一座闪烁着熠熠幽光的宫殿，而那些“仙人”却钻进了月亮的肚中，扮演起各种长生不老的角色。这样，原始的“日月神本体论”便瓦解了，代之而起的，则是日月神的“客体论”。

“日月神客体论”的最本质的特征，便是作为现实世界中人间欲望的化身的“仙人”，寄生到了原始传说中光洁朴实的“神”的身体之中。原始神话中的日月星辰，原本是具有人的性格的“神”，现在却演变成了人世间以外的生命不死的“乐园”。古老的表现人与自然的关系的观念消失了，而世俗社会中的人的无法满足的私欲却披上了种种神灵的光圈。《竹取物语》正是日本第一次以小说的样式表现了“日月神客体论”的观念。或者说，这一篇物语的作者所构思的各种情节，都是建立在此种“日月神客体论”观念的基础之上的。

4. 中国秦汉新神话与“日月神客体论”

“日月神客体论”不是日本文化固有的观念，它是中国秦汉时代所形成的一种新的文化形态。

汉民族原始的神话观念，到了战国时代便发生了变化。我们的先民在原有的诸神之外，又造出了一大批“仙人”。何谓“仙人”呢？

《释名·释长幼》曰：“老而不死曰仙。”

《史记·封禅书》是我国记载“仙人”活动最早的文献。其文曰：

> 自齐威、宣、燕昭使人入海求蓬莱、方丈、瀛洲。此三神山者，其传在渤海中，去人远；患且至，则船风引而去。盖尝有至者，诸仙人及不死之药皆在焉。

当时，制造这种仙人幻影的，则是中国战国文化中新长出来的一批“方士”。他们是一批从事“长生不老术”的专业人士——他们懂得神奇的方术，或者收藏有“长生不老”的药方等，所以有这个称号。这些方士制造种种关于“仙人”的故事，以满足当时的统治者日益增长的贪得无厌的私欲，也用以欺骗当时苦于战争而走投无路的百姓。战国以来，方士多次入海求仙，以至于秦始皇时代还演出了徐芾率童男童女入海求长生不老之药的盛举。中国汉文化发展至此，便增加了新的特质。但是，这一时代开始的关于神话观念的转变，还没有直接涉及到日月神本身。

中国“常娥奔月”的故事，是方士们最早把“仙人”观念注入神话之中，并由此而创造出的新神话——这一神话的产生与形成，便开始把原始神话中的“日月神本体论”引向了新神话中的“日月神客体论”。

“常娥奔月”神话，始见于西汉初期。《淮南子·览冥训》首载其事：

> 羿请不死之药于西王母，姮娥窃之以奔月。

这则神话中的羿、西王母、姮娥，原本都是中国上古时代原始神话中“神”。姮娥即常羲，她是主神帝俊的一个妻子，生下了十二个月亮。羿是帝俊的武士，他射杀了河伯而以雒嫔为妻。秦汉之际的方士们，为了宣传长生不死与飞天成精的幻想，便把原来毫不相关的两组神话，重新组合在一起，把羿与姮娥配为夫妻，使姮娥偷饮不死之药而奔月，从而创造出了以长生不死为主题的新神话。[21]

这一则神话，出现于西汉初期，发展至东汉时代，已经被铺陈得有声有色了。4世纪时代晋人刘昭在为《后汉书·天文志》做注时，曾经全文引用了2世纪时代东汉著名的天文学家张衡的大著《灵宪篇》。其中，已将"常娥奔月"敷衍成情节完整的新神话了：

> 羿请无死之药于西王母，姮娥窃之以奔月。将往，枚筮之于有黄。有黄占之曰："吉，翩翩归妹，独将西行，逢天晦芒，后且大昌。"姮娥遂托身于月。

晋代干宝《搜神记》卷十四中有相同的记载，表明这组新神话在当时已有相当的流传。在这组新神话中，值得注意的是下述三个基本点：

第一，它意味着中国神话从"日月神本体论"的观念，向"日月神客体论"的观念的根本性的转变。从此，原始的月神观念消失了，代之而起的，则是新形成的所谓的"月宫"观念了。

第二，促成这一转变的基本主题，"长生不死"，而实行这一转变的道具则是"不死之药"。中国神话观念的这一转变，是与中国文化中的"方士方术"向道教的发展相一致。

第三，"奔月"的主人公为女性，由这一位女性演绎的种种情节，则是这一组新神话的最基本的表现形式。

此种新神话的观念，与原始神话中无意识的幻觉相反，它是在利用原始神话材料的基础上，进行的一种有意识的创造。这是中国秦汉至六朝文化发展中一个极重要的特点。

至此，中国原始神话文化中的"日月神本体论"便瓦解了，一种适应社会需要的新神话应运而生。从文学创作的视角考察，此种"日月神客体论"虽为怪诞之作，但是，它却表现了富有浪漫色彩的想象，文学家们争相以此种观念构思情节，创造出了鲜丽多彩的文学艺术作品。

5. 日本平安文学作品中的“妲娥”形象

日本文学作品中接受中国汉民族此种关于“日月神客体论”新观念，大约在9世纪时代初期的嵯峨天皇时代（809—822在位），最早表现在以《文华秀丽集》为代表的汉诗创作中。

嵯峨天皇撰《侍中翁主挽歌词》之二曰：

> 戚里繁华歇，皇家淑德收；悲伤盈旦暮，凄感积春秋。
> 月色妲娥惨，星光织女怨；一闻箫管曲，日夜泪同流。
>
> （《文华秀丽集》卷中NO. 88）[22]

天皇的文学侍臣桑原腹赤在《奉和伤野女侍中》中亦曰：

> 思媚一人容发老，崦嵫暮晷不留年；
> 孤坟对月贞妇硖，阅水咽云孝子泉。
> 柳絮文词身后在，兰芬妇德世间传；
> 古来蒿里为谁邑，今日松门闭鬼埏。
> 野暗骖嘶通白雾，山空晚响入黄烟；
> 何崇盗药求仙台，不朽哀荣降圣篇。
>
> （《文华秀丽集》卷中NO. 84）

这是两首作于9世纪初期的日本悼亡诗。天皇在其诗中说：“月色妲娥惨”，桑原在他的诗中说：“何崇盗药求仙台”，这已经包括了中国“妲娥奔月”新神话的主要内容了。这些诗歌作品的出现，意味着当时日本的知识分子，不仅已经接纳了中国新神话的信息，而且已经将这种观念导入自己的创作之中，以此构思自己的作品了。

以9世纪日本汉诗为媒介，中国新神话的新观念，终于在《竹取物语》这一叙事文学样式中得到了充分的展开与运用。

《竹取物语》在文学的构思方面所容纳的中国汉民族“日月神客体论”新神话的特点，可以说集中表现在三个方面。

第一，《竹取物语》几乎是全面地接受了中国汉民族自秦汉以来关于"仙人"的观念，并如同中国文化观念所表现的那样，把原始神话中的"月神"改成了"月宫"，作为"仙人"们的生活之所。作者以这种"新文化"观念，作为本篇物语构思的基础。

第二，《竹取物语》接受了中国汉代方士们所编造的"姮娥"的形象，并把她改造成为一个美貌无暇的日本女子，从而作为全篇作品的主人公。

第三，《竹取物语》在结尾之时，几乎全部采用了中国方士所制造的"仙人"们的最重要的生活道具——羽衣、云车与不死之药等，并把它们与日本国的象征富士山联系在一起，从而完成了整个的故事。

四　赫映姬的婚姻与中国的传说

《竹取物语》的主体情节是女主人公与五个求婚者，以及与天皇之间的婚姻纠葛，整个故事以"求婚与难题"的形式展开。

1961年，中国的田海燕在《金玉凤凰》一书中，记录了四川省藏族阿坝自治州流传的一则民间传说《斑竹姑娘》。这一传说也是以"求婚与难题"为主要的内容，描写四川的斑竹姑娘与五个求婚者之间的种种纠葛。这一传说的公开，对日本平安时代的文学研究带来了不小的冲击。自1972年日本百田荣弥子的有关论文发表以来，围绕着《竹取物语》中"求婚与难题"的渊源，学术界产生了许多对立的见解，争论的关键在于中国的这一则民间传说《斑竹姑娘》，到底是不是日本平安物语《竹取物语》的源头。

我觉得，孤立地来研究这两则故事之间的关系，恐怕很难得出令人信服的结论。必须对围绕这些物语相关的人文条件进行历史的综合的分析，这样或许可以从中获得超越目前见解的新的启示。

1. 地理上的一个误解

当代著名的学者片桐洋一氏在《竹取物语校释》的《解说》中，曾经就《竹取物语》与《斑竹姑娘》的关系问题，发表了如下的见解：

正如最近大桥清秀氏和安藤重和氏所提出的反论那样，我想，在河口慧海之后，（《竹取物语》）已经传入西藏，于是，当地流传的《斑竹姑娘》的后半部分被加入了新的内容，那也是很自然的。[23]

片桐氏先生提出了一个十分大胆而又非常有趣的见解，可能是代表了一部分研究者的观点。但是，这里有一个很大的误解，那就是《斑竹姑娘》的采集地是中国的四川省阿坝藏族自治州，而不是中国的西藏自治区，这是两个不相同的地理概念。阿坝藏族自治州离开西藏自治区（如以首府拉萨计算）尚有1500公里之遥，其中有许多高山大川，如有高达7556米的贡嘎山，又有如金沙江、澜沧江这样的大河。日本明治30年代与40年代，探险家河口慧海（1866—1945年）两次从尼泊尔进入西藏，他走的是喜马拉雅山南侧通道，并不是从中国的内地进入西藏的。中国的内地进入西藏有两条通道，一条经由四川，一条经由青海。从地理学上来讲，河口慧海的"西藏探险"，并未经过四川，当然就不可能把日本的《竹取物语》留在阿坝地区了。

2. 四川《斑竹姑娘》形成的人文环境

否定大桥清秀、安藤和重、片桐洋一诸先生立论的前提，并不就是主张《斑竹姑娘》为《竹取物语》的源头。我们仅仅是辩明了一个基本的地理概念，认定这种假设其实是根本不能成立的。为了揭开两个文本之间诸种迷惑，还应该对《班竹姑娘》作如下几个方面的人文环境的考察。

第一，《斑竹姑娘》的主体，是从斑竹中生养出的女主人公。前述"竹生殖"信仰中已经辩明"斑竹"的产生及其地区，把"斑竹"幻化为女性象征，源本于中国的湖南地区，目前所见的《斑竹姑娘》传说，则流传于四川省的南部。那么，这一传说是从湖南传入四川的。这恰与中国历史上人口迁徙的方向相一致。近2000年来，湖南地区的居住民有过数十次的向四川地区的大流动。当今许多四川居民，还能记得其祖籍来自湖南。根据前述的许多中国古文献的记载，中国自云南，经由四川、湖南，而达于江浙海滨，存在着“竹生殖”信仰地带。《斑竹姑娘》与前述的《夜郎侯之话》等一样，是以漫长的历史与广阔的区域中的“竹生殖”信仰为基础而产生的，是由此种信仰衍化而生成的传说不是偶然出现的孤立的文化现象。

第二，中国自《诗经》以来，一直有文人在民间“采风”的传统——即民间收集各种口头传承，保存传世。本世纪新文化运动以来，民间的“采风”逐步趋于近代学术化，采集的材料对人文学科的研究也愈来愈具有价值。《斑竹姑娘》便是中国学者在四川西南部采集到的一则具有重大价值的民间传承。

在《赫映姬的光与影》一书中，梅山秀幸对《斑竹姑娘》采集作了如下的判断：

> 《斑竹姑娘》中明显地被介入了意识形态。例如作品中暴露了作为“土司资本家”的剥削实态，而且，把社会中的矛盾和斗争加以典型化。这是基于毛泽东《文艺讲话》的基本路线而被编纂成的。本篇故事便是那个政治季节的产物。㉔

这个见解显然对中国文化中的“民间采风”传统有很大的误解。《斑竹姑娘》是一则民间故事，长期流传于川西南，其传说内容与《在延安文艺座谈会上的讲话》并没有什么关系。倒是这则传说表现了民众在情爱婚姻中，谴责虚诈，追求真实的愿望。它在文化史学上具有重大的价值，反映了中国四川地区广泛的“竹生殖”信仰，并且表现了东亚文化在思维形式上的若干智慧之光。

第三，据日本学者冈村繁的考定，流传于中国四川西南部藏族中的另一些民间传说，常常带有汉族文化的色彩。冈村氏以“扎尔干判案”传说为例，加以说明：㉕

札尔干判案	汉族文献出典
争鸡案	与《南史》中傅琰“判鸡”类似
盗牛案	与《南史》中顾宪之“审牛”类似
羊皮案	与《北史》中李惠“审羊皮”类似
还牛案	与《唐书》中张允济“武阳审理”类似

冈村先生的这一考定，多少说明了这一地区藏族文化的丰富性和复杂性。原来，四川西南部藏族集居区，并不是一个封闭的区域，它与以汉族为中心的中华各民族古老的文化传统有着广泛的联系。

第四，使研究者感到困惑的还有，一则中国内陆的传说，在古代真的能够传入日本吗？

当然，我们现在并没有什么有力的材料能够证明《斑竹姑娘》真的传入了日本。但是，如果能够超越一个民间传说的本身而从中日文化之间的更广阔的关系来考察，那么，可以确证，古代中国的内陆文化，例如四川地区的文化传入日本，则并不是不可能的。

《万叶集》卷九有《登筑波岭为嬥歌之会日而作歌》，描写奈良时代大和地区的一种两性风俗。“嬥歌”一词，原见于《昭明文选》，而“嬥歌之会”，原本是中国巴蜀（四川）的风俗，男女互相手拉手，且歌且舞，中间穿插有两性的关系。这种活动多少具有原始宗教的意义，8世纪时，已经从四川传入了日本，令人惊奇。

实际上，文化的转播力常常超出我们的想象。从中国西南部的云南，经由四川，沿长江东下，到达中国东部海滨，越海或到日本，或到朝鲜。自古以来，一直存在着这样一条文化通道。有两个基本的事实可以作为证明。

学术界许多人认为，亚洲的稻米生产，当起源于中国的云南，其向东辐射到东亚；向南辐射到南亚。目前在日本海沿岸的稻根出土于了公元前2世纪左右的炭化米粒，是已知的日本最早的稻米遗物，属Japonica。Japonica种是7000年前发源于云南的早期稻种。这便是说，日本的稻作，是由云南地区经由四川，沿长江东下，或由浙江、江苏，或由朝鲜半岛而传入的。[26]

佛教史学研究者们认为，早期佛教造象的传布有南北两条路线。其南路通道，则由中印度经缅甸，进入中国云南，再由云南进入四川，沿长江东下，最终到达日本。[27]

稻作与佛教，是构成日本文化的两大支柱，而它们的进入古日本，竟然都与中国的四川地区相关！

日本自古以来，"漆"工艺有很高的造诣。目前正仓院所藏的漆器品物，都十分精美。日本的漆工艺，是由"归化人"从中国经由朝鲜半岛传入的。本世经对朝鲜古乐浪遗址古坟的发掘，出土了许多公元1、2世纪的中国汉代的漆器，大部分为中国四川地区的制品。有的漆器上有"子同郡"这样的文字。"子同"，即四川"梓橦"之略写也。[28]

假如我们立足于这样深远和丰富的文化史实之中，那么，我们便会明白，在古代东亚，中国的远离中央的地方性文化，例如巴蜀文化，越海而东传日本，并不是不可能的。

3. 福建地区的《月姬》传说

有研究者认为，在今本《竹取物语》的"五人求婚谭"之前，可能有一个作为"母胎"的"三人求婚谭"的故事（物语），这便是《今昔物语》上的记载。从日本本土文学的发展来说，这真是一个很有意思的见解。

事情真是非常的凑巧，甚至使人感到不可思议。原来，在中国，除了在四川有一个"求婚五人谭"的《斑竹姑娘》之外，在福建，竟然还有一个"求婚三人谭"的《月姬》传说。这一传说中的女主人公"月姬"，是月亮中的仙女，她通过"竹生殖"而来到人世间。

这则民间传说的采集者袁和平先生，现为福建省文联主席。1987年他作为北京大学“中国作家讲习班”的学员，在听完了我的“中日文学关系研究”这一课程后，在提交的“听课报告”中，记述了福建地区流传的如下一则传说：

> 有一位伐竹的樵夫，一次听到竹中有哭泣的声音，于是便把竹子劈开，从中跳出一位小女子，自称是从月界来的。樵夫遂给她起名叫“月姬”，十数年后，月姬便出落为一个美人。
>
> 待月姬长大之后，便有读书人、猎人和杂技人来求婚，可是，月姬不愿意嫁人。于是，她便要求读书人去改写全部的《论语》，要求猎人射落院子里桐树上的全部叶子，要求杂技人从雷州山上取回雷神的大鼓。
>
> 三人都未能办成这些事，悻悻而退，月姬便与樵夫愉快地生活着。[29]

在这则流传于福建的传说中，女主人公在解决求婚纠葛时，采用了“出难题”的方法，从而使求婚者达不到目的，并使自己摆脱困境。传说在表现女性处理婚姻时的机智与聪明方面，则与日本的《今昔物语》、《竹取物语》，以及中国四川的《斑竹姑娘》，几乎完全相同。古代中日女性在思维形态上似乎存在着同一性。

《月姬》传说有两点值得十分注意。

第一，女主人公月姬向求婚者提出的三个难题，与《今昔物语》中的“竹取”故事相比，有相近之处。

	《月姬》	《今昔·竹取》
第一难题	改写《论语》	取空鸣雷
第二难题	射落树叶	取优昙花
第三难题	取雷神大鼓	取不打自鸣之鼓

在上述三个难题中，第一题并不相同，第二题的具体内容虽然并不完全相同，但都可以归为“以植物为难题”类，第三题则要求内容相同，而《月姬》的第三题，与《今昔》的第一题，内容却也相通。

第二，片桐洋一先生曾提到，“在今本《竹取物语》之前，似乎还应该有一个竹取翁自己与赫映姬婚配的《竹取》原话存在。”这个假设是很有想象力的。中国福建的这个传说，其结尾处女主人公并未回归月亮，更无“飞升”的情节，月姬在摆脱了求婚者的纠缠之后，“便与樵夫愉快地生活着”，这个结尾似乎给我们重要的暗示，这个暗示与片桐氏的推测不谋而合。如果真是这样的话，《月姬》这则传说便有了很悠远的古老性。

4. 五个难题的考察

如果拿《竹取物语》与《斑竹姑娘》比较，求婚难题异同的状况，与《今昔》与《月姬》之间基本相似。

	《竹取物语》	《斑竹姑娘》
第一求婚者	石作皇子 取天竺佛的石钵	土司儿子 取缅甸的黄金钟
第二求婚者	车持皇子 取蓬莱的玉枝	商人之子 取玉树之枝
第三求婚者	阿倍右大臣 取火鼠之皮衣	衙司之子 取火鼠之裘
第四求婚者	大伴大纳言 取龙颈之玉	癔病幻想者 取海龙额之分水珠
第五求婚者	石上中纳言 取燕之子安贝	傲慢之青年 取燕窝之金卵

上述两个不同文本中的“难题”显示，中日两位女性在处理求婚这一课题时，事实上具有共同的思维形式，她们虽然地隔数

千里之遥，然而所提出的难题却早已超越国界，具有互相对应的关系。当代的读者甚至会怀疑她们在出题之前，是否曾经互相会面商讨过？

五个难题，可以归为三个文化系统。

第一，佛教文化系统的难题。

属于这个系统的是她们向第一位求婚者提出的“难题”。“钵”与“钟”都是佛道的修行者常用的器具。佛道门内人的食器，称之为“钵”，进而把僧尼立于各户门前诵经化缘而接受米钱等施舍的活动，称之为“托钵”。“钵”，梵文做“pātra”，汉文译作“钵多罗”。俗称的“钵”，便是“钵多罗”的略称。“钟”，梵文作“ghantā”，此为做佛事者所必备的音响用具。这一道试题的难点，不在于“取钵”和“取钟”，而在于去“天竺”和去“缅甸”取这些佛事用具。对于当时居住在日本的人，想要去天竺，和对于当时居住于四川的人，想要去缅甸，简直是不可想象的。这道难题也透露出当时中日这两位年轻的女性，对于佛教的起源地与佛教的传播路线，具有相当的知识。

第二，中国汉族文化系统的难题。

属于这一文化系统的是从第二试题至第四试题，能够提出这样的试题的女性，应该说是具有相当好的汉文化底蕴的。

第二题中，赫映姬向她的求婚者车持皇子提出“取蓬莱之玉枝”。此题应来源于秦汉时代的方士们关于“蓬莱”的传说。《列子·汤问篇》有以下记载：

> 渤海之东，不知几亿万里……其中有五山焉。一曰岱舆……五曰蓬莱。其上台观皆金玉，禽兽皆纯缟。珠玕之树皆丛生，华实皆有滋味。[30]

这里描写的蓬莱山有金屋玉枝，当然只是方士们编造的“永生不死”的幻想，赫映姬却以此作为试题，这正是她学识丰富、智慧机敏的表现。

第三题的内容事涉“火鼠之皮衣”。“皮衣”在汉语中也称为“裘”。中日两位女性所出的这一难题完全相同。所谓“火鼠之裘”，这是中国南部地区的传说，最早见于汉代东方朔《神异经》中。其文曰：

> 南方之外有火山，昼夜火燃，火中有鼠，重百斤，毛长二尺余，细如丝，可以作布。恒居火中，时时出外而毛白，以水逐而沃之，乃死，取其毛，缉织为布。[31]

同样的传说还见于《吴录》。[32]有学者把这一传说中的“火鼠毛”织成的“布”，称为“火浣布”，这是一种误解。所谓“火浣布”，则是“石棉”的产物。这里说的“火鼠之裘”，是中国汉族古老的传说，其实并无实物，所以是永远也不可能取到的。

赫映姬与斑竹姑娘提出的第四个试题是欲取“龙颈之玉”与“海龙额上之珠”。在金石学中，“玉”与“珠”为同一类物。在中国上古文化中，欲取“龙首之珠”是一个比喻，意为一个危险的行动，一个有可能使自己覆灭的卤莽之举。比喻出自《庄子·列御寇》中，其文曰：

> 夫千斤之珠，必在九重之渊，而骊龙颔下，子能得珠者，必遭其唾也。使骊龙而悟，子尚奚微之有哉！[33]

此话的意思是说，价值千金的珠玉，必在骊龙的颔下，而骊龙又处于九重之深渊。若要取得这个珠玉，必待骊龙昏睡之时；若骊龙醒悟，岂不为它所吞食，窃珠玉者便不复存在了。当年庄子用这一“骊龙取珠”来说明宋国国王的残酷，同时也创造了一个生动的比喻。这个比喻又被古代中日两位女性用来摆脱自己婚姻的困境，真是充满了传奇性。

第三，中日生活中的知识系统的难题

属于这一文化系统的是最后一道试题。两位女性提出的“燕之子安贝”与“燕窝之金卵”都是不存在的。但是这个难题又是以现实生活作基础的。“子安贝”是一种生活于海洋中的腹足类的贝，因其形似女阴，古代一直延续着原始的“生殖器崇拜”心态，所以在长时期内，它便成为中日女性的吉祥物。特别是妇女在生养孩子时，常常握在手中，祈求平安。世上有子安贝，但没有“燕之子安贝”。同样的是，“燕窝”是中国人养生的滋补极品，但是，“燕窝”中不可能有“金卵”。这一难题是从普通生活中抽出来，又加以敷衍夸张，使受试者似是而非，不得要领，终而失败。

中国大陆与日本列岛上关于同一主题的这两组“物语”的此种对应关系，必然会引起研究者的分外关注。二者之间的渊源关系，虽然尚无足够的材料加以佐证而难以完全断言；但我们至少可以这样说，古代东亚地区的女性，在面对求婚情爱这一人生重大课题时，似乎具有共同的智慧。或许因为她们生活在一个共同的文化圈内，多少接受了共同的文化熏陶，所以在思维上有相似之处，以至能够构思出几乎类似的“难题”。

就《竹取物语》而言，它的题材与情节的构成，事实上只有两种可能。一种是它与中国的《月姬》、《斑竹姑娘》等传说，具有一个共同的更加悠远的传说祖先；一种是它与如《斑竹姑娘》等中国传说，具有某种渊源关系。

注释：

①《竹取物语》虽然创作于10世纪，但至今一直未能发现早期的文本。后光严院（1338—1374）御笔的断简，是目前所见的最古的文本。

②这里是借用18世纪德意志文艺运动的名称，指日本平安时代由小野篁等人所发动的，于“六歌仙”时期所形成的所谓平安时代的新文学运动。这一运动的宗旨，意在扫除汉文化弥漫文坛的局面，推进国风（假名）文学的发展。

③《源氏物语》的引文，据日本小学馆《日本古典文学全集》昭和六十二年版，下同。

④《今昔物语》文字，据岩波书店《日本古典文学大系》昭和四十六年版。

⑤此本原为武藤之信藏本，现存日本天理图书馆。

⑥中西进：《日本文学中的“我”——以表现样式为轴心》，河出书房新社1993年版。

⑦本文引《万叶集》歌文，皆著者译自岩波书店《日本古典文学大系》昭和四十三版。关于对“自然之竹”的崇拜，《万叶集》中另有如柿本人麻吕等作的歌。此外，还见有不少以“竹”命名的地名，如“竹田”、“竹原井”等。后世在对季节的描绘中，还常用“季语”如“春之笋”、“秋之竹”等。

⑧《古事记》文，见周作人译本，国际文化出版公司1990年版。

⑨川端康成在《古都·北山杉》一章中，生动地描写了鞍马等的“竹取祭”及参加者的心态。

⑩文见《丛书集成新编》所收《华阳国志》卷四，台湾新文丰出版公司1986年版。

⑪文见《文渊阁四库全书》“子部·小说类”，台湾商务印书馆1988年版。

⑫文见《文渊阁四库全书》“史部·地理类”，台湾商务印书馆1988年版。

⑬文见《丛书集成新编》，台湾新文丰出版公司1986年版。

⑭文见《丛书集成新编》，台湾新文丰出版公司1986年版。

⑮参见严绍璗：《实物信仰与桃崇拜》。文载《中日民俗的异同与交流》，北京大学出版社1993年版。

⑯参见《风土记·近江国（佚文）》，载《日本古典文学大系》卷二岩波书店刊，昭和四十六年版。

⑰参见藤井贞和：《月光幻想与超越》，载《新古曲文学Album竹取物语》。

⑱引文据《文渊阁四库全书》《子部·小说类》（山海经），台湾商务印书馆1988年版。

⑲引文据《文渊阁四库全书》《集部·楚辞类》（楚辞章句），台湾商务印书馆1988年版。

⑳译文据周作人译：《古事记》。

㉑“娥”最初的形象，见于《山海经》中的《大荒西经》，即为月亮之母“常羲”，《吕氏春秋》引此文时作“尚仪”。清人阮毕注曰：“尚仪与常娥音通。”“羿”是帝俊的武士，《楚辞·天问》中说：“帝降羿夷，革孳爰民，胡为射乎河伯而妻彼雒？”

㉒《文华秀丽集》载《日本古典文学大系》卷六十九，小岛宪之校，岩波书店刊昭和四十六年版。

㉓文见《全译·日本的古典》(竹取物语)，小学馆刊1989年版。

㉔此书日本京都人文书院刊1991年版。

㉕文见冈村氏：《中古文学与汉文学》(第二卷)，汲古书院1987年版。

㉖参见严绍璗：《中国文化在日本》第三章，新华出版社1994年版。

㉗参见胡方平：《揭开麻浩崖墓佛像之谜》，《人民日报》(海外版，1994年8月23日)

㉘参见稻叶君山：《朝鲜文化史研究》，第304页。

㉙袁和平先生当年在"听课读书报告"中记录的《月姬》传说，对推进《竹取物语》的研究，具有相当重要的意义。关于《月姬》的部分内容，已经载入严绍璗《中日古代文学关系史稿》第四章(湖南文艺出版社刊)中。中日双方的研究者正在计划对这一传说，进一步进行实地与文献的考察。

㉚文载《文渊阁四库全书》"子部·道家类"。台湾商务印书馆1988年版。

㉛文载《文渊阁四库全书》"子部·小说类"。台湾商务印书馆1988年版。

㉜《吴录》已佚，佚文载《太平御览》卷820。

㉝文载《文渊阁四库全书》"子部·道家类"。台湾商务印书馆1988年版。

雅俗之争与气运之辨

——江户时代文学理论援汉释和二例

王晓平

江户时期同我国明清两代相似的是，以雅正为宗的汉诗文同样受到俗文学兴起的冲击。不仅中国白话小说的流传，使得汉学者大胆地以白话入诗、入文，甚至模仿起白话小说的样式，用汉语白话来写小说，而且日语也侵入到汉诗文的领地，既出现了标榜“雅俗折衷，和汉混合”的读本文体，也产生了不重格律而重谐趣，不求古雅而喜俚俗的“狂诗”，而狂诗狂文中都拥挤着日语汉字表示的日语词汇。这使得汉诗文的面貌背叛母体即中国诗文的危险迫在眉睫。另一方面，中日两国诗风消长转换、呼应反响的规律，似乎也渐露端倪。面对着中日诗歌交流出现的一系列问题，原封不动地搬用中国诗论的阐释似不足用，于是日本的汉诗人在整理、总结、载录自己的诗人诗作之同时，也在不断摸索与探讨日本汉诗的理论问题，进行着理论思维的变异性创造。

一 祇园南海的雅俗观

在平安时代中期，白居易是贵族汉诗人的偶像，被誉为“一代之诗伯，万叶之丈匠”（敦光朝臣《白居易祭文》，载《本朝续文粹》），汉诗人们“窃其华藻”，“慕其文章”，甚至有梦遇乐天接语，从此文章日进的传说，①有关乐天赋诗的佳话佚事便自然不胫而走。当时的汉诗人未必是有意要在风格多样的唐诗中专选“俗”的一派，或许他们根本不曾有暇有力确立过白诗在中唐以前诗歌风格座标上的位置，但由于宫廷中独尊白诗、不知其余的风气，使得白诗风格成为汉诗的风格。《史馆茗话》载一则轶事：

> 菅三品（文时）后历年，少年豪客，追慕昔游，乘月过其旧迹，吟“月升百尺楼”一句，有一老妪，出自蓬蒿之间，曰：“今夕之游，其乐哉！唯恨所吟之句，与三品所曾唱，其训点不同。此句意非升之升楼，而人之乘月乘楼也。”游客异之，问曰：“汝者为谁？”答曰：“妾是三品家之曝衣老婢也。”闻者赧然而去。

菅原道真谙熟白诗，醍醐天皇曾亲自题诗盛赞其诗作曰：“更有菅家胜白样，从兹抛却匣尘深”，白样就是白乐天，意思是说道真之诗超过乐天，读了菅家之诗，便听凭《白氏文集》尘封土埋了。菅原文时正是道真之后。在文时死去多年之后，他家的曝衣老婢在一个月夜里，从蓬蒿之间走出来纠正一群少年吟诵文时旧作的错误，后生晚辈游观文时遗址，吟诗怀旧，固可看出后人对文时的仰慕，而文时家中老仆尚且精通文时之诗，便说明菅家之人无不明诗。换句话说，文时之诗甚至不通文墨的妇人都能欣赏解释。那么这样的想法是从哪里来的呢？《冷斋诗话》一《老妪解诗》：“白乐天每作一诗，令一老妪解之，问曰解否，妪曰解，则录之，不解则易之，故唐末之诗，近于鄙俚也。”《冷斋诗话》所录这一传说，或许早有流传，不过这里已将白氏之诗浅俗视为唐末之诗近于鄙俚的原因，持否定态度，而平安时代的汉诗人却不知俗为诗病，因而从类似的传说中引发出菅家老婢精通三品之诗的故事，也不是全无可能。

时至五山时代，僧侣诗人早已不再唯“白”是尊，吟诗习文越来越视为高雅不群的文化修养，元轻白俗似成定说，元稹所极言称扬的白诗广泛流传的事实，反成为讥笑白诗浅俗的口实，诗作当为阳春白雪而不应堕为下里巴人的看法，抹去了元白风格独有的光辉。虎关师炼便曾指责元稹不该为白氏张扬附合：

《白氏长庆集》元稹序之，予笑微之之不知文矣。夫文者，岂以儿女牧竖之称赞为尔乎哉！昔者孔子作《春秋》也，门弟子中，只丘明、子夏受其说，余子未闻矣。不啻余子不闻矣，齐鲁之国未传诵矣；不啻齐鲁之不传诵，天下未闻传诵矣。何为尔邪？词严义密，而常人不易到也。不特圣经也，扬子《大玄》亦有盖酱瓿之言。宋玉所谓"阳春白雪"、"下里巴人"有间者是也。降逮于魏晋，其道委恭。班固作《两都赋》，都下为之纸贵；左太冲《三都赋》又贵洛阳之纸。二子之文传时者，浅易之所致也。《春秋》之不振时者，严密之使然也。由是而言，微之之序非文法也。或云乐天《与元九书》，自夸儿女之事，微之承于此与？予曰：后世议乐天之浅俗者是也，然元氏若知文，不可瓦合矣。

（《济北集》二十集《通衢》之五）

虎关之论，一反平安诗道，妇孺可解不仅不为诗优之证，反遭浅易之讥。白氏请教于老妪的传说，自然也容易卷进风格优劣的争论，这一直延续到江户时代，主张平易晓畅的人，维护这一传说，鄙夷轻浅薄学的人，或对它提出新解，或对它直陈异议。熊坂台洲《律诗天眼·余论》讽刺那些一味反对"儒生诗"的人实际上不懂唐诗，认为唐诗"虽贵流畅，非学窥二酉，亦有不可解者"，也提到白氏请老妪助改诗的例子，为圆其说，便推想白氏请教的，非一般无知无识的妇人，而是满腹诗文的才女：

世称白乐天每作诗，令一老妪解之，解则录之，不解则又复易之者，以其诗近鄙俚云尔，其实岂无知老妪之能解乎？观乎其讽谕闲适等诸篇可以见已，且也唐代女流，动有文藻，则安知乐天家老妪非关盼盼，崔莺莺一流妇人也。

还有一位汉学者，从诗与人情的关系来为白诗申辩，对那些把白诗视为“诗之恶道”、怪罪乐天倡明白晓畅的诗风的人，也颇不满，认为“乐天之诗，不失人情，非在于俚俗谣谚风”，不当蒙受恶道之名，而平安时代那些学乐天的人“别成一种风调”，没有学到正根，因而不该以学仿者不成器来追究乐天本人。这些为白诗一派辩解的人，针对的正是一种崇雅抑俗的诗观，这种观念确实存在于江户时代较多的汉诗人之中。

主张崇雅抑俗最有代表性的诗论者，当数祇园南海（1677—1751）。南海名瑜，字伯玉，别号蓬莱、铁冠道人、箕踞人、观雷亭等。《诗学逢原》是他的论诗之作。他严格地区分诗文中的雅俗之辨，对于“雅”与“俗”的区别，他用浅近的表达方式来说，是运用“高雅之词”与“平易之语”的差别，后者是鄙野卑俗的语汇，两者不同已由“词”（日语的意思是语言之花）和“语”（口头语）这样说话的不同显示出来。《诗学逢源》的《雅俗》一篇一开头就说：“诗者，风雅之器也，非俗用之物；若为俗用之物，用不着借诗言之，用常语、俚语即可。非唯诗，日本和歌亦同。”当然，这并不是说他对一切沾“俗”的事物都一概排斥，他能弹三味线，曾与赌徒交往，熟知俗情，可见他并非主张诗人不可染指俗物，而只是将诗与和歌视为俗世俗物之外的高雅的精神产品。他所说的“雅正”的言语，指的是这样一些场合采用的语言形式，如春秋之时列国士大夫盟会宴饮时的赋诗言志；文人们抒发怀人之思、恋慕之情或惜别悼死之哀，不予露骨直言而采用拟物托事以述我情的手法，等等。他将雅俗分为有关事、字、趣三类，作了较详尽的论述：

> 其雅俗之内，有事之雅俗，有字之雅俗，有趣之雅俗。首先，所谓事之雅俗者，譬如丝竹、管弦、琴棋、书画、渔猎、酒宴之类，皆雅也；如杂剧、放下②、踏歌③、茶汤①、米线、买卖等，皆俗也。宜选雅事去俗事。其次，所谓字之雅俗，譬如中华之俗字：怎么、东西、家伙、这个等；日本之俗字，自

夕立⑤，村云⑥之类，地名五十铃川、久保田，或小夜⑦、狭衣⑧等，其余人名、地名、谚语等，皆俗字也。即便华语中，书简之语、小说之语，亦皆俗字也。此境当好生辨析运用。再次，趣之俗者，谓趣向卑劣……如杜诗“老妻画纸成棋局，稚子敲针作钓钩”，年迈的妻子在纸上画线作棋盘，用以消遣，小孩子用石头敲针作钓钩等，一篇诗言“长夏江村事事幽”，做作之态，尤为宜然。村家常景，终究平谈，然作俳句则易懂，如作传奇之诗，则甚卑劣也。此老年轻时曾云“朝罢香烟携满袖，诗成珠玉在挥毫”等，又云“棋局动随幽涧竹，袈裟忆上泛湖船”等，事亦雅，句亦胜，雅也。年老家贫，久与蜀中村民交，不觉失却雅趣雅言，意为作如卑俗之句者也。从此后，自白乐天、张籍之徒，至宋朝，一切以俗趣为主，至东坡又专饮食之事，卑陋之中尤卑陋者，可恶可笑。后世学诗者，皆宜好好辨明其义，毅然去俗。此诗病医方之第一义也。

祇园一刀将诗歌切为两类，俳句和歌不妨写俗事、用俗字、得俗趣，而汉诗则必以雅事、雅字、雅趣为尚，否则便是误入歧途；这样，杜甫晚年蜀中之作便已开言俗趣俗之端，而原因便是他不该“久与蜀中村民交”，忘了雅趣雅言。他对一切在俗的方面去开拓诗歌题材的努力都嗤之以鼻，晚唐至宋诗更不在话下。他贬低宋诗，说“宋诗有三气病，曰俗气、霸气、头巾气也；有二嗜癖，曰多食诗、多理路句”（《湘云瓒语》下），将俗气置于宋诗三病之首，而二嗜癖之一的“多食诗”，也可以划在他所说的俗事一类，说“雅”是祇园诗论的核心，并不太错。

祇园把提倡初唐诗风作为“医俗”“变野”的药方，而他对初唐诗风的推奖又源于对太宗文治武功的敬仰，这见于《题白石源公垂裕堂诗后》（《南海先生集》初编卷五）：

子尝读唐诗，于贞观以来，应制、台阁之诸作，喜之尤深。谓太宗以龙凤之英姿，乘风云之际会，开国建基，既洪既壮，遂振前代之凋弊，大致海内之富雄，周后未有之闻也。宜乎唐初之作气象庄丽，格律齐整；俨乎衣冠，焕乎圭璋，与夫六瑚四琏龙旗鸟章，赫赫乎庙堂之上也。盖唐家三百年之规模全见于此云。又曰：汉魏氏变风也，杜甫氏变雅也，李白《大雅》、《韩奕》、《常武》惟肖。初唐正雅，时有颂声。余帮曰："医俗莫如太白，变野莫如初唐。"及于近世作者，亦多其所言，大抵不过告饥号寒、投闲居散、憔悴枯槁之谈，其辞亦侏儒俳优，往往不可解者，其弊在鄙俗之习，不知变耳。

（原文，笔者标点）

将祇园南海这些看法，同明代正宗文学中雅俗两大思潮内在发展的轨迹相对照是饶有兴味的。明代复古、启新这两大派中，前者大多尊雅，后者大多尚俗，而前前后后大致形成了一个演进的"圆圈"：崇儒复雅的发轫期——儒雅品位的沉降期——浑雅正大的回升期——复雅心态的膨胀期——亦雅变俗的探索期——尚今尚俗的新变期——藏俗于雅的收敛期——通今复雅的整合期。⑨公安派的尚今尚俗的看法可能会对山本北山等人产生过某些影响，但创作、欣赏、批评的惯性，使得许多汉诗人更容易对视雅为作诗之原、人心之始的传统观念表示亲近。在汉诗发展第一高峰的平安时期，提倡浅俗便于众多的贵族诗人习作诗赋，而在"海内文章落布衣"的诗文较普及的江户时代，屏淫尊雅则有利于维持正宗诗文的传统地位。不过，我们从祇园南海反对俗语（包括日语汉字词汇）对汉诗契入的激烈态度中，不正可以看出汉诗俗化已是引人注目的现象，这是布衣——町人文学观念在汉诗文中的反映。伴随着汉诗深入町人，这种俗化几乎是不可避免的。

祇园南海提出的所谓"影写法"，在江户诗论中颇为著名。据金龙道人释敬雄所撰《诗学逢原序》：

后一日诗酒高会，但赋《捣衣》，伯玉乃有"夜夜凤城月色高，朝朝燕山雪华重”之句，白石辈评曰：“此句大佳，惜乎失题意。”伯玉曰：“此乃述《捣衣》之时景者，而影写之法，于是乎在矣。”既而议论纷焉，是非未分，质诸慕靖，恭靖大叹曰：“是则深得镜华水月之趣，优入不即不离之域者，实诗家本来面目也。孺子夫以是影写法，建赤帜于骚坛，风靡来学，勉乎哉！”于是树立一家，主张此门，既已转向上关捩子，则纵横自在，游戏三昧，加以才之敏捷，遂至一夕赋百首矣。余尝所序一夜百首是也。其诗奚翅腐臭化神奇而已哉！能拈一茎草，而为丈六金身以用焉，后每有以诗参者，辄以此影写法启发之矣。

那么，什么是影写法呢？南海将写物分为两类，一种是写物之本形，例如梅诗用冰肌玉骨、竹诗用筛金戛玉等字，直接描摹物态；写雪谓其白皑，写月谓为辗玉轮等，都是径直描绘其貌，白话道出，这样做，不管如何巧妙，也是“略无风情”，就像是精雕细刻的月花，写得再好，也写不出“真情”来，只不过如同偶人而已。诗之妙在于舍其形而惟写其“风情”，这也就是他所说的第二种，就是写物只写其“面影”。所谓影写法，就是写影法。这样写才会写得栩栩如生，历历在目，让人感到逼真，自然受到感染。南海看来，写形不如写影，影比形更真更美更具风情，更富感染力。王昌龄的“秦时明月汉时关”，“岭色千重万重雨，断弦收与泪痕深”，孟浩然“松月夜窗虚”，钱起“曲终人不见，江上数峰青”，都是影写的典范。王越《边城春雪》：“二月中旬雪尚飞，边城草木得春迟；不知上苑新桃李，开到东风第几枝”，第一句写了雪，三四句却写上苑之花，三句不言雪又不离题，南海以“影写”称之。

正如南海在《明诗俚评》的评语里所说的，他所说的影写法，与镜花水月、风影是一个意思。镜中花可见不可捉，水中月见而无形，以其不可捉，故而当写其“面影之风情”。影写法又同于风影，也是不可捉之意。南海把这称为“诗中第一义谛”，妙用此法，正有“本来面目悟入处”。显然，南海是把镜花水月、风影换成了日本人易于接受的说法。

镜花水月之喻，内典中屡见。严沧浪说：“诗之有神韵者，如水中之月，镜中之象，透彻玲珑，不可凑泊。不涉理路，不落言诠。”钱钟书释之说：“若诗自是文字之妙，非言无以寓言外之意；水月镜花，固可见而不可捉，然必有此水而后月可印潭，有此镜而后花能映影。”南海影写法，大抵出自沧浪，不过，南海说唐诗多用此法，后人难以企及，宋朝此格一首不见，明诗虽可谓略有之，然手法不如唐，这种估价又得自《唐诗训解》：“李崆峒曰，古诗妙在形容，所谓水月镜花，言外之象。宋以后，则直陈之矣，求工于句字，心劳而日拙也。”南海有《镜花水月集》本人手写本一卷，他是把镜花水月当作艺术追求目标的。

与祇园南海同门的室鸠巢（1658—1734）也十分强调诗必须有风雅之趣，谓：“今之所谓诗者，风雅之流也。其必有风雅之趣者，然后可以能之。故善观诗者，先观其人雅俗何如，则其诗之工拙，有不可诬者矣。”（《后编鸠巢论文集》卷十，《鹤楼诗稿序》），相信既然文如其人，[10]诗如其人，即从人之雅俗可推诗之雅俗，俗人难作雅诗，雅诗必出雅人。同时体制之雅俗又为诗格雅俗的基础：“余谓凡论诗当辨其体制之雅俗。使其体制雅乎，就其诗而削正之，犹白之受采，甘之受和。何者？有其质也，使其体制俗乎，就其诗而削正之，犹朽木不可雕，粪土不可镘。何者？无其质也。”（原文）另一位诗人熊坂台州反俗的态度也是极为鲜明的，在《律诗天眼》中说：“论诗道以谓李王为至者非也，为公安竟陵者亦非也，当一意以盛唐为诗。唐诗数百家，何求不有也？当求新奇于其中，慎勿求诸元白以下，是余救时之论也。夫市枯骨者，虽无千里之用，终有致骏之喜；李王是也；事诡遇者，虽有十禽之获，终有失驰之忧，袁钟是也。”这些看法，除有受中国学者影响的因素之外，归根结底，因为汉诗对于日本读书人毕竟属于高付出的享受，这些学者便认为惟有维持它阳春白雪的地位，才算保住了汉诗人的形象，不过，汉诗作为一种诗体，有抒发情感与感受的功能，便不能不准俗人染指，就在祇园南海高倡雅俗论的时候，连日语也写进来的滑稽卑俗的“狂诗”却大行其道，这就难怪南海等人大反“三俗”（俗事、俗字、俗趣）了。

二　胡应麟《诗薮》与江村北海《日本诗史》的“气运说”

我国古代文论家在论述文学风格形成的原因时，十分重视风格形成的时代因素。从《礼记·乐记》、《毛诗序》以来的文学理论都强调时代不同，便会有不同的文学风格应运而生。所谓“治世之音安以乐”、“乱世之音怨以怒”、“亡国之音哀以思”，都讲的是社会的治乱不能不制约文化的面貌。刘勰《文心雕龙·时序》更将“时运交移”与“质文代变”紧密联系在一起，在论述各种诗风无倦环流时，始终不忘文学发展的外部条件，“质文沿时，崇替在选”。

曹丕论文讲“气”，刘勰又言“运”。说汉代文学的发展，离不开“运接焚书”的背景，齐代鸿风懿采，也有赖于“运集体明”，而一句“文变染乎世情，关废系于时序”，更强调社会风尚、文学风气与作家的创作思想及其文学风格都是时序的变量。他从中国社会治乱变迁与文风流转的事实中得出了简单的公式，说明由于每个时代社会物质条件不同，在社会生活领域中会育出不同的风气、风尚；而这些具有社会性的风尚，既受物质基础的制约，又会对其他社会意识发生影响。文学作家生活于不同时期的社会环境中，在思想情绪、艺术趣味上会直接感受与回应这种风气的存在，从而在总体上形成特定的创作见解，进而反映在他的文学风格之中。

这种将文学与社会环境相联系的看法，对于治经学者来说再熟悉不过了。1781 年，原飞卿（公逸）将他所著《原子》三十篇中述作诗制文之旨的两篇《周诗》与《知言》抄出，命曰《艺海蠡》（载《日本儒林丛书》第十一卷），前部分以周诗为题，实是针对当时的模拟之风。文中说：

> 盖风尚与世推移，谁知其所以然者，自然耳。传曰："治世之音安以乐，乱世之音怨以怒，亡国之音哀以思。"夫民情动于物形于声，不期然而然者也。风俗相承，前者于，后者喁。其相和也，随感而声应之。今夫金石无情，怒而击之则壮，忧而击之则悲。又有时乎殊其闻者，犹钟声晨闻之泄泄，晚则寂寂，昕夕习于耳者尚如是，矧事变之不同，性情之不均，物与物相触，而心机之应感无穷乎？

原飞卿不知是有意还是无意，截取了世—音—政紧密连锁公式的最后一环，因为在《乐记》中原本是"治世之音安以乐，其政和；乱世之音怨以怒，其政乖；亡国之音哀以思，其民困"，其中暗含着与"世"相一致的"乐"对于政的反作用力。但他强调风尚与世情的连带关系，正是刘勰所说的"歌谣文理，与世推移"这种产生于王朝更迭、治乱相续的中国封建社会的观点，受到日本汉学者有舍弃的悦纳。在整个历史长河中，兵荒马乱的间隙，才给中国人以短暂的喘息之机，在渴望平和安稳的文人眼中，社会大变动只徒然增加治乱兴衰的感慨。尽管像原飞卿这样的汉学者不会带着沉重的历史叹息来领会《乐记》的深意，但《乐记》等却给了他一个观察风尚与世情关系的视点。

曹丕讲"气"，刘勰讲"运"，元代杨维桢（1296—1360）开始将作家个人的才气与历史提供给他的社会条件结合起来，造出

"气运"一语。他在《王希赐文集(再)序》(《东维子集》卷六)中谈到元代文章三变，三变之后"文为全盛。以气运言，全盛之时也"。元末明初的文豪王祎在《练伯上诗序》(《王忠文集》卷五)中，也说:"古今诗道之变，非一也，有气运升降，文章与之为盛衰。"这里所说的气运升降，不是文章盛衰本身，而指带来这种结果的世运兴衰。皇甫汸(1498—1583)《盛明百家序》(《明文海》卷二六三)又说:"声音之道，既与政通，文章之兴又关气运。政有洼隆，气有醇驳，诗系于此也。"而明胡应麟(1551—1602)《诗薮》更屡用此语:

> 大历而后，学者溺于时趋，罔知反正。宋、元诸子亦有志复古，而不能者，其说有二，一则气运未开，一则鉴戒未备。苏、黄矫脱唐而为杜，得其变不得其正，故生涩崚嶒而乖大雅。杨、范矫宋而为唐，舍其格而逐其词，故绮缛闺閫而远丈夫。国初因仍元习，李、何一振，此道中兴。盖以人事则鉴戒大备，以天道则气运方隆。(外编卷五)

> 盛唐句，如"海日生残夜，江春入旧年";中唐句，如"风兼残雪起，河带断冰流";晚唐句，如"鸡声茅店月，人迹板桥霜"，皆形容景物，妙绝千古，而盛、中、晚界限斩然。故知文章关气运，非人力。

虽则气运连言，但从《诗薮》来看，都侧重于"运"，而且前一例讲"以人事则鉴成大备，以天道则气运方隆"，后一例讲"文章关气运，非人力"，气运属天道，而与人事、人力相对，都是讲作家的创作，有非人力所能随心所欲加以左右的诸多因素，其中甚至可能有作家当时不曾意识到的影响。胡应麟把这诸多因素的总和称之为"气运"，正如人的生理、心理等素质即全部身心活动的总合可称为气质(张载《张子全书·语录钞》:"为学大益，在自求变化气质")。胡应麟提出这一概念，就作家个人来讲，绝不可能将时趋的影响摆脱得彻底干净，也不可能主观想要追求某种风格，便可自然成某种风格；就某一时期盛行的某种风格来说，更不是某个人或某几个人刻意锤炼的结果。

《礼记·乐记》与《毛诗序》对个人创作与时代风气对应关系的说法，都不免简单，有将社会简单划分为治世、乱世、亡国之世而将文学相应划分为安乐、怨怒、哀思三类而生硬对列的倾向。刘勰的分析中肯得多了。中国许多作家反复引述它们并不纯属崇古之弊，而在某种程度上是由于其对中国历史与现实的体验与理解。在中国历史上，难得有几十年的宁静，即使盛世之中，皇族与地方权豪的倾轧争斗，政权的变更带来的政局动荡，时序多变，颠三倒四，给作家心理打上深深的烙印。胡应麟所说的“气运”，比《礼记》、《毛诗序》、《文心雕龙》对影响作家创作的外部因素，有更广的概括，既包括社会政治，又不仅指社会政治，可以更全面地说明个人因素以外的一切因素。

“气运”说法本身也同样具有模糊性。“气”既可指某个人先天形成的禀赋，也可以指一群人乃至一个时代流行的某种风气。“运”本身便具有运动、运用、命运等多重意义。世有世运，国有国运，而人有气运。气运这一概念在江户中期开始出现在日本诗话等文论中，用来说明日本汉文学与中日文学交流的历史和现状。

最值得注意的是江村北海的《日本诗史》。

江村北海在试图对整个汉诗史作全面描述时，便把文章盛衰装进了与世道污隆平行的公式里了。他描绘日本汉文学的两个高峰，一个是平安时代，那时是“列圣相承，文教日阐”，故而“帝业与文学偕盛”；另一个是江户时代，因有“玉烛继光，金瓯无云，风化之美，彝伦之正，亘古未有”，所以才会出现“文华之郁，无让汉土”的局面。因为在邦国分裂，战争无已，生民涂炭的时代，什么风雅事都谈不上，就是在战争结束以后，汉文学也不会骤然发达起来，因为这种以外国文字写作的贵族化的文学，其恢复与积累绝非计日之功。在该书总论中，江村北海说：

夫曰："文学盛衰，有关乎世道污隆"，信哉！徵之我邦，夫谁曰不然。神武天皇东征，绥其士女，帝功于是为盛；时属草昧，遐荒犹阻王化。应神天皇登极（按：当为基）而后三韩稽颡，虾夷献琛，巍巍桓桓，莫双尚焉。于是我邦始有六经云。仁德天皇为皇子时，受经于百济博士，讲明唐虞之治；即位后，施为靡不由焉。是以海内又安，众庶仰之如日月，戴之如父母。仁慈恭俭之化，入民心者，至深且固，历千百世，无有携贰，胡厥盛哉！自时厥后，列圣相承，文教日阐，余波及翰墨者汪洋于弘仁天历间，可谓帝业与文学偕盛也。延久已降，朝纲解纽，文事日废，一坏于保元，再坏于承久，糜烂于元弘建武之后，迄乎足利氏失其鹿，邦国分裂，战争无已，生民涂炭，到此而极，艺苑事业，无复孑遗矣。既而天厌丧乱，织田氏、丰臣氏迭兴，中州稍削平，然并无学术焉。马上得之，欲马上治之，是以天人不与。或业坏垂成，或祚止一世。要之，拨乱反正，天必有待，而奎璧发彩，于久暗之后，固非偶然也。若夫神祖，圣文神武，上翊戴帝室，下煦育亿兆，干戈攘扰中，遄访耆老，以橐龠治道，广幕遗书，以润色鸿业。又命惺窝先生讲析经史之义，于是罗山先生应聘东都，夫然后猛将勇士，稍知时学，而邦国叛官寻兴，士业日广，至今百六十年。玉烛继光，金瓯无亏，风代之美，彝伦之正，亘古所无，而近时文华之郁，无让汉土。

江村北海开篇便立足世运、国运来讲文运。在具体描述风格变迁的时候，他能够从把握社会环境与时代风格的前提来看待个人的贡献与个人风格的形成。例如，他不赞成把明诗流行仅仅看作荻生徂徕个人的作用，而认为那是历史必然性的产物，这种必然性正表现在日本诗风追随中国诗风规律性的时间表上。日本人学诗，不能不承顺中国，而承顺的过程，作为一种诗学来讲，不可能中国立竿，日本见影，北海确定了一个200年的时间差。尽管作为个人，可能较早追随某种诗风，但要形成气候，有较多的人去熟悉、模仿，就需要百年以上的时间，因而，如果这个时机不成熟，那么个人如何费力地去提倡，也终究无济于事。

余谓明诗之行于近时，气运使之也。请详论之。夫诗，汉土声音也。我邦人不学诗则已，苟学之也，不能不承顺汉土也，而诗体每随气运递迁。所谓三百篇，汉魏六朝、唐宋元明，自今观之，秩然相别，而当时作者则不知其然而然者，气运使之者非耶？我邦与汉土相距万里，划以大海，是以气运每衰于彼而后盛于此者，亦势所不免，其后于彼，大抵二百年，胡知其然？《怀风》、《凌云》二集所收五言四韵，世以为律诗，非也。其诗对偶虽备，声律未谐，是古诗渐变为近体。齐梁陈隋渐多其作。我邦承其气运者，稽其年代，文武天皇大宝元年，为唐中宗嗣宗十四年，上距梁武帝天监元年，凡二百年。弘仁天长，仿佛初唐，天历应和，崇尚元白，并黾勉乎百年之后。五山诗学之盛，当明中世，在彼则李何王李唱复古于前后，在此则南宋北元专传播于一时，其距宋元之际，亦二百年矣。我元禄距明嘉靖，亦复二百年，则七子诗，当行于我邦，气运已符，故有先于徂徕已称扬七子者。活所《备忘录》曰："李沧溟著《唐诗选》甚契余意，学诗者舍之何适？"又曰："谢茂秦《洞庭湖》，徐子舆、吕明卿岳阳楼作，气象雄壮，与绝景相敌，殆可追步少陵浩然二氏。"永田善斋《脍余杂录》亦论及七子，而时气运未熟，故唱之而无和者。迄徂徕时，其机已熟。白石、沧浪、蜕岩、南海，大抵与徂徕同时，并非买萱园之余勇者，而其诗虽曰宗唐，亦唯明诗声格；故云气运使之也。繇是论之，则其或继今者，虽数百年可知也。或谓余曰：子之论既往似矣，其继今者何如？余闻明诗四变。李何一变，王李二变，二袁三变，钟谭四变，逾变而逾卑焉，最后有陈卧子出，著《明诗选》，吹王李余烬，而气运既替，不能复振，清人议论不一。《栎下书影》诃斥王李为小儿语，归愚《别裁》，绍述卧子，少别机轴，又有专宗晚唐，虽参趋异途，以余欢之，清人篇咏，大抵诸家相似，其缜整雅柔，颇似于元季明初，较诸近时所谓明诗者，无剽窃雷同之病，而其气格所鼓，不得不然，而遐州远境，至今犹尸祝七子者，气运推移，有本末，有迟速，犹我邦之于汉土也。

北海从明诗在江户时代盛行的气运说起，论及日本汉文学领域流行中国诗风的时间规律，竟有七处用到"气运"一词，这里讲的"气运"，实际上讲的是风气之运，与胡应麟所说的"气运"意义大体相同，具体来说则是讲中日文化交流史上的影响源与实际影响发生的间隔与速率问题。钱钟书先生在《汉译第一首英语诗〈人生颂〉》中曾经谈到，在本国受到轻蔑的朗费罗，在中国引进西方文学的历史上竟然捷足先登，他比用英语写诗的莎士比亚远远领先，也比自己翻译的但丁远远领先。钱先生说，那可算是文学交流史对文学教授和批评家们的小小嘲讽或挑衅了。这也就是说，异国异民族文学的进入，常常与在本国流行的次序、时间、品类并不相同，以平安朝为例，传入日本的诗集，可以举出李峤、王勃、杨炯、卢照邻、骆宾王、宋之问、沈佺期、刘希夷、王维、王昌龄、李颀、杜甫、皇甫冉、萧颖士、李嘉佑、钱起、卢伦、李湍、杨巨源、刘禹锡、鲍容、元稹、章孝标、贾岛、许浑、温庭筠、方干、公乘亿、杜荀鹤、张文成（据林鹅峰《本朝一人一首》、藤原佐世《日本国见在书目录》），相反，贺知章、陈子昂、张九龄、孟浩然、储光、王之涣、高适、李华、岑参、元结、司空曙、韦应物、孟郊、王建、张籍、李觏、柳宗元、李翱、李贺、杜牧、李商隐、司空图、汪遵、章碣等却不见其名；但到了江户时代，韦应物、柳宗元、张籍、杜牧等诗人的作品却颇得不少汉诗人的青睐。传入机遇与接受一方的选择倾向都是不可忽略的因素，而接受一方本国文学的发展阶段以及接受的能力与条件，更是这种“气运”中起作用的动因。北海提出的约200年的周期，只不过是一个约数，当然并没有囊括一切、毫无例外的意思，正因为如此，自他提出这一中日文学交流史的“气运”问题，便得到了很多人的赞同，甚至“气运”成为一些文学批评文章的爱用语。有意思的是，《诗薮》内编与外编刊行于明万历七年（1579年），而《日本诗史》刊行于日本明和八年（1771年），这也可能说是约200年吧。

另外一个地方，在论述五山文学兴起原因的时候，北海也采用了“气运”的说法。所谓五山文学，是指从五山确立以后到室町幕府灭亡的五山僧侣的作品。日本仿效中国制度确立的五山十刹制度，虽因时代而有所变迁，但这些寺院皆由朝廷与幕府来经营。禅宗传入日本之后，日渐适应日本武士阶级的需要。由于僧侣中人材的拔擢登庸，才识卓异的僧人逐渐从各地集中到京都五山及五山之上的南禅寺来，陆续去往日本的元明两朝的高僧，也颇受日本朝廷与幕府的礼遇，他们主持名刹，宣扬禅风，传播中国文化，由此五山僧侣才逐渐取代了朝内公卿对汉文学与学术的统治地位。北海认为，五山文学的显赫，完全是北条氏与足利氏崇佛崇禅的产物，是“气运盛衰之大限”：

> 五山禅林之诗，固不易论也。盖古昔文学，盛于弘仁天历，陵夷于延久宽治，泯没于保元平治，于是世所谓禅林之文学代兴，亦气运盛衰之大限也。北条氏霸于关东也，其族崇尚禅学，创大刹于镰仓，今建长寺之属是也。流风所煽，延覃上国，京师五山相寻壮营构。足利氏盛时，竭海内膏血，穷极土木之工，宏廓轮奂之美，所不必论，其僧徒大率玉牒之籍，朱门之胄，锦衣玉食，入则重裀，出则高舆，声名崇重，

仪卫森严，名是沙门，而富贵过公侯。禁宴公令，优游花月，把弄翰墨，一篇一章，纸价为重，于是海内谈诗者唯五山是仰，是其所以显赫乎一时，震荡乎四方也。

江户时代以前掌握汉文学与学术的人，必须享有较高的政治地位和优裕的生活条件，才有可能有时间、有条件来从事繁难的汉诗文创作，优游花月，把弄翰墨，那时，这种汉文学的精神贵族的性质是不言而喻的，而在五山时代，惟有僧侣才能赢得这样的时机。北海能从社会条件、环境来分析五山文学隆盛的原因，他所说的"气论"，正是这种环境的作用。

卷三论柳州沧州，也谈到"气运"：

或曰元和以来，从事翰墨者，虽师承去取不一，大抵于唐祖杜少陵、韩昌黎，于宋宗苏、黄、二陈、陆务观等；至云溪（按：指笠原云溪）始右唐左宗，而犹未及初盛中晚之目，沧州出，而后始以盛唐为正鹄。余谓是之时，物徂徕唱古文辞于关东，称扬明李于麟、王元美，轻俊子弟，靡然争从，然京师未有为其说者，而后诵沧州诗，骎骎乎明人声口，盖气运所鼓，作者亦莫知其然而然也。

北海几次谈到"气运所鼓"、"作者亦莫知其然而然"的情况，这里是其中一处。几乎是在荻生徂徕在京都效仿七子鼓吹诗必盛唐的同时，柳州沧州写出的作品也"骎骎乎胡人声口"。北海不把这看成偶然的巧合，也视为两人异地对气运来临不约而同的回应，是"气运"所决定的。

江户时代中期以来，以"气运"说来解释文学现象者，上毛宇世琊即其一。他撰写的《皇朝正声叙》谈到中日两国诗风的变迁，即以气运相贯。叙文署写于明和八年，即公元1771年，正是《日本诗史》刊行的那一年。

文章关气运，初余以为文人夸诩之言，及读《怀风》、《经国》等集，而知其信而有徵矣。夫唐后而仿唐者，莫若明人。弘治嘉隆诸子，才高学优，而一则曰盛唐，二则曰盛唐，模拟刻意，殆乎不遗余力，似则似矣，其奈自然之致何？非才与学之罪，以气运也。我天朝当李唐之时，聘使接踵，乃亲与开元天宝之诸名士周旋一堂之上，则风气之所自，亲炙之所益，当时诸君子虽才不必何李，学不必李王，其所选著，盛唐不啻，文章果关气运矣。

余因谓不唯年有四时，古今亦有四时，譬诸秋天虽暖，不可同乎春日之暖。故旧汉文、唐诗、宋词、元曲，语其不可再为也。或曰：然则唐果不可学乎？曰：何不可学也。何李学子而为何李，李王学之而为李王。栌李桔柚，味虽相反，其所以可于口者一也。假令李、杜、维、颀生何、李、李、王之后，其不能为何、李、李、王也，亦犹何、李、李、王之不能为李、杜、维、颀也。非才与学之罪，以气运也。但何、李学之而为何、李，李、王学之而为李、王，各尽其所长，而为何、李、李、王，则后之学者，亦学何、李、李、王所学，而各尽其所长，规矩格调，不出初唐范围，则庶乎不失风雅之致，乃无害乎为唐也。故曰：唐可学，而气运不可学，以其自然也。

要之，亦犹沈、宋、李、杜之同在唐代，各擅其所长，而别风于初唐。盖优劣在才学，而不在气运；而气运果不可学矣。虽沈、宋、李、杜、何、李、李、王之才与学，亦未如之何已。我天朝诸君子之所以与沈、宋、李、杜比肩，而使何、李、李、王瞠若于后者，在气运而不在才学，则何必生优劣于其间。假令天朝诸君子生于室町氏之代，亦不过为五山僧而已，何何、李、李、王之望。

这里集中论述的，正是作家风格与其时文学风潮的相关性，着重指出，风气的作用，是作家凭靠个人的才与学所不能抗拒的，作家所处文学发展阶段的风尚，不管作家自身是否意识到，都自然而然地极大影响到他的创作风格的形成，即使刻意模仿前人，由于前人的时尚风气是不可能再造的，所以归根结底这种模仿的结局也不会变为前人，终究还是他自己的风格尚存。“文运随世运污隆”的观点，到明治初年仍得到重视。幕府末年到明治年间的汉学者重野成斋（1827—1910），曾以此来说明明治的诗风，表述自己对作者们“振风雅禅名教”的愿望，后来，沟口桂岩采辑当时名家及气节之士所作，题为《昌文新编》，请他作序，他又提出了气运与文运不同步的见解，来说明当时政治发生了巨大的变化，而汉文学反而混乱嘈杂、萎靡不振的现实：

> 昔者慕政之衰颓，至嘉安间而极。当此时诗文概皆以清新为主，不贵学殖，搜枯肠，弄弱管，沾沾自喜，辄排斥先辈，以为陈套，以为板重，犹明有袁、钟，而排击嘉靖七子；清有李、嘉，而排议康、乾诸家，空疏佻达，靡然成风。虽有二三老硕，砥柱中流，而狂澜滔滔，终不可回，以至于今日。夫今日者如何时耶？乾纲振于上，道艺兴于下，凡五洲学科，莫不钻研，务除宿弊，以求新益，况文章载道之器，资治之具，当速进乎高明之域，而犹袭季世余习者何也。予故曰：气运已复，而文运未复。今夫郊庙之中，轩冕揖让，雍雍穆穆，宜韶护迭奏，箫磬合音，而忽进郑卫靡曼之声，夔魅罔两，鬼磷狐精，宜乘暗而出者，而青天白日飞舞于前庭，人不以为非乱，以为妖异，而反悦之，抑何心哉！

成斋看到，时代需要的是昂扬向上的文学，这是“气运”已复的需要，而文坛上还在沿袭余习。这是一位具有维新思想的汉学家的焦虑。

顺便要说的是，若干年后中国诗风在异域盛行的现象，不仅限于日本。朝鲜李德懋（1741—1793）《青庄馆全书》云：“大抵东国文教，较中国每退计数百年后始少进，东国始初之所嗜，即中国衰晚之始厌也，如岱峰观日，鸡初鸣，日轮已腾跃，而下界之人，尚在梦中。”又洪吉周于《沆瀣丙函》卷五《秘记》云：“近之东人之词之号为中国体者，既亦中国数百年前所尚耳，今之中国，已弃之如垢秽矣。”在文学交流中，在彼国已成过去，在此国恰方兴未艾的现象并不罕见，借邻国往昔之石，攻本国当今之错，或者说在他方已不表现现实价值，而在我方恰有借鉴吸取或研究的必要，这并不能说明交流价值的贬抑，这正是物质的交流与精神的交流相异之处。不过，在说明这一问题时，朝鲜的学者都没有引入气运这一概念。

注释：

①林梅洞：《史馆茗话》中写道：“朝纲爱白乐天文章，慕其为人，一夕梦与乐天遇接语，从此文章日进。”

②“放下”是日本镰仓时代末期及南北朝时代从禅宗里分离出来的艺人，装束奇特，在街头表演滑稽歌舞曲艺。

③踏歌，即舞蹈中唱的歌。

④熬茶的开水可供在佛前，称作茶汤。

⑤夕立，即夏日傍晚下的骤雨。

⑥村云，即丛云。

⑦小夜，即夜晚。

⑧狭衣，即衣服。

⑨陈书录：《明代正宗文学中雅俗两大思潮的消长》，载自《中国诗学》第二辑，南京大学出版社。

⑩徐增：《而庵诗话》：“诗乃人之行路，人高则诗亦高，人俗则诗亦俗，一字不可掩饰，见其诗如见其人。”

夏目漱石与中国东北

——一次发现“外部”的旅行

刘 建 辉

一 作为“新天地”的中国东北

1905年9月，日俄两国在美国的斡旋下于美国东北港口城市朴茨茅斯缔结《朴茨茅斯和约》，从而结束了一场长达一年零六个月的为争夺所谓“满洲”权益的战争。根据这一条约，日本在经过了自称是十年的“卧薪尝胆”之后，尽管付出了前所未有的“牺牲”，但终于夺回了在甲午战争后由于俄、德、法三国的“干涉”而不得不放弃的“南满洲”的部分权益。这些“权益”虽然实际上只是指俄国所曾拥有的“关东州租借权”和长春——旅顺口间的铁路及其附属设施等以铁路为中心的部分具体特权，但完全陶醉于一种狂热的“胜利气氛”中的日本朝野，对这一事实视若无睹，全国上下就好像又获得了一个新的殖民地一样欢腾不已。①实际上，从其后来的所谓“满洲经营”的具体方针上看，日本也正是采取了“阳里假作经营铁路，阴里实行百般设施”②的这样一种完全将“满铁”作为“满洲版东印度公司”，将“满洲”视为“新领土”而进行经营的政策。

1906年11月所谓“南满洲铁道株式会社”成立后，在其对沿线地区有意识的支配权扩张的政策下，众多的日本“内地”居民为了求职而来到中国东北，其中亦不乏出现了一些试图在这一“新天地”里大发一笔横财的所谓“创业者”。③事实上，从这一时期起，一种“只要去了满洲，就可以丰衣足食”的可怕幻想，同日俄战后风靡一时的流行歌曲《战友》所唱的“这里远离祖国千里之遥，满洲的夕阳在大地上映照，乱石累累的无垠荒野，有我昔日的战友阴魂不消……”④那种感伤的“满洲”认识交织在一起，正是以“满铁”这一“国策会社”为中心而在一些日本人心中急速传播。这种现象，如果从相反的角度来看，亦可以认为，“满洲”作为那些日本国内在精神和物质上都被逼得走投无路的人的最便捷的“避难所”，同时，所谓的“满洲浪人”作为拥有日本内地人所不具备的冒险与悲哀情怀的浪漫主义者，均恰恰是从这一时期开始被大众逐步地观念化、言语化的。而就这种观念化和言语化在文学上的表现，出人意外地，则要首推日本近代代表作家夏目漱石所创造的一系列“大陆浪人”的形象。

二 夏目漱石的中国东北之行

1909年9日，夏目漱石受其大学预备校时代的同学、“满铁”第二代总裁中村是公的邀请访问中国东北。其时“满铁”创立已近三年，在完成了创业初期的基础设施建设后，各种经营机制正按照开业以来的既定方针逐步走上正轨。中村选择这样一个时期将夏目漱石邀请到“满洲”，其目的十分清楚，无外是想借助文豪夏目漱石的笔来向国内外宣传一下所谓“满铁”日益发展的业绩。⑤对中村的这一意图，夏目漱石亦好像有充分的领会，这表现在：尽管他一到中国东北，就不断地被其胃痛的宿疾所困扰，但他仍不辞辛苦，认真地去完成“满铁”方面所制定的旅行日程，对大连——哈尔滨间的“满铁”主要设施都进行了大致的视察，并于10月14日回国后，马上将其一个半月的旅行见闻以《满韩各处》为题，在10月21日至12月30日两个多月里不定期地连载在东京和大阪两地的《朝日新闻》上。

在以往的夏目漱石研究史上，《满韩各处》这篇纪行报告，所受评价历来不高。研究者们不仅对其篇中所表现出的诸如嘲笑“苦力”等中国民众的差别意识多有批判，同时对其作为纪游文学的价值也不乏微词。比如，夏目漱石本人的弟子，文学评论家小宫丰隆就曾批评说：这是一篇“自始至终只讲述在满洲会见旧友情形”的文字，作为游记，“漱石本人过于抛头露面了”。⑥不仅限于小宫，对作者这种被称之为“漱石各处”的只立足于日本人社会内部，除“满铁”之外完全不关心当地情况的态度，其他评论家也曾多次提出批评。至于对漱石本人以“跨越两年终有些不妥当”为由而半途中止新闻连载的真正原因，则更有研究者将其同暗杀伊藤博文事件联系起来，指出夏目漱石对“满韩”情况探究意欲的缺乏实际上体现了他作为作家的某种“局限”。⑦

就夏目漱石对中朝两国民众所表现出的差别意识，我们当然应该予以严厉批判。但对以上提出的有关作家其他方面的种种姿态，如果我们以某种宽宏和好意来进行解释的话，亦不难将其理解为均是出自夏目漱石由于十分注重人际关系而采取的一种回避行为。可以想像，对中村将自己邀请到“满洲”的真正意图有着清楚认识的漱石，处于既不想挫伤身为满铁总裁的旧友的情义，同时出于文学家的良心，⑧又不愿将自己的作品降格为简单宣传品的两难之中，为摆脱这种矛盾困境，他回避对当地情况作较详细的评介，而尽可能以“只讲述在满洲会见旧友情形”来完结这一纪游文字，也是一种不得已的选择。至于在介绍到抚顺炭矿时突然中止连载，除了所谓形式上跨越两年有些不很“妥当”这一表面的理由外，是否可以认为，在大致地介绍了满铁的主要事业后，漱石感到已经尽了对旧友的情义，因此何时结束这篇纪游，无外是一个可以由其心情而决定的事情了。⑨

基于以上这些分析，对于完全无视“满韩”现实的这篇《满韩各处》,我们虽然可以指出过分拘泥于各种情分的夏目漱石对亚洲认识的浅薄，但就此是不能得出这样结论的，即“满韩”对于漱石来说，只具有一些“微不足道的意义”。同时对于那些认为此次旅行“没有对其精神产生丝毫影响”[10]的观点，亦有必要进行再一次探讨。之所以作出这样的判断，是因为：虽然在纪游《满韩各处》中没有清楚地表露出来，但以此次所谓“满韩”旅行为契机，漱石文学中的人物形象明显地发生了变化，在以往的作品中从未出现过，或从未走向过前台的一种可以称之为“海外志向型”的人物作为一个全新的典型开始被创造出来。[11]他们被造形为或是恋爱竞争的失败者，或是近代体制的落伍者，其存在虽然同样具有“游民”的性质，但同过去的所谓“高等游民”，比如《三四郎》（1908 年 9 月）中的广田先生，《从那以后》（1909 年 6 月）的长井代助等迥然不同，不仅如此，他们从根本上还起着将包括这些“高等游民”在内的主人公世界进行彻底地相对化、客观化的一种机能。

三 作为新文学典型的“下等游民”

《门》（1910 年 3 月）是所谓“满韩”旅行后漱石最初创作的小说。在这篇作品中有一个叫安井的登场人物，他被描写为大学时代自己同居中的恋人被其好友、作品主人公宗助所夺，失意之下而远走“满洲”。时隔数年，他与宗助房东的弟弟，同是“满洲浪人”的冒险家，现在蒙古经营畜牧业的坂井一起突然出现于东京，使原本就被昔日“道义上的罪过”所困扰的宗助更加惶惶不安。作品中虽对归国的安井没有任何具体描写，但小说的后半部非常明显地是以宗助害怕与他再次相会而忧心忡忡的苦闷以及试图从此苦闷中解脱自己的努力为中心而展开的。从这种意义上可以认为：安井的名字与“聚集了三教九流”的“危险场所”——“满洲”都明显地具有一种符号性，它们不断地摇撼着主人公宗助的内心世界和他所处的平凡的日常空间，在小说中起着一种构成作品另外一极的重要作用。

在继《门》而发表的长篇小说《春分过去之前》（1912 年1月）中，漱石还塑造了一个叫森本的神秘人物。这位过去曾是一个“各种冒险故事主人公”的配角，作为拥有“丰富非凡经历的平凡人”，引起了小说形式上的主人公，“尤为厌恶平凡的浪漫青年”田川敬太郎的“莫大的兴趣”，并在相当程度上刺激了其“侦探趣味”的形成。一天，森本突然没有任何理由地辞去了其新桥车站的职务，独自一人远渡到“满洲”大连。在他走后，田川敬太郎即以其留下的一根雕有蛇头的手杖为“向导”，开始了自己的所谓像“社会潜水员”一样的“侦探”行动。其结果是探查到了以围绕他的友人须永市藏和其表妹田口千代子复杂的恋爱感情而形成的一个男女间的“小宇宙”。在也是作品核心的这个“小宇宙”的周围，当然也存在着像二者的叔父，所谓“高等游民”松本恒三这样的一边接受双方的倾诉，一边分析、批评这一“小宇宙”的人物，但将包括松本在内所有其他登场人物的这种自我封闭的关系构造完全打破，并以一种拥有奇特背景的“符号”作用，从外部把这一切彻底进行相对化的，不是别人，正是这位所谓满铁“大连电气公园娱乐部门职员”森本。在作品的后半部，他虽然没有再次登场，但考虑到须永市藏所达到的“排除深思而观察一切”这一最后的心境，便可以得知他所起的作用是具有不可轻视的意义的。

小说《门》和《春分过去之前》中以使登场人物出走“满韩”的形式来对作品主人公的世界加以一种“批判”，或力图将其进行相对化的这种构造，我们在作者晚年创作的未完成大作《明暗》（1916 年5 月）中亦可以发现。在以描写被“自我”所困扰的人物间的爱憎为基本主题的这篇作品中，主人公津田由雄由于其“一切事情只考虑自己”的生活方式，经常受到以其妹妹阿秀为主的周围人的批判。但对于“完全不了解自己”的他，同是以“自我”为中心的阿秀等人的“逻辑”，一向不起任何作用。惟一使他从心理上感到“不安”，并从根本上动摇其所谓“从容”态度的，是一位自称为“生来即有漂流四方命运的”、“无归宿的流浪人”，同时亦为“善良贫民的同情者”的名叫小林的人物。他曾在津田的叔父藤井手下长时期帮助编辑杂志，但终因生活之苦而“再也无法在东京继续居住”，不久便将“流落去朝鲜”。作品中，“流落去朝鲜”这一行动，作为其人生最后的赌注，被赋予了一种犹如“武器”般的功能，以支撑小林那种对抗“上流社会”的“自暴自弃的斗志”。可以说，正是因为“下落”到了这一生存的“极限境遇”，他才能够完全“站在自由的立场”上，既“复仇”于津田，又彻底地从外部将整个作品世界客观化、相对化。⑫

四　夏目漱石中国东北之行的意义

如上所述，同以往的“高等游民”相比，这些我们只好称之为“下等游民”的人物群像，在漱石的所谓“满韩”旅行后，于其作品一齐登场，并开始发挥出一种极其独特的重要作用，可以说，这一事态决非偶然。毋庸讳言，在为期一个半月的旅行中，漱石所见到的并非尽是旅顺警视总长佐藤友熊、大连税关长立花政树这些“上流社会”的旧友。像其五高时代的学生，亦曾作过漱石家学仆的俣野羲郎这样的一般职员自不待言，考虑到所谓“满韩”那种恰如日本失业者聚集地的性质，他也一定于各种场合会见了众多的具有不同寻常经历的人物。⑬而对这些人激烈的生存状态的观察，是不会不影响其作为一个作家的精神世界的，特别是考虑到他在东京的那种完全以“自我”为运动中心的交际空间，就更不难想象两者的比较和其中的差异对他精神内部所产生的巨大震撼。可以说，始于《门》中安井的这一系列“海外志向型”的人物造形，正是这一冲击的直接产物，同时在他们的背后，我们甚至还能寻找出这样一条作家精神运动的轨迹，即：大约从这一时期起，夏目漱石已开始同以往的那种很容易走向自我封闭的世界拉开距离，比较有意识地将“外部”或“社会”的要素置于自己的视野，并逐渐把自己的“自我中心意识”进行相对化、客观化。⑭从这个意义上讲，漱石的此次中国东北和朝鲜的旅行，非但不是“没有对其精神产生丝毫影响”，而更应看作是他精神转变的一个决定性的“事件”。

注释：

①参阅伊藤武雄：《满铁生活》，劲草书房，1964年9月。

②见玉源太郎：《满洲经营梗概》，引文据原田胜正：《满铁》，岩波新书，1981年12月。

③前引原田胜正：《满铁》。此外，虽不是准确的数字，但据《满洲开拓史》（满洲开拓史刊行会编，1980年7月）的统计，在日俄战争结束后的十年里，移居到中国东北的日本人多达“10万以上”。至漱石来访的1909年为止亦记录有“6.6万人”。

④真下飞泉作词，三善和気作曲，载《学校及家庭用言文一致叙事唱歌三》，1905年9月，引文据金田一春彦、安西爱子编：《日本的唱歌》，讲谈社文库。

⑤就此，比如夏目漱石的妻子——镜子亦曾在《关于漱石的回忆》（松冈让记述，改造社，1928年11月）一文中作过如下推测：“去满洲这件事，最初当然也许是中村先生想把自己多年来的老朋友带到一个他尚未去过的地方，让他开开眼界。可在我看来，这之外自然也有打算叫他向世人介绍一下满铁那些当时尚不太为人所知的各种业绩意图。”此外，据夏目漱石1909年7月31的日记，中村为了在“满洲”创刊一种新的报纸，好像还甚至曾经有过将其招聘到中国的想法。

⑥《漱石全集》（岩波版）第八卷解说。

⑦友田悦生：《夏目漱石和中国、朝鲜》，载芦谷信和等编：《作家的亚洲体验》，世界思想社，1992年7月。

⑧关于这一点，夏目镜子在前引《关于漱石的回忆》中，继续注⑤的引文，亦作过这样的回忆："但他自己好像决没有一点要去作帮闲的想法"。包括上述有关中村招待意图的发言，这些都可能不仅仅是她的推测，或许在他们夫妇对话之间漱石真正有过此类内容的流露。

⑨当然，除此之外，比如对由于暗杀伊藤博文事件的报道而多次中断其连载的不满（参阅11月6日发给池边三山，11月28日发给寺田寅彦的信函），也可以作为漱石下决心中止连载的一个重要理由。

⑩前引友田悦生论文。

⑪在小说《草枕》（1906年9月）中，女主人公那美的前夫由于所供职的银行倒闭，使其"无法继续在日本生活"，万般无奈而流落去"满洲"。还有，在《三四郎》（1908年9月）主人公三四郎于上京途中在火车上相识的"女人"的丈夫，也"说是那边可以赚钱"，便"到大连打工去了"。从广义上讲，这两人亦应算作"海外志向型"的人物，但在作品中，双方都只有很少的描写，作为人物造型尚未被赋予像《门》以后的同类形象的内容。从这个意义上可以说：他们归根到底仍只是作者在不知道"当地"情况下而创作的一种"观念"产物，同后面将要列举的一系列人物在所发挥的作用上有着决定性的区别。

⑫这里所表现出的那种可以称之为"下降志向"的精神取向，追溯起来，我们亦可在作者的早期作品《少爷》（1906年4月）中得到确认。当小说的主人公"少爷"在辞去了四国某中学的教师职务返回东京后，他所再就职的职业便是成为一名所谓"街铁"（东京市街铁道株式会社）的"技工"。从他的这种"零落"中，比如评论家松山岩就曾分析出了作者夏目漱石"对于立身出世主义的反感"和"一个生活者"向外伸延的"新的须根"。（参阅《群众》，读卖新闻社，1996年10月）如果从这种观点来看，上述三人的登场，亦不是完全没有"根据"的，作为作者固有精神取向的一个反映，可以说他们是理应出现并终于出现了的小说人物。但有一点应该强调的是：作者的此次"满韩"旅行和他在当地的种种接触对刺激这一固有精神取向的发展，使其成为一种更加自觉的作家意志曾起到一个不可忽视的催化作用。

⑬在《满韩各处》和其旅行日记中记载着很多人名，仅就这些人物而言，即可发现他们当中有不少绝非“上流”，甚至远不乏一些来历不明之人。

⑭评论家江藤淳在论及小说《明暗》（参阅《夏目漱石》，新潮文库决定版，1979年7月）时，曾提取以小林为代表的“社会的、世俗的价值判断”，从中读解出作者由“家庭”到“社会”，以及由“自然”到“社会”的“视角”移动，并就小林这一人物的设定，以其发挥了这一“回转运动的支点作用”而给予了较高的评价。

从小说的写作发表形式论日本文学的问题

高　宁

在近现代日本，商品经济的迅猛发展不仅给日本带来了繁荣，同时也使得日本文学作品日益商品化。出版商、报刊自不待言，作家本人也自觉、不自觉地卷入商战之中。不少作品被打上了不可抹去的经济烙印。①1862 年日本报纸问世之后，文学作品的商品化现象日趋严重。因此，与世界各国小说相比，日本小说在发表形式上就有一个非常显著的特点，即它的近现代文学作品中有相当一部分是以报刊连载形式问世的。比如夏目漱石、森鸥外、川端康成、志贺直哉、岛崎藤村 5 位最著名作家就有 27 部②小说是由报刊连载发表的。这些连载作品占作家中长篇作品的比例大致在百分之八十至百分之百之间。③其中有相当一部分是日本文学史上的名著。值得注意的是所有这些作品都不是完稿于连载之前，而是创作与连载同步进行，边写作边发表。④当然，一部作品的成败，从宏观上说，关键在于作家对社会、对历史、对人生的理性把握的深度与广度；从微观上说，决定性因素则为作家对人物及其性格和性格发展史的总体把握能力。但是，不可否认的是，作品的写作发表形式无论从宏观，还是从微观，都和作品的成败有着不可分割的联系，很有必要对它加以认真的考察与研究。关于其对作品正面影响，国内外已有人论述，这里不再赘言。拙文着重讨论其带给作品的负面影响，因为长久以来人们没有正视过这个问题。

从作家的角度看，这种发表形式无疑破坏了文学创作的自身规律。它不仅剥夺了作家在总体上、在宏观上对作品、对人物反复设计、反复调整的余地，而且也或多或少地迫使作家放弃或改变自身的审美追求，而去迎合业已发表的文字，使作家经常处于被动的局面。因为无论作家执笔前的构思多么精巧，提纲多么详尽，一旦执笔，他就始终处在自我修正、自我调整的过程中，他就会发现一些从未意识到或从未充分意识到的问题，他就会因各种社会思潮和社会事件的影响而改变自己对某些问题的看法，甚至改变价值观；同时他也会在与笔下人物相伴为生的过程中产生新的见解，新的认识，想调整自己审视事物的角度，想赋予笔下人物新的思想内涵，想理顺人物性格的发展轨迹，想重新调整和设计书中人物间的相互关系，有时甚至想改变作品的总体布局，以实现作家自身的审美追求和审美理想。然而这一切又因为作品采取了边写作边发表的创作形式而显得格外艰难。作家本应拥有一个完整的并且能够自主的精神世界，他是这个世界的领袖和导师，也是一个重要的主宰者（但不是惟一的主宰者），但是写完的部分一旦发表，就成了一个不容更改、不容抹去的客观存在和历史事实。它一出现，便把作家的半个身子推出了他自身的精神世界，使他不得不同时面对两个性质迥然不同的世界。

换言之，小说一旦在全部完稿前就已发表部分文字，无疑意味着给作家创造了一个实实在在的客观天地。这个天地再也不是作家大脑中的精神世界。无论作家是多么地敏锐，多么地深刻，此时此刻他必须站在自己的内宇宙里凝视着这个从他那里被拉出去的外宇宙。作家必须面对这个现实的外宇宙再去调动内宇宙的所有潜能去创造作品、去塑造人物、去概括、涵盖他关于人生、关于社会的理性思考。然而，这时他所能做的，不过是与已发表文字进行接轨。如果业已发表的文字不影响作家对作品的总体构思，人物完全按照作家的既定方针没有一丝一毫的改变，那么这样的接轨当然不成问题。但是，无论从理论上还是从事实上看，这种完美无缺的接轨都是很难想象的。并且，由于报刊连载的特点，这种接轨不是一次性的而是反复多次的，其结果必然是作家一次次面对他生下的"一支胳膊、半条腿"，再回到他的内宇宙中创造生命的另一部分，而且必须和业已出世、业已生活在现实中的"那支胳膊、那半条腿"相吻合。这是多么艰难的接轨啊。如果想生一个毫无缺憾的生命自然不那么容易。

所以，日本著名作家夏目漱石在谈及《我是猫》时，曾经感叹地说过"《我是猫》写作之初的想法与完稿时迥然不同"。⑤这不能不说是一个讽刺。川端康成在写《浅草红团》的续篇时曾说过对业已发表的部分"感到恶心得想吐"，⑥但是他又不得不勉为其难，削足适履，去完成小说的续篇。再如《雪国》，连载分两期，前后长达12年之久。第一阶段为1935年1月至1937年5月，第二阶段则完成于1947年。且不说在这么长的时间里，作家本人的世界观、审美意识有无改变，作家自己就承认"执笔写小说开头部分时，后面的素材则才出现。换言之，我写小说第一部分时，结尾部分的素材实际上还没有发生"，⑦就是说，作家连一个总体构思还没有，就已经披挂上阵。这当然要影响他自身主体性的发挥。甚至连小说的第一部分也因曾两次发表而使"完稿和初衷大相径庭"。作家自己说过"本打算写一个16000字左右的短篇交《文艺春秋》昭和十年一月号发表，一次用完素材。但是，直至《文艺春秋》截稿日，也没能全部交稿，结果，接下去写的部分连同前文一起又交到截稿日略晚几天的一月号《改造》重新刊载。由于处理素材的时间又多了几天，韵味便留在了后几天的文字中，使完稿和初衷大相径庭"。⑧不难想象，在这种情形下，全书的接轨工作将是多么艰难。

再看岛崎藤村的《春》，作家“原本是要表达他自己到达人生之春的经历，但是随着写作的继续，人生的春天却渐渐远去”。⑨这不能不说是作家的悲剧。这悲剧不在于作家能否改变初衷，这本是他的权利。相反，这悲剧在于作家丧失了通盘考虑作品、调整、修改、甚至是重新设计人物的余地。作家无法充分发挥他的自主性。

再如夏目漱石的《心》，用作家自己的话说，“这次我是准备写几个短篇，每篇篇名各不相同。不过考虑到发预告的需要，给它们起一个总名字，这样便选用了‘心’”，⑩“然而没有想到，最后拉成了长篇小说《心》”。⑪然而，事实上现在的《心》不过是由当初预告中设想的一个短篇《先生和遗书》拉长的，作家并没有写成几个短篇。⑫后来因报纸连载版面出现问题，夏目漱石便在给《朝日新闻》的山本松之助的信中说《心》被抻长为长篇“总而言之是我的责任，如果一旦出现报刊发排断档问题，我也可以在‘先生和遗书’之外接下去再写一篇”。⑬很难想象这样的写作、发表形式能不影响、不限制作家自我主体性的充分发挥。

从另一个角度看，27部连载作品中有3部未最终完稿，这也很能说明问题。《明暗》是因为夏目漱石谢世无法完成，《浅草红团》和《千羽鹤》则分别是川端康成30岁与50岁时的作品。但是，在作家以后多年的写作生涯中，却始终没有把两部作品最终完成。森鸥外的《雁》是作家49岁时的作品，连载于1911年9月至1912年5月间。连载结束时小说并未完稿，等到1914年5月出单行本时才由作家补笔收尾。这一切说明了什么呢？无论有多少条客观理由，恐怕也难以否认小说的这种发表形式影响了作家自主性的充分发挥，以至于不得不常常中途“缴械投降”。

为了进一步说明问题，笔者调查了上述部分作品在出单行本时对连载稿的修改情况。结果发现，有一部分作品曾先后出过两次单行本，但篇幅大不相同。就是说，部分小说在连载中断后即被编辑成单行本出版，连载恢复之后，又不得不重出一次单行本，如川端康成的《山音》、《千羽鹤》、《雪国》、《浅草红团》、志贺直哉的《暗夜行路》等。而作家对连载稿的修改，绝大部分只局限于个别词语。比如笔者仔细查阅了《我是猫》的校异资料，[14]作家的修改百分之百地限于词语部分，而且很少有两个字以上的改动。川端康成的《雪国》只有第一章和最后两章作家进行了改写，其他章节修改很少。其他作品，情况也大致如此，只有岛崎藤村的《春》因上述原因出单行本时改动幅度略大一点。这一切当然不是因为作家真的无能，面对已经成为现实、成为历史的作品，作家只好显得“无能”了。然而，与此形成极大反差的是西方文学名著，它们在问世之前，往往经历了无数次的修改。据资料记载，托尔斯泰的《战争与和平》有15种开头，某些章节有7种稿本；《安娜·卡列尼娜》的许多章节有12种稿本；而《复活》的开头部分则多达20种稿本，小说最初的手稿叫做《柯尼的故事》，后经作家反复修改，数易其稿，才成为不朽的名著。香港武侠小说作家金庸是个例外，他一反常规，在出单行本之前，对连载稿大加修改。1975年金庸在《书剑恩仇录》的后记中说“本书最初在报上连载，每日撰写一段，文气不甚连贯，后来出版单行本，现在修改校订后重印，几乎每一句句子都曾改过”。1985年作者“再作一次修订，改动甚多”。[15]这也从反面说明了写作、发表并举的做法对作家自我主体性发挥的限制。

此外，报刊连载上的具体操作方式也大大影响了作家主体性的充分发挥。首先，报刊连载小说通常是要发预告的（有时甚至要刊登小说的章节题目），来介绍故事情节和人物命运，以招徕读者，获取经济效益。然而，这无疑是套在作家脖子上的一条无形的枷锁，使不少作家无法或不敢去修改自己原先的思路。因此，当作家对社会、对历史、对人物、对作品结构、情节的看法发生改变，需要对先前的思路进行调整时，小说的预告则成了束缚他手脚的樊笼。对这些作家来说，预告从一开始就已经是他们不可逾越的障碍。当然，也有些作家在具体的创作过程中，部分地打破自己先前的构思、设计，但是往往到最后又不得不绕回到原定的结局中。否则，读者不答应，出版商也不答应，作家本人则会面子丢尽。其次，由于报刊连载小说读者面广，读者期待值高，容易产生社会轰动效应。但是，这种轰动效应所带来的经济效益使得出版商强求作家抻长作品以保持其所带来的金钱利益，而根本不去顾及文学创作的自身规律。这时，作家的主体性更是被人为地扭曲了，作家几乎快成了赚钱的机器。这时，如果作家本人也为经济利益所驱动，积极迎合眼前的社会效应，作品的最后命运更是令人担心。这时的作家虽然也积极发挥了自身的主体性，但它却同样是被扭曲了的，因为它不是来自对社会、历史、作品人物的正确的理性把握，而且还不断破坏作品人物性格的逻辑发展。再次，为了报刊连载，作家不得不额外地考虑每次发表字数和每次连载内容的相对完整性等问题，结果，同一个场面、同一时空下的人物对话被人为地分割成数节的现象屡见不鲜。此外为了反映报刊连载的特点，还要不时地制造一些人为的悬念。这种悬念有不少不是从整篇作品考虑设计的，它往往只顾及下一次的连载内容，以吊起读者的胃口。

总之，小说一旦采取边写作边发表的形式，作家本人也就部分地丧失了自主性和主观能动性，也就使得丰富多彩的作家内宇宙在还没有充分运作之前，在还没有取得完全的统一、和谐之前就把其一部分内容“割让”给了现实社会，成了独立于作家内宇宙的外在世界，结果作家往往只好被牵着鼻子，围绕着这个外在世界被动作战。

二

从作品本身看，由于小说采取了写作发表同时并举的形式，所以势必极大地影响人物自身性格的逻辑发展，破坏作品人物的自我主体性。结果，本应按照自身的价值观、审美观生活在小说中的人物却往往无法按照自己的一贯的价值观、审美观去生活，相反，变成了一个任作家搓揉、主宰的工具。当然，作品是作家精神生活的产物，但是，却和现实生活有着不可分割的千丝万缕的联系。换言之，小说是通过作家精神生活而形成的对生活、对历史、对社会的形象概括，因而也就必然地带有社会和历史的发展逻辑；因而人物也就必然地是按照社会和历史的发展逻辑生活；同时他还拥有自身的性格发展逻辑和自身的生活逻辑。作家只是在生活的基础上，对生活、对社会、对历史进行观察、分析，进而通过小说、通过人物进行高度的艺术概括。但是，他所设计的人物一旦诞生，他一旦赋予人物以生命，作家就往往无法干预作品人物的生活道路。这时的人物已经有了自己的生活环境，有了自己的独特经历，业已形成自己独特的个性和价值观。他应该是按照自己的想法而不是按照作家的想法去待人接物。一个作家成熟与否，就在于他是否能够塑造一个实实在在、与众不同、与他自己也不同的人物。越是成功的作家，越能够“赋予人物以精神主体性”，⑯越是成功的作家，越显得对笔下人物无能为力，他只能听任人物按照自身性格的逻辑发展、变化，作家不能代之以自己的言行准则来规定人物，更不能越俎代庖规定人物说什么或干什么。当然他更不能强行安排人物去做不符合其性格、其价值观的事情，扭曲人物性格发展的轨迹。法国著名作家、诺贝尔文学奖得主弗朗索瓦·莫里亚克曾经说过：“我们笔下的人物的生命力越强，那么他们就越不顺从我们。”⑰又说：“反之，如果某个主人公成了我们的传声筒，则这是一个相当糟糕的标志。如若他顺从地做了我们期待他做的一切，这多半是证明他丧失了自己的生命，这不过是受我们支配的一个没有灵魂的躯壳而已。”[18]然而，报刊连载却或多或少妨碍了人物性格的正常发展，尤其是作家发现了作品的问题或人物刻画上的毛病而企图加以改变、调整时，这种人物性格发展的不一致性或跳跃性就更加明显。还有那些基本上以真实人物为模特，并以真实人物在现实中的生活为小说主要内容的作品尤其如此。如果作家并没有真正把握住人物的内在个性，还不能赋予人物精神主体性，那么，一旦现实中的模特出现意外，小说人物的性格发展就失去了内在根据。但是，小说还得继续连载下去，结果，人物性格畸形发展，让人百思不解。比如岛崎藤村的《家》就很典型。这部作品上篇完稿之后，书中的一个重要人物桥本正太的生活原型——作家的外甥高濑亲夫去世。日本文学评论家三室静虽然为岛崎藤村美言，说他经受住了考验，前后篇之间衔接很好，但是，他又不得不承认“这无疑是作者执笔之初所料想不到的，也迫使作者较大幅度地改变作品的结构，同时给继续写作带来了相当的考验和困难”。[19]思之，这是理所当然之事，也更符合实际情况。我们自然要问作家为什么“较大幅度地改变作品的结构”，虽然现在已不可能得到作家的明确回答，不明白其中的全部道理，但是，有一点却是毫无疑问的，即跟作家如何继续把握桥本正太这个人物有关。如果作家把握住了这个人物的心灵深处和个性特征，能够让他继续独立地按照自己的生活方式和价值观生存于原来的舞台上，那么也就不致于要“较大幅度地改变作品的结构”了。

志贺直哉的《暗夜行路》就更有意思，日本著名评论家尾崎一雄认为其前篇是失败之作《时任谦作》的变形产物。《暗夜行路》的“序”，即“主人公的回忆”部分曾以《谦作的追忆》为题发表于《新潮》1920年1月号，前篇的最后部分也曾以《可怜的男人》为题刊载于《中央公论》1919年4月号。但是,《暗夜行路》本身的连载却开始于1921年。[20]结果,上述两部分又作为作品的两个章节重新发表。[21]一部长篇小说已有两个片断在动笔之前就已经先后发表,我们很难想象作家到底是怎样设计人物的,是以先后发表过的两部分为基调来设计人物呢,还是反过来用已发表的两部分去"低就"整部作品,这实在是个不解之谜。再说,这一先一后两次发表的部分本身,其人物的价值观、性格特征、生活环境等是否拥有一贯性还是一个大大的问题,更不用说把它放进整部作品中了。还值得一提的是,据史料记载,志贺直哉前后花了三年时间写作《时任谦作》,结果却没有写成。《时任谦作》本准备接着《心》在《朝日新闻》上连载的,由于作者无法按自己的想法写下去,只好到东京当面向夏目漱石谢罪。结果,预先留给他的连载版面只好由另外几个作家的中篇补缺了事。这也是迫使夏目漱石在给山本松之助的信中称迫不得已时他也可以接着"先生和遗书"写下去的由来。[22]然而,这样半途而废的小说还是被嫁接到了《暗夜行路》上,很不可思议。

不仅如此,又由于报刊连载小说有很多是由短篇抻长为长篇的,[23]作家从短篇角度设计的人物被拉成长篇的主角或配角后,一个通病就是人物缺乏性格发展,缺乏性格层次,人们往往只能看到一个平面的形象,却无法知道这形象是如何发展出来的,又将如何发展、变化,更难看到潜藏于人物变化之后的巨大的对现实、对历史的概括力量。简言之,在这种沾连载之光被抻长的长篇作品中,人们能接受到的往往还是短篇小说的"信息量"。

夏目漱石的《我是猫》就十分典型。起初它也是作为短篇小说发表的,后来在朋友的劝说下,又不断写下一个又一个的续篇,最后成为鸿篇巨制。夏目漱石自己对这一点也直言不讳。结果怎么样呢?这不仅影响作家主体性的发挥,影响作家对作品的总体把握,而且影响了作品人物按自身性格的逻辑规律走进生活,走进读者之中。最明显的一点，就是在《我是猫》中，苦沙弥先生的性格是始终一贯的，没有变化、发展。他的价值观、人生观同样也基本上没有什么改变。这对于以塑造人物为主要工作、以刻画人物性格发展为重要特征的长篇小说来说，不能不说是一个遗憾。结果，苦沙弥的形象成了平面的形象，苦沙弥的故事成了老太太的裹脚布，连日本文学评论家柄谷行人也说《我是猫》“无所谓情节，在任何地方结束都无关紧要”。㉔可谓一针见血，说到了要害之处。《心》在这一点上也十分典型。日本文学评论家小宫丰隆早在1915年就指出“极有深意的主题在《心》里却遭到了特别的处理——即只有头尾而没有至关重要的躯干。作品只写了犯罪的经过和犯罪十几年后形成的态度，却没有揭示在犯罪感的重压下苦恼的先生的内心是怎样从一种态度渐渐地转变成另一种态度的”。㉕换言之，即“先生是怎样为自己的罪行感到不安的，他是怎样努力来消除或超越他的罪行的。并且，这种犯罪感的重压又是如何摧毁先生的一切努力的”。㉖然而，这关键的“躯干”作家则几乎没有着笔。日本文学评论家赤木桁平也曾指出：“小说的心理推移缺乏必然性，……想来，作为现实主义者的夏目漱石也完全没能在《心》里从观念中走出来”。㉗作家正宗白鸟则称之为“穷根究理纠缠不清的作物”。㉘

此外，报刊连载给作品带来的另一个负面影响就是结构松散。一些执笔之初觉得很有价值、很有意义的描写，后来从全局看，竟是无用的赘笔。不过，木已成舟，无法忍痛割爱。有时，作家对已发表的文字不满意，便试图在以后的章节中通过其他情节、场面或对话进行修补。且不说修补能否成功，首先，这势必造成小说结构的松散。日本报刊连载小说的通病之一也正在于此。日本著名文学评论家长谷川泉在评论川端康成时指出：“《山音》和《千羽鹤》如果单纯从长度上说，不知能否算作名篇。但是，无论怎么说，川端文学在本质上不具有长篇小说的严密结构。……无论从哪里切断，也不会令读者焦躁不安的”。[29]显然，川端文学在结构上的毛病是较为严重的。所以，即便在川端康成获得诺贝尔文学奖之后，评论家仍然盼望他“写出真正的长篇作品”。[30]作家伊藤整则称《千羽鹤》的“情节没有很好地展开”。[31]志贺直哉的《暗夜行路》在结构上也有不少问题，连其汉译者也委婉地指出：“写作过程拉得很长，作品结构也未免有些不足之处。我们在欣赏这部名著时，也应该适当地看到这个方面。”[32]夏目漱石的《心》，结构问题更为严重。日本文学评论家荒正人就说过“《心》以‘先生和遗书’为主，其他两部分为辅。从本质上说，《心》是篇很松缓的长篇小说。”所以荒正人又说“‘中·双亲和我’从全书看多少有点多余”。[33]评论家松冈让也曾直言：“我对这部作品的结构多少有些不满”。[34]夏目漱石的弟子小宫丰隆则进一步指出，《心》的上篇与下篇既可以说有关系，又可以说没有什么关系，中篇则严重妨碍读者直接进入主题，不过是夏目漱石先生强迫读者徘徊在他的世界里而已。[35]夏目漱石的《道草》则被同时代的文学评论家赤木桁平称为“既无事件的变化，又无性格的发展，可以说是一篇平凡的日常生活的报告。”[36]《草枕》同样也无所谓结构，像部随笔。日本文学评论家柄谷行人甚至把这位文坛泰斗的多部作品，其中包括夏目漱石38岁时的成名作《我是猫》以及《三四郎》、《虞美人草》、《梦十夜》、《草枕》、《坑夫》等都划归为未成熟作品之列，认为“夏目漱石真正写出算得上小说的作品还是在《三四郎》之后，即从《从此以后》和《门》开始”。[37]其中的原委当然是多方面的，但是，毋庸讳言，其结构的松散、拖沓也是一个不可忽视的重要原因。

三

如果从读者的角度来看日本报刊连载小说的话，那么首先应区分两个不同的读者群。即一方为中国读者，一方为日本读者。

对中国读者而言，日本作家的这种边写作边发表的做法，不仅如上所说，妨碍、影响作家主体性的充分发挥，并时常扭曲作品人物的性格发展，而且也常常破坏读者参与创造人物形象的过程。因为作品的美学价值并不完全取决于作品本身，很多场合它产生于读者的阅读过程中。只有在读者的积极参与和合作下，具有审美价值的人物形象才能产生。换言之，作品的美学价值是作者和读者共同努力的结果。然而由于日本作家时常“失控”，书中人物时常“突变”，读者和作者以及书中人物的交流、交融便变得十分困难，以至于常常无法进行自己的审美再创造。其结果自然也难以实现作品的审美价值。另一方面，日本作家的这种写作发表方式也妨碍、甚至是破坏了读者的审美追求和自我完善、自我净化、自我创造和自我实现的行程。对广大中国读者而言，他们是要通过作品进入另一个世界，或喜或悲、或恨或爱，在喜、悲、恨、爱之中，体味人生，体味自己，借以实现现实中难以实现的审美追求。然而，上面两节所谈到的种种问题，又使他们想借作品入世或借作品出世的审美追求时常因为作品本身的缺憾而难以实现。一般中国读者难以喜欢上日本文学作品。他们所喜爱的外国作品，主要还是欧美作家的经典小说。原因当然是多方面的，审美观的不同、文学观的不同、“期待视野”的不同以及社会背景、文化历史环境、风俗的差异等等都是重要的原因，但是，毋庸讳言，跟日本作家的这种创作与发表同时并举的做法也有着割不断的联系。

对日本读者而言，情况却又不同。在前两节中，笔者作为证据多次引用了日本作家、评论家对作品的批评，并且这种批评也偶尔同作品的写作发表形式有着某种联系。但是，这并不意味日本作家和评论家对此有着一个清醒的认识。在具体到某位作家的某一部作品时，有些日本作家、评论家不仅能够发现问题，而且能够作出较尖锐的批评。但是，一旦把问题扩展到整个日本文学，问题便隐退消失掉，使人们感觉不到它的存在。换言之，日本作家、评论家在微观的层次上能够察觉到问题的存在，但是，在宏观上却对它们视而不见。而且在微观的层次上，绝大多数评论家、作家也只不过认为它们是白玉微瑕，在文章中点到为止，并不深究。其实在一般的文学批评中，日本人更是赞美远多于批评，对一流作家往往是崇拜压倒一切。尤为重要的是，至今尚没有一位作家或评论家有意识地把作品同作品的写作发表形式结合起来进行分析研究，自然就更不可能从作品的写作发表形式去审视整个日本文学。上两节所引用的各家之言不过是单纯的、就作品论作品的议论而已。

日本人，包括作家和评论家往往认为，小说边写边作发表是再普通不过的事情。他们对由此产生的问题或视而不见，或麻木不仁，或一笔掠过，从不深究，甚至认为小说的报刊连载是日本文学的一大特色。日本文学评论家在权威性辞书上论及西方报刊连载作品时说道："从19世纪末开始，西方报刊连载小说质量变得低劣，……其中以大团圆结局的伤感的恋爱故事大量增加，成为庸俗文学的代名词。"[38]但是，对日本文学却网开一面，声称：报刊连载小说为"日本独特的东西，……西方的报刊连载小说在形式上与日本的不同，在文坛和文学上的地位也不可和日本同日而语"。[39]这个评价，应该说是很准确的，同时也是颇为令人遗憾的。一方面，它反映了西方和日本报刊连载小说的真实情况。在西方，报刊连载小说家在文学史上的地位并不高，只能算作二三流作家，如英国的特罗洛普、法国的蓬松·迪泰拉伊等。一流作家的传世之作几乎毫无例外都是采取整卷出版或分卷发表的形式。巴尔扎克早期发表过一些连载小说，却未引起世人注意。只有笛福的《鲁滨逊漂流记》是个例外，它是西方最早的、也是传世至今的连载小说（1719—1720）。此外，狄更斯也有一部报刊连载小说，即

《匹克·威克外传》，但是，它是一部纪实性作品，应另当别论。也许正因为报刊连载小说在西方文坛上没有可以和日本同日而语的地位，所以才涌现出一大批一流行家，一大批备受东西方各国人民青睐的传世之作。另一方面，在日本，也正因为报刊连载小说地位过高，影响过大，其版面又长期被一流作家和知名作家所占用，所以人们对这种小说的写作、发表形式习以为常，认为理所当然，无可厚非，而不去想想其中是否存在弊端。其结果，势必影响到人们，也包括作家、评论家对整个文学的认识。比如，夏目漱石在谈及《过了春分之后》时说过："事先我就想过把几个短篇串在一起，使它们相互融合，构成一部长篇，成为报刊连载小说，读起来一定格外有意思。"[40]"把几个短篇串在一起"，在中国人眼里，最多是系列短篇，但是，在夏目漱石那里却能"构成一部长篇"。日本文学评论家荒正人也毫无疑义地承认《过了春分之后》"是由七个短篇串连而成的长篇"。[41]夏目漱石在谈《草枕》时则说"我写《草枕》，完全不同于现在社会所说的小说概念。只要把惟一的感觉——美的感觉留给读者就万事大吉，此外，别无目的。所以，既没有情节，也无事件的发展"。[42]而日本著名文学评论家吉田精一则明白无误地说，连载小说"作为报纸上的读物，自然是每天写一点发表一点的"。[43]总之，从以上论述不难看出日本人对报刊连载小说的看法。这也许道出了日本报刊连载小说至今不衰的原因所在吧。

以上主要从小说写作发表形式的角度对日本文学进行了一次粗略的鸟瞰，并指出了它若干缺憾之处。但是，小说的写作发表形式只是造成这些缺憾的原因之一。换言之，造成日本文学这些缺憾的原因是多方面的、多层次的，而小说的写作发表形式只是其中的一个而已，虽然有些场合它是极为重要的。至于其他原因，诸如日本人的文学观、审美观以及日本社会文化因素等，虽然也极为重要，对于把握日本文学有着举足轻重的作用，尤其是作家在主观上对作品的总体把握更是作品成败的关键。但是，由于篇幅所限，本文不能逐个从这些角度进行考察、研究，只好留作今后的研究课题。这里仅围绕小说写作发表形式作了点粗浅的探讨，以求和国内外同仁一起正视这个被忽视的重要问题。

注释：

①如曲亭马琴的《八犬传》就很典型，全书写作长达28年，分多卷刻印。出版商为索取新稿，常常等在作家家中。参见《南总里见八犬传》（南开大学出版社，1992年，李树果译）的“附注”、“附言”和夹在章节间的写作、刻印说明。

②即夏目漱石的《过了春分之后》、《行人》、《心》、《从此以后》、《明暗》、《我是猫》、《虞美人草》、《三四郎》、《门》、《道草》、《梦十夜》、《玻璃窗中》；森鸥外的《青年》、《雁》、《涩江抽斋》；川端康成的《浅草红团》、《雪国》、《千羽鹤》、《古都》、《山音》、《女性开眼》、《睡美人》；志贺直哉的《暗夜行路》；岛崎藤村的《春》、《家》、《新生》、《黎明前》等。川端康成的《名人》未算在内，因是纪实性作品，应另当别论。

③这个数字是根据作家年谱推算的。

④具体的考证详见后文。

⑤见《漱石文学全集》（一），集英社1982年版，第585页。

⑥见《现代日本文学大事典》（增订缩刷版），明治书院1983年版，第287页。

⑦见《川端康成》（一），集英社1978年版，第437页。

⑧同上。

⑨见《岛崎藤村》（二），集英社1976年版，第409页。

⑩见《心》，角川书店1981年版，第269页。

⑪同上。

⑫见《夏目漱石论》，明治书院1984年版，第188页。

⑬见《夏目漱石论》，明治书院1984年版，第186—187页。

⑭见《漱石文学全集》（一），集英社1982年版，第727—771页。

⑮见《书剑恩仇录修订本》，时代文艺出版社1993年版，第700页。

⑯见《文学的反思》，人民文学出版社1986年版，第68页。

⑰转引自《文学的反思》，第68页。

⑱转引自《文学的反思》，第69页。

⑲见《岛崎藤村》（二），集英社1976年版，第409页。

⑳《暗夜行路》的前篇连载于1921年，后篇部分章节连载于1922年至1928年，其余部分则发表于1937年4月号的《改造》杂志。

㉑见《志贺直哉》，集英社1979年版，第428页。

㉒见《夏目漱石论》，明治书院1984年版，第186—187页。另参见注⑬的原文。

㉓如夏目漱石的《心》、《我是猫》，川端康成的《雪国》，志贺直哉的《暗夜行路》等。

㉔见《三四郎》，新潮社1986年版，第294页。

㉕见《アルス》第1卷第3页，阿阑陀书店，大正四年七月。

㉖同上。

㉗见《夏目漱石》，新潮社大正六年版第250页。

㉘见《夏目漱石论》，《中央公论》昭和三年六月号。

㉙见日本现代文学全集第29卷《川端康成集》讲谈社1969年版，第448页。

㉚同上。

㉛见《川端康成》（二），新潮社1978年版，第424页。

㉜见《暗夜行路》，漓江出版社1985年版，第5页。

㉝见《夏目漱石》（二），集英社1972年版，第444—446页。

㉞见决定版《漱石全集》8卷月报第2号第10页，岩波书店，1935年12月。

㉟见《アルス》第1卷第1页，阿阑陀书店，大正四年七月。

㊱见《夏目漱石》，新潮社大正六年版，第251页。

㊲见《三四郎》，新潮社1986年版第292页。

㊳见《大百科事典》，平凡社1985年版，第7卷第1055页。

㊴见《世界大百科事典》，平凡社1972年版，第16卷第269页。

㊵见《大百科事典》，平凡社1985年版，第7卷第1055页。

㊶见《夏目漱石》（二），集英社1973年版，第444页。

⑫见《三四郎》，新潮社1990年版，第293—294页。

⑬见《心》，角川书店1981年版，第269页。

《蛇性淫》与《白娘子永镇雷峰塔》

石云艳

《蛇性淫》是日本江户时期大作家上田秋成《雨夜物语》中最长的一篇小说。《雨夜物语》是由九个独立的中短篇组成的一部改编小说集。改编小说，日本称之为“翻案小说”，即以外国的传奇小说为蓝本，经过改编创作而成。《蛇性淫》主要是以中国明清白话小说集（冯梦龙编）《警示通言》第28卷《白娘子永镇雷峰塔》为蓝本改编创作而成的。

改编者上田秋成生于享保十九年（1734年）卒于文化六年（1809年）。字秋成，号无肠、余斋、畸人等，是日本近世最著名的文学家。他所著的“读本”、“浮世草子”等在日本文学史上享有盛名，同时又是著名的“国学”者。

《白娘子永镇雷峰塔》描写的是南宋绍兴年间，临安府生药铺主管许宣到保叔塔追荐祖宗，回家路上遇雨，将自己借的伞转借给一同搭船的白娘子。许宣到白娘子家讨伞，白娘子主动以身相许，并赠大银一锭。后发现银子为邵太尉库中丢失物，许宣为此被发配苏州牢城营做工。半年后，白娘子带着丫环青青寻至苏州，并与许宣成婚。又半年过后，许宣到承天寺看卧佛。遇一终南山道士，交给他灵符二道，要他回去以此镇压妖怪，结果，那先生反被白娘子驱走。不久，许宣去承天寺看佛会，又因身上衣服和手中扇子皆系周将仕典当库中所失之物而被捕。许宣招出白娘子，又被发配镇江府。许宣在镇江再遇白娘子，二人重归于好，自家开了生药铺。金山寺法海禅师向许宣道破了白娘子为妖怪，要他回杭州躲避。许宣遇赦，回到杭州，白娘子和青青又早到一步。白娘子频频显形为一条大蟒，并要挟许宣。许宣无奈只得求助于法海。法海交给许宣一个钵盂，将白娘子罩在下面，又将青青化成的青鱼也收入钵盂，并拿到雷峰寺前，上面砌七层宝塔镇压，许宣出家为僧。

上田秋成改编后的《蛇性淫》写的是纪州新宫网元的三男丰雄嗜好风流，不务生计。有一天在新宫的神主处上学归来时遇雨，在渔户家避雨时和真女儿邂逅相遇，并将伞借给了真女儿。第二天为讨伞，丰雄来到了真女儿家中。那是一处极大的宫殿般的房子。丰雄受到了热情款待并得到精美的礼物“宝刀”。回家后被父母发现，“宝刀”被送到了国司那里。原来“宝刀”是熊野神的“宝刀”。因觉得可疑，于是差人要丰雄带路，来到真女儿家中。忽然电闪雷鸣，房子和女人皆无。那以后丰雄便搬到大和姐姐家住。不久真女儿又出现在丰雄面前，丰雄无奈，只好和真女儿结了婚。一天丰雄夫妇在去吉野游玩的路上被一老翁叫住，真女儿知道被看破原形而跳入飞瀑中，原来真女儿是蛇精。丰雄大吃一惊，又回到了纪州，在父母的主持下，入赘庄头家，与其女富子成亲。真女儿又随即赶来，并使妖气附在富子身上，吓得全家不知所措，请来法师降妖，被真女儿显形吓跑。这时丰雄只好求助于小松原道成寺的法海和尚，终于捉住了蛇精并将其放入钵中埋掉，并称之为“蛇冢”。

《蛇性淫》所描写的故事是《白娘子永镇雷峰塔》的巧妙的“翻案”。经上田秋成的改编，《蛇性淫》虽说在故事情节的设置、故事展开的顺序以及人物的构成等许多方面与原小说相似或相同，但经过改编，作者借助于自已对日本古典文学的丰富知识，引经据典、“去汉嗅、出和风”，附外来小说以日本的灵性，使之无论是在背景、环境、人物上，还是在风格上都颇具日本小说的特色。如果对原著一无所知的人，还以为是一篇地地道道、土生土长的日本小说。另外作者还使用了和汉混合、雅俗共赏的语句，行文优美流畅，读之给人以艺术享受。下面我们对上田秋成的改编创作做一些具体分析。

上田秋成在改编时，基本保留了原故事的结构和较为生动的情节，将故事中的人物、景物和道具等日本化，使改编后的故事与日本文化、社会背景有机地融为一体。作者把原型中的男主人公许宣改为丰雄，女主人公白娘子改为真女儿。背景、环境设置在纪伊国三轮崎。将故事中的人物改为日本人名姓，故事发生的地点也搬到了日本本土文化发源地纪伊国。中日两国在地理特点和生活环境上有着很大的不同，社会风土、习俗、文化、心理乃至于审美意识均有很大的差异。秋成把西湖美丽的传说巧妙地移植到山险潭深水流急的日本纪伊国的三轮崎和吉野山。一方面是因为三轮崎和吉野山均见于《万叶集》，是日本人非常熟悉且倍感亲切的地方，另一方面因为日本是一个多山多水的岛国，日本本土的一些怪异方面的传说，无论是美好的还是丑恶的，多与险恶的山、幽深的潭联系在一起，这样一改就更加符合日本人的鉴赏习惯和审美要求。

当然，小说在情节结构上较原话也有较大的变动。原故事中许宣是父母双亡孤身一人，改编后，为男主人公设置了父母和兄嫂，使之更符合幕府制度下的上下长幼尊卑有序的日本家族制度。并且丰雄与真女儿相遇不是在船上而是在渔户家。丰雄将伞借给了真女儿，然后以取伞为名，去了真女儿家，真女儿赠给了丰雄一把由金银装饰的宝刀代替了原型中的五十两白银。把“白银”改为“宝刀”这一细节的改动使作品更加符合日本的习俗，更加日本化。因为日本的封建社会是武士的社会，武士是至高无上的权力的象征。“宝刀”为武士的随身佩带物，在当时是最珍贵之物。因为“宝刀”是某大臣献给熊野神的，其父兄怕受连累去自首，当差人押着丰雄去真女儿家时，却见一处久无人居的故宅，在满是灰尘的屋内，坐着一个美貌女子，差人要带她去官府问话，忽然电闪雷鸣，女人不见了。许宣与白娘子再次相会是在王家客店，丰雄和真女儿是在大和的姐姐家，丰雄和真女儿在丰雄姐姐的帮助下结为夫妻，这些情节和原型基本相同。《蛇性淫》的后半部分改动较大，增添了一些新的情节。如：丰雄的父母和兄嫂担心妖怪对丰雄纠缠不休，帮助丰雄入赘庄头家和年轻美貌的富子成婚。就在洞房之夜，真女儿的妖气附在富子身上，并对丰雄说："你忘掉了以往的恩爱，却爱上了别人，你方才不是说恨吗？我更恨你！"容貌虽然是富子，但是声音却是真女儿，吓得丰雄毛骨悚然，全家人不知所措。这段描写是原型中所没有的。丰雄与富子成婚这一情节的设置，使故事更增加了趣味性，将白蛇与人间的冲突，通过一个第三者富子推向了极端，比原故事中白娘子屡追许宣不成而显形要挟，情节更为人性化，与人间恋情更接近，增加了可读性。最后在百般无奈的情况下丰雄去道成寺请来法海和尚，法海和尚给丰雄一个袈裟，让其回去将真女儿扣住，由法海将现了原型的白蛇装到铁钵内。法海和尚回庙后，在佛殿前挖了个坑把铁钵埋了，并施展法力使这条蛇永世不得出来，庙里至今还有蛇冢。最后这个结局和原型白娘子被法海制服并被压在雷峰塔下也是基本相同的。

在人物的塑造上，原型许宣是一个生长在城市中极为平凡的普通市民，作者赋予其一个普通人的外形、年龄、身份和环境等，在个性上，许宣为人老实忠厚，文弱怯懦，谨小慎微，是一个典型的店堂伙计的形象。改编中作者在新的主人公丰雄身上投入了极大的热情和善意，使丰雄成为一个感情细腻、颇具浪漫气质、有文化教养、性格独特的艺术形象。比原型许宣显得更加丰满。

《蛇性淫》在开篇时写道："不知何年何代，在纪伊国三轮崎住着个大宅竹助。此人靠渔业发家，手下有许多渔户，渔获甚丰，生活十分富足。他有二子一女。长子太郎淳朴、诚实、勤于家业。

女儿被嫁到大和地方。次子丰雄生性文雅，嗜好风流不务生计。”长子和女儿都已各有归宿，惟独丰雄颇令父亲担心。因此，父亲想：“索性任其发展，愿意做学者就做学者，愿意做僧侣就做僧侣。他的一生由太郎照看。”因此对丰雄也就不强加管束。丰雄拜了新宫的神官安倍为师，每天到那里去上学。主人公从药店伙计到渔业主儿子的转变，使故事背景完成了由工商社会向以渔业为主的日本社会的转变。

上田秋成把丰雄设定成一个渔业主的儿子，而且“不务正业”、“游手好闲”。这是有其深层的创作背景和意义的。原型许宣生活于工商业颇为发达的中国苏杭一带，许宣的职业显然是当时当地主流社会的一员。而日本社会是一个崇尚勤劳，敬业向上，安分守已的社会，显然改编后的丰雄是背离主流社会的，这在当时是要受到世俗非议、社会所不容的。将一个怪异故事的主人公附于丰雄这样一个人物，是由日本当时特定的文化道德背景决定的。尽管如此，作者对主人公丰雄还是采取了理解和同情的态度。在改编创作中极力塑造，尽可能使其具有浪漫气质。

作者用丰雄去新宫神主处上学回来时和真女儿初遇代替了原型许宣去保叔塔追荐祖宗回来的路上和白娘子初遇。很明显，作者的意图是要丰雄区别于许宣。当丰雄把真女儿送的“宝刀”带回家，被哥哥发现时有一段描写：太郎说：“放在枕边闪闪发光的东西是什么？这样的东西非我等渔家所有，被父亲看到会怪罪的。”丰雄说：“不是花钱买的，是昨天有个朋友送的。”太郎说：“这里怎会有人送你这样的宝物呢？连买一些难懂的汉字书都是一种浪费，父亲至今默然置之未予理睬，你还想带着宝刀到新宫的庙会上去摆阔气吗？真是疯了。”母亲也说：“买这个东西有什么用？家里的钱和粮都是你大哥的，你一无所有。平素样样依你，如果这样荒唐惹烦了你大哥，这个世上哪会有你的安身之处？读圣贤书的人怎么这样不明道理。”

当父兄知道“宝刀”是京都某大臣献给熊野神的时候，因怕受连累而持刀去自首，十几个差人由太郎领着去抓丰雄的时候，“丰雄一点也不知道，正在家里看书。”

这些情节通过太郎的“买一些难懂的汉字书”和母亲所说的“读圣贤书的人”以及“正在家里看书”等描写，衬托出丰雄生性文雅，不善劳务、喜欢读书、爱好风流的性格。正是由于丰雄的独特性格，使他和真女儿之间所发生的传奇的、浪漫的、曲折的爱情才有了一定的可信度。对主人公的这种安排所产生的效果之一是“不务正业”风流倜傥，读书识字的丰雄所经历的奇遇，是在情理之中的，读者对其同情的程度比起对老实懦弱的药店伙计许宣来要大打折扣。

下面我们再来看一看女主人公。无论是白娘子还是真女儿，因为她们都是白蛇的化身，这本身就都具备了浪漫色彩。但是，白娘子和真女儿又是两个不同的“那一个”。白娘子，美貌、妖艳，具有一种感官上的美。真女儿，高贵、优雅、纤细，具有一种情趣上的美。白娘子与许宣的爱是一种感情真实、行为坦率、直来直去、实实在在的现实主义的爱。真女儿同丰雄的爱则是一种情趣性的、具有浪漫色彩的、理想主义的爱。

人类以外的动物向往人类美好生活以及追求人类美好爱情的传说、故事，无论是在中国还是在日本都有很多，如果把女主人公单纯作为人类的一个“异类”来描写的话，最终只不过是一个“怪异”故事而已。上田秋成在原型的基础上创造了一个既有超自然力量又人情味十足，既十分浪漫又非常现实的真女儿。主要表现在她的“执着”、“嫉妒”和“复仇”上，在这一点上和普通的“人”是没有任何区别的。真女儿的“执着”表现在当丰雄知道真相后，竭力逃避真女儿，而真女儿却三番五次不顾个人安危地追随而来。真女儿的“嫉妒”和“复仇”表现在丰雄入赘庄头家，与其女富子结婚时，就在洞房之夜，真女儿附身于富子并气愤地说道:“你忘记了以往的恩爱,爱上了一个不怎么样的女人,我恨你!”当丰雄发现是真女儿的声音时,感到毛骨悚然,吓得浑身发抖,不知如何是好。真女儿却微笑着说:“你不必如此奇怪,我们那样地海誓山盟,你却如此快地置之脑后,因为我们前世有这个缘分,所以又见面了,既然是这样,你如果执迷不悟相信别人的话而疏远了我,那我一定要报这个怨。纪州的山虽然高,我要让你的血从山顶上流到山谷里去,望你珍重你的性命。”

《蛇性淫》不单单是使许宣变成了丰雄,使白娘子变成了真女儿,同时也使苍白无力的人物变得有了色彩。这不能不说是秋成的独创之处。

在创作特点和风格方面,作者根据故事情节发展的需要,引用了许多古和歌,从而增添了作品的古朴典雅气氛。改编后的女主人公真女儿这个名字来自于《万叶集》,三轮崎这个地名也见之于《万叶集》。《万叶集》是日本最古的和歌集,共二十卷,收集自仁德天皇时代至淳仁天皇时代四百多年间的古和歌约4500首。在日本文学史上有着很重要的意义。

原型中清明时节,许宣到寺庙给亡父烧香,回来时遇雨并遇一妇人要求搭船,这妇人肩下跟着一个丫鬟。许宣平生是个老实人,见了此等如花似玉的美妇人,旁边又是俊俏美女样的丫鬟也不免动念。那妇人道:“不敢动问官人,高姓尊讳?”许宣答道:“在下姓许名宣,排行第一。”“宅上何处?”许宣道:“寒舍住在过军桥黑珠巷,生药铺内做买卖。”那娘子问了一回,许宣寻思道:“我也问她一问。”于是如此这般又问了一回,问罢又闲讲了一回。各自下船。许宣在药铺借把伞回家,路上听有人喊,回头一看正是刚才搭船的白娘子,于是把伞借于白娘子,约定日后去取。

改编后,九月下旬某日,风平浪静,忽然云起东南,落下微微细雨,丰雄在先生处借把伞回家,后雨渐大起来,于是走进渔户家避雨,这时传来一美妙声音“可否借您房檐下避避雨?”说话间，走进一美貌女子和一俊俏少女。丰雄为之一振，马上为其让座，丰雄道："看上去您是高贵之人，来此地可是参拜三山？还是来峰泉疗养。这波涛汹涌的海滨真杀风景，难怪古人云：'三轮崎边左野渡，欲待避雨无觅处。'这不正是今天这个情景么？"此处，丰雄所引用的和歌，见之于《万叶集》，是中长忌寸奥麻吕所作。

又如：原型中的主人公许宣为还伞和白娘子再次相见，白娘子向许宣表白爱情时的描写过于简略，改编以后，当丰雄和真女儿都陶然入醉的时候，真女儿举杯对着丰雄，她那美丽的容颜，犹如盛开的樱花映照在水面，脸上浮现出春风般娇媚的微笑，用跳跃在枝头的黄莺般悦耳的声音说："虽然害羞难以启齿，但如果不说又恐郁闷成疾，会像古歌说的那样'让哪里的神仙为我负此无辜之冤'。"真女儿在此巧妙地引用了《伊势物语》（八十九）中的和歌。"单恋无人晓，忧心似火煎。一朝失恋死，枉自怨苍天。"①

真女儿再次和为她吃了官司住在大和姐姐家中的丰雄相会时的一段描写也颇具情趣。真女儿在对以前所发生的事情做了一番辩解之后说："因渴望知道你的下落而向长古寺的观音菩萨祈祷，正像古歌中所说的'两棵杉树'那样，我们还有见面的缘分。高兴的是我们真的见面了，这完全是观音菩萨的大慈大悲。"这里所引用的是《古今和歌集》中"初濑古河边，并立杉两棵。岁月已经年，连理枝依然"。

在姐姐、姐夫的帮助下丰雄和真女儿成婚后，丰雄姐夫邀丰雄夫妇去吉野山游春时有一段描写：

"光阴似箭，转眼已是三月，金忠对丰雄夫妇说：'这里虽不如京都的近郊，但胜似纪州。有名的吉野春光，美不胜收。三船山、菜摘川的美景更是百看不厌。现在是多么明媚的大好春光啊，收拾一下，一同去吧！'真女儿微笑着说：'昔日贵人来此观赏称赞的吉野山，据说京都人也以未能一赏而为憾呢。’”

这里真女儿引用的是《万叶集》中的和歌。“贵人仔细看，美丽吉野山。昔日贵人来，频频在称赞。”

通过对《万叶集》、《伊势物语》中古典和歌的运用，实际上使作品在质上发生了变化，改编小说完全地被融化到了古典传统文化艺术形式之中，故事被赋予一个崭新的日本的“生命”，作品不仅更加典雅了，从形式到内容也被彻底的日本化了。

高尔基说过：“主题是从作者的经验中产生，由生活暗示给他的一种思想，可是它蓄积在他的印象里还未形成，当它要求用形象来体现时，它会在作者心中唤起一种欲望——赋予它一个形式。

冯梦龙和上田秋成所处的时代，是封建时代，是被“道德”、“制度”所束缚而丧失了人性的时代，作用试图以非现实的世界为舞台，借助于怪异而追求人性。

关于白蛇，中国古代有种种传说，这与中国民间拜蛇恐蛇的习俗和心理有关。西湖有蛇妖，因而建塔镇之的传说在五代就有记录。宋代类书《太平广记》卷458记有蛇妖故事，宋元话本《西湖三塔记》首次出现完整的故事情节，至明传奇《白娘子永镇雷峰塔》已基本除去了蛇精的妖气，突出了白蛇热爱人间，向往幸福美满爱情的勇敢性格。这是一部通过神话的形式反映封建社会矛盾的传奇作品。白蛇代表了追求自由、幸福、解放的劳苦大众，而法海却代表了顽固的封建势力。

上田秋成使中国的《白娘子永镇雷峰塔》成为日本的《蛇性淫》。“如果单纯是对怪异世界的描写，也就不能使其成为优秀的文学作品，而只能停留在是一部有趣的作品上。使其真正成为优秀文学作品的理由是以怪异世界为题材加以充分利用，描写人的真实的面目姿态”。②处于封建制度下的女性，必须忍受的东西很多，而当时大部分女性都在默默地忍受。这一点无论是中国还是日本都是相通的。作品的反封建这一主题也是相同的。

注释：

①丰子恺译：《落洼物语》，人民出版社1984年版，第98页。

②“雨月物语的意义”，《雨月物语》旺文社，第358页。

明暗双双三万字　抚摩石印自由成

——小说《明暗》的写作过程

王 秀 珍

夏目漱石的小说《明暗》自1916年5月26日至12月14日连载于日本东西（东京和大阪）《朝日新闻》，连载到188回时，夏目漱石突然病倒并因胃溃疡内出血离开人世，《明暗》由此成了一部有头无尾的作品。夏目漱石12月9日去世后，这部小说仍在报上连载了五天。

小说《明暗》写了一对结婚六个月年轻夫妇的日常生活。他们虽生活在同一屋檐下，但过度的虚荣心和智慧却使本应充满温馨的空间变成了“斗智”的战场。最后，男主人公津田在其上司太太的唆使下，为给妻子以“有效的教育”，竟不顾自己手术后尚未痊愈的身体，借疗养之名去温泉旅馆和过去的恋人相会……这部未完之作给许多读者带来了遗憾，但也给不少学者留下了种种推测的可能性，甚至几年前有人写出《续明暗》，①一跃而成为日本文坛的骄子。有关《明暗》的研究，日本每年都有许多论文、论著出现。笔者也曾用日文撰写《〈明暗〉论——“不可思议的力量”所支配的世界》一文。②本文因篇幅所限，在此暂不涉及《明暗》的具体内容，仅根据当时留下的部分资料，对作者创作《明暗》时的一些情况、背景及心情做一番考察和分析。

一

岩波书店出版的《漱石全集》(1966—1967年版，注中均略为“全集”)中的《书简集》，为研究夏目漱石这一时期的情况提供了极大的方便。他在创作《明暗》前的1916年5月6日给友人鬼村元成的信中有这样一句话：“我现在又要写小说了，眼下会忙起来。”③但5月26日夏目漱石在给日本松之助的信中却因《明暗》未能按时执笔而表示歉意：

敬启。最近身体欠安，一直卧床不起，为此小说的写作比原计划有所推迟，深表歉意。谷崎君（指谷崎润一郎）之所以将原定20日完成的作品延长到24日，可能也是出于对我这种情况的考虑，很是过意不去。按现在情况来看，每天写出一回不成问题，故请放心。④

从以上两封信中不难看出，《明暗》的创作大概始于5月21日前后，比原计划推迟了一段时间。

为夏目漱石研究做出很大贡献的学者唐木顺三谈及这段时期的夏目漱石时曾指出，《明暗》开始连载后，“一时间书信次数比平时明显减少”，说明作家“创作之专心，毫无他念”。⑤为了观察、了解夏目漱石这一时期的通信情况，笔者参照全集的排列顺序，将他从1913年—1916年的书信，按月份的不同统计列表如下：

年份\月份	一	二	三	四	五	六	七	八	九	十	十一	十二
1913年	19	11	16	2	10	13	14	13	13	12	16	19
1914年	20	13	12	15	7	12	27	28	7	16	20	28
1915年	11	14	9	20	12	11	13	7	23	17	15	14
1916年	6	15	10	8	9	12	8	13	12	11	10	

表中的统计数字只限于收入全集的书信。我以夏目漱石开始创作《明暗》的1916年5月为界，对其前后六个月的书信进行了整理。结果发现，开始创作的前六个月（1915年11月—1916年4月）为68封，后六个月（1916年6—11月）为66封，前后无论在数量上还是长短上，无太大差异。当然，若和1914年有时书信近达30封的月份相比，的确如唐木所言"一时间书信次数比平时明显减少"，但从表中也可看出，《明暗》执笔前后的书信平均每月十来封左右，并没有什么急剧增多或减少的现象。本人并不反对夏目漱石专心创作之说，但唐木的根据本身却有些牵强附会。

1916年6月4日夏目漱石给一个名叫松山忠二郎的人发过贺年卡，卡上写道："我尽量争取参加明日的编辑会议，但万一不能出席的话，那是因为我写小说未能抽出时间。"⑥这段话倒是能让人想象出夏目漱石忙于创作的情景。而且他6月10日又给山本松之助写信，委托他将《明暗》第二十四章原稿中的"炮声"改成"铳声"（枪声）。⑦尽管夏目漱石自己解释说是"写完后偶然发现的"，但却仍然可以看出他对创作十分严谨的态度。

二

就在报上连载《明暗》时，一个名叫大石泰藏的人曾两次来信批评《明暗》的创作方法，对此，夏目漱石不以为然，他反唇相击说：

我不能否认你所说的真实，但你的真实，迄今的小说家大抵都已写过了。这种真实可以去写，也可以不顾它的陈腐，但如果读者不假思索地认为真实就是老生常谈的那一套，那小说就会给人们带来不应有的误解。你将迄今小说家的惯用手法当作世间惟一的真实，我并不认为你所做出的预测是毫无道理的。但当《明暗》的故事发展没像你预测的那样时，你没有想到说“原来，除了自己考虑的真实之外，这里也有真实，而且自己现在是通过漱石风格的作品才接触到这种新的真实的”，对此，我深感遗憾。⑧

这段言辞激烈的答辩告诉我们，夏目漱石力图通过《明暗》的创作，大胆尝试某种前所未有的、与一般世人所想的真实完全不同的“新的真实”，从而摆脱一般读者习以为常的以往小说家的“惯用手法”。

那么，所谓“新的真实”，其内容究竟是什么呢？怎样才能得以实现呢？这一点夏目漱石在上述回信中没有作更详细的阐述。但他在1915年1月至11月期间写的笔记中有这样一段夹杂着英文的杂记：

共性（原文为general case——笔者注）在人的事情上几乎应用不得，人的场合惟有个性（原文为particular case——笔者注），而知个性的人只有我自己。小说就应将这种个性转换为共性（某种解释），这样，特殊才有刺激，因而，一般才被理解（可诉诸于大家）。⑨

此外，还有一段写作时期不同但与上述内容大致相同的杂记：

小说最有意义的作用之一

把 particular case 变成 general case

把 general case 作为 general case 来处理，陈腐

把 particular case 作为 particular case 来处理，奇怪

若想具有新的刺激且又能感染读者，有必要按第一方法去做

我不仅是为了effect（影响）才这样做，而且是为了人道不能不这样做。⑩夏目漱石在这两段杂记中特别强调了小说创作中“特殊”与“一般”的辩证关系，他认为，一般并非来源于一般，它是由特殊产生的，只有来自特殊的一般才具有打动读者的力量，他在上述回信中反复强调的“新的真实”正是这一点。更值得注意的是夏目漱石在前一杂记中写进括号里的“某种解释”四个字。也

许因为是杂记，夏目漱石没有详细说明，但根据前后文我们完全可以认为，夏目漱石在此指的是作者创作时（即把特殊场合转换为一般场合时）对创作素材进行加工、提炼的过程。作者对素材进行加工的过程，在某种意义上说也就是作者赋予素材某种解释的过程。这和我国提倡的文艺创作观倒有着非常相似之处，我国历来提倡文艺作品来源于生活而又高于生活，生活乃文艺作品之源，它之所以能升华为文艺作品，其根本在于作者对生活的理解、把握和概括。

有关这两个杂记的写作时期，在夏目漱石研究方面颇有建树的重松泰雄经查阅大量资料后推测说，前者是创作《道草》时所写，后者则写于《道草》完成之后、《明暗》创作之前。⑪如果这一推测是正确的，那么写于《道草》前后的这两个杂记应该说和《明暗》有着密切的关系，因为它表现了作者在此后的小说创作中（包括《明暗》）从人道主义出发，努力从 particular case 凝聚出 general case 的这种创作态度。

三

夏目漱石在1916年8月5日写给和辻哲郎的信中谈到自己创作《明暗》的心情：

> 拜复。今夏似乎非常好过，每日写小说也不甚觉得痛苦。我把折叠椅放在院子里的芭蕉树傍躺在上面休息，心情很好。也许是身体的关系，创作起来不觉吃力，有时反而感到很愉快。用艺术性的劳动来打发长长的夏日，其本身就令人心情舒畅。这种精神方面的感受可以变为生理性的快乐，我觉得所有的快乐最终都会变成某种生理性的东西。⑫

这封信字里行间洋溢着夏目漱石创作《明暗》时行笔如流的愉快心情，不以为苦的夏日和身体的安康给夏目漱石带来一种十分宁静的心境，他那把折叠椅放在芭蕉树下自己静静地躺在上面悠然自得的情景，甚至让人感到某种世外桃源的情调。在同一天写给池崎忠孝的信中，夏目漱石也描述了自己同样的心情，另外还写道："我不知自己的小说何时才能写完"，⑬说明当时《明暗》的创作仍需持续一段时间。

九天后的8月14日，夏目漱石给鬼村元成写信说："我也在绞尽脑汁地写着小说，……十月前后也许可以写完，那时我也就有空闲了。"⑭两个多月后的10月18日又给久保赖江写信说："谢谢你对我的小说给予的赞扬，不知怎么似乎越写越长，真有些腻了。"⑮不难看出《明暗》很可能计划10月前后完成，只是实际进展情况远远超过了原来的设想。

但在此之间的8月21日，夏目漱石给鬼村元成的信中有如下一段话，引出后人不少解释：

> 我仍旧是上午写《明暗》，心情嘛，是痛苦、快乐、机械性三者兼而有之。天气意外地凉爽，这比什么都幸运。但尽管如此，每天近百次提笔写那样的内容，有时觉得连自己也不由自主地变得庸俗起来。因此我从三、四天前开始以作汉诗来度过每天下午的时光，每天一首，且都是七言律诗。写起来很吃力，写不下去了就搁笔，所以也不知能写出几首。⑯

自创作《明暗》以来，艺术耕耘所带来的巨大收获使夏目漱石无论在精神还是肉体（生理）上都感到极大的快乐和慰藉，而在此他却第一次吐露出自己创作中痛苦。

有关这一点，唐木顺三指出说，这种和机械性区别开来的痛苦主要是因为小说的内容"俗不可耐"。⑰此话言之有理，夏目自己所说的"每天近百次提笔写那样的内容"，无疑是指他在《明暗》中不得不塑造的那些所谓机关算尽太聪明的凡夫俗子的形象。另外，我认为夏目漱石谈及的"痛苦"和他自身在创作中感受到的另一种心情也不无关系，这一点也许连夏目漱石本人也没有意识到。他在上述信中提到的“三四天前”准确地说是8月14日，他在这天写下了一首汉诗，其上阕是：

幽居正解酒中忙
华发何须住醉乡
座有诗僧闲拈句
门无俗客静焚香⑱

该诗的遣词用典不少专家已做过许多考证，在此略去不提。诗中夏目漱石把自己创作小说的行为比喻成“酒中忙”、“醉乡”，在以超凡脱俗、幽居为本的僧人眼里“酒”与“肉”几乎同义，都属于世俗人间的代名词，因而“酒中忙”的日常生活总是带有某种和不食酒肉的僧人格格不入的凡世间的腥臭。当夏目漱石把自己下笔如神陶醉于《明暗》的创作行为看作高层次的精神及艺术创造时，他感到无比快乐和兴奋；反之，当他将自己的创作行为看成是机械性地维持日常生活的某种行为时，他感到非常痛苦。因此他时常“幽居”——以写汉诗的形式使自己遨游于“闲拈句”、“静焚香”的超脱尘世、清静无为的桃源世界。他写汉诗时特意选择规则严格的律诗，可能也就是为了效仿诗僧以达全身心投入的目的。当然我并不想将这首诗仅仅理解为夏目漱石自我生活的写照或反映，作为读者，我们可以多视角地去“读”。

尽管如此，我认为《明暗》的创作使夏目漱石感受更多的还是快乐，这从他给久米正雄、芥川龙之介二人的信后所附的另一首诗中也可窥见一斑：

寻仙未向碧山行
住在人间足道情
明暗双双三万字
抚摩石印自由成

从这首诗中我们既可以感到他“住在人间足道情”的喜悦，同时也可以感到他对《明暗》创作所表现出的“不费吹灰之力，一气呵成”之自信。此外，夏目漱石在回顾自己的创作生涯时也曾表露出创作给自己带来的充实感，如他述怀自己长年致力于创作的诗句“双鬓有丝无限情，春秋几度读还耕”，就深切地流露出他对创作的深厚感情和不懈的追求。⑲

结束语

预计10月份完成的《明暗》到了11月还没有结束。夏目漱石于11月16日写给成濑正一的信说：“《明暗》越写越长，不知如何是好。现在还在写，大概要持续到明年。”⑳11月22日夏目漱石突然病倒，终于再也没有机会提笔，《明暗》也因此只连载到188回，未能向读者呈现它的全貌。据小宫丰隆回忆说，夏目漱石死后，他写《明暗》时用的紫檀桌子的正中央还放着许多原稿，最上面一张的稿纸右上侧写着不大的三个数字“189”。㉑

《明暗》以什么样的形式结尾已无人知晓，虽众说纷纭，但都不出臆测之范围。不过有一点可以肯定，那就是夏目漱石给成濑正一的信中提到的时间问题，即使“持续到明年”，也不会拖得很久。

夏目漱石的突然去世不仅给《明暗》这部作品留下了解不完的谜，也使假想的《明暗》之后的夏目漱石成为人们长久议论的话题 。唐木顺三认为，如果夏目漱石没有去世，写完《明暗》后很可能会放弃小说的创作，即使写，也会彻底改变以往的手法。㉒在夏目漱石研究方面推翻常识性定论，从而打破了夏目漱石晚年“则天去私”偶象的学者江藤淳则预言，夏目漱石可能会以《明暗》中小林的造型为契机而转向社会小说的创作。㉓虽然说法各异，但两者都认为《明暗》是夏目漱石小说创作上的转折点，总的把握方式还是一致的。不过推测终归是推测，正如《明暗》的结尾形式，既然得到验证已是不可能的，也就只好永远作为一个悬案留给后人去考察、研究了。

注释：

①水村美苗：《续明暗》，筑摩书房1990年版。

②载《日本文艺论丛》第9.10合并号，日本东北大学国文学研究会。

③全集第15卷，第553页。引用时将原文译成了汉语，以下原文的引用均与此同。

④同上书，第554页。

⑤唐木顺三：《〈明暗〉论》（《夏目漱石》，昭和三十一年七月版，修道社），第128页。

⑥—⑧全集第15卷，第557—568页。

⑨全集第13卷，第778页。

⑩同上书，第784页。

⑪重松泰雄：《〈道草〉かろ〈明暗〉へ——その連続と非連続》（《国文学解釈と教材の研究》，昭和六十一年三月）第27页。

⑫—⑯全集第15卷，第569—575页。汉诗部分的引用改成了简体字，以下同。

⑰同注⑤，第130页。

⑱—⑲全集第12卷，第421页。

⑳全集第15卷，第605页。

㉑全集第7卷解说部分，第665页。

㉒同注⑤，第119—140页。

㉓江藤淳：《〈明暗〉それに続くもの》（《决定版　夏目漱石》昭和四十五年七月，新潮社）第158—169页。

语言篇

日汉叠词初探

张秀华

叠词，汉语有之，日语有之，包括英语在内的其他语言亦有之。应该说，世界上任何一种语言都不乏叠词的存在。相对而言，日语是世界上叠词最丰富的语言之一。并且，由于日语中叠词所具有的造词能力可提供大量既生动而又形象的词汇，因而，对于叠词的研究历来被视为一重要课题。本文想就日汉叠词的种种现象作初步探讨，以寻找出两种语言在叠词方面的异同点。

一　叠词的定义及范围

先谈日语叠词的定义。关于叠词，《广辞苑》有如下记载："同一单词或词根在重叠后形成的词叫做叠词。"另外，《学研国语大辞典》也有类似上述的记述：语言学分类为复合词，同一单词或词根重叠后形成的词叫做叠词。因此，在此意义上来讲，叠词是一种造词手段。日本语法学家玉村文郎在谈到叠词时说："一般来讲，语言中有一种将整个词重叠，制造其他词的方法，由重叠而产生的词，我们称之为叠词。"在这里，玉村称叠词是一种造词手段，进而，玉村氏又将叠词的范围作了两种设定：即狭义和广义两种范围。

广义的叠词不仅仅是单词、词根的重叠，甚至一个音素、一个词组或句节都可以重叠。①而狭义上，音素的重叠只能称之为叠音；句节的重叠，充其量只能称之为叠句。这样一来，大大缩小了叠词的范围。本文想就单词和词根的重叠，作一考察和探讨。

再来看一看汉语的叠词的定义。《辞海》和《现代汉语辞典》都仅对叠字作出解释：迭（叠）字即“重言”（《辞海》第1048页）。而《现代汉语辞典》中的解释则为：“修辞方式、重叠单字，以加强描写效果，如‘桃之夭夭，灼灼其华’（《诗经·周南·桃夭》）；‘天苍苍，野茫茫，风吹草低见牛羊’（北朝乐府诗《敕勒歌》）。”但是，叠字毕竟不同于叠词，叠字是指相同的两个字重叠起来构成的词，杨伯峻在《文言文法》中指出：“叠字是由两个同样的字所构成的词，无妨叫为叠字词。”吕叔湘在《中国文法要略》中指出：“叠字就是前人所谓‘重言’。这类复词以形容词为最多，又可分为两类：不叠不能用的是一类，不叠也能用的又是一类；王力在《中国现代语法》中指出：“相同的两个字连叠起来，叫做叠字。”叠字不等于叠词，“凡叠字而不成为两个词的结合者，称为叠字，凡叠字亦即叠词者，称为叠词。至于双音词的重叠，自然也称叠词。”②语法学家们还认为：叠词是指能够增加附加意义的词。金兆梓在《国文法之研究》中指出：“世界原始语言里都有用着叠词以为增加字义的力量的现象，例如‘人人’则指多人讲，‘大大’则指很大讲，此外，‘多多’‘屡屡’‘日日’等等都属此类。”

由此看来，无论日语还是汉语，在重叠单词这一点上是有其共通点的。

二　日汉叠词的分布、结构及修辞

日语叠词的分布值得研究。日语词汇从词汇学的角度看：可分为“和语”、“汉语”和“外来语”。日语的叠词主要分布在和语词和汉语词中，而在外来语中则几近于零。汉语词的叠词是日语中直接采用汉字音读的词，一般局限在名词、形容动词、副词和サ变动词的词干上。而日语汉语词中的叠词又同中国古汉语有着密不可分的联系。试举几例如下：

①怏怏として楽しまない（名・形动）闷闷不乐。

②寥寥たる荒野（形动）寂寥荒野。

③万物が生生（と）してやまない（形动・サ变）万物生生不息。

④森森と生い茂った大木（副）森森密茂的大树。

⑤借金を払ったら清清した。（サ变）无债一身轻。

汉语词叠词在书写上尽管是单字的重叠，但绝大多数的单字是二拍音节。所以，两字叠词仍保持四拍音节，只有极个别的字为单音拍，形成的叠词只有二音节，下面将汉语词叠词举例如下，其中不乏和中文相同者，如加星号的词：

重重※	種種※	啾啾※	徐徐※	所所	上上
順順※	淳淳※	啧啧※	歳歳	済済※	往往※
奄奄※	延延	炎炎	亭亭※	坦坦※	眈眈※
淡淡※	湛湛	团团※	段段	遅遅※	通通
累累※	縷縷※	嘹嘹※	念念	年年※	喃喃※
内内※	蒼蒼	草草※	忽忽※	早早※	努努
洋洋	稜稜	寥寥※	揚揚	翼翼	深深※
骎骎	津津※	条条※	悠悠※	代代※	

由于日语中汉语词汇本身表达的事物较为抽象，并且，能够高度概括事物，给人一种严肃而庄重的感觉，所以，汉语词叠词往往应用于文章体，而在日常生活的口语交谈中，除个别词汇外，大多数被束之高阁。

相对而言，和语词中叠词较少受到限制，名词、动词、形容词、副词、感叹词以及接续词等都含有大量的叠词。不容忽视的是作为副词使用的拟声・拟态词中绝大多数是叠词。拟声词模仿自然界中的各种声音，而拟态词则用语言描摹事物的样态、形状、性质等，具有形象、生动、逼真等特点，是文学作品中不可缺少的修饰成分，日常生活中的运用更是俯拾皆是。现将日本作家川端康成所著短篇小说《伊豆舞女》中含叠词的片断摘录如下：

1. 拟声词例：

①冷たい雫がぽたぽた落ちていた。（冰冷的水珠儿叭嗒叭嗒地从上面滴落下来。）

②かちかちと歯を鳴らして身顫いした。（他冷得瑟瑟发抖，牙齿也碰得咔咔作响。）

③鳥がとまる枝の枯葉のかさかさ鳴る程静かだった。（小鸟儿歇在枝头，四下里静谧得只剩下枯叶那沙沙地作响声。）

④……おふくろの掌へ五十銭銀貨をざらざら落とした。（踊子把银币哗啦哗啦地倒进母亲的一双手掌中。）

⑤うしろから女たちがぼたぼた走り寄ってきた。（女人们从身后赤足叭唧叭唧地跑了过来。）

⑥ととんとんとん，激しい雨の音の遠くに太鼓の響きが微かに生まれた。（在那急骤的雨点声中，远处依稀传来“咚、咚、咚”的大鼓声。）

其中，水珠那富有节奏的滴落声，由于寒冷，牙齿的碰击声、枯叶沙沙地响声、金属钱币“哗啦哗啦”的声响，还有女人们跑过来时的脚步声以及大鼓敲击声，因作者巧妙地利用了拟声词，使得作品中一个个场面活灵活现，栩栩如生。

2. 拟态词例：

①ぼつりぼつりいろんなことを聞いた。（女人絮絮叨叨地向我打听各样的事情。）

②一町ばかりもちょこちょこついて来て、同じことを繰り返していた。（几个女人一溜小跑，大约有一百多米的光景跟了上来，于是，刚才那一幕重又……）

③目をきらきら輝かせて一心に私の額をみつめ、瞬きも一つしなかった。（踊子那双黑眼睛亮晶晶的，她目不交睫，直盯盯地瞅着我的前额。）

④四十女もぽつぽつ私に話しかけた。（那个四十多岁的女人也试探着和我搭讪起来。）

⑤真紅になりながら手をぶるぶる顫わせるので……（踊子脸上泛起红潮，一双小手哆哆嗦嗦地。）

上述几个短句，将交谈时的神态，轻快的步履，炯炯的目光，哆哆嗦嗦的手势等都描写得维妙维肖，跃然纸上。

拟声・拟态词中有许多是形容人体动作表情的，例如，形容人走路的姿态就有“よちよち，すたすた，てくてく，よろよろ，よぼよぼ，よたよた”，等等，说明了叠词丰富而且形象这一特点。

中文叠词一般形容词居多，其次，动词、名词、副词、感叹词等等都含有大量的叠词。从结构上来讲，四拍音节即四字结构的较为普遍。以“AABB 型”、“ABAB 型”、“ABB 型”的形式出现。两字的叠字词最早出现于《诗经》，如“夭夭、灼灼、苍苍、茫茫”等。由于古汉语十分简练的缘故，而称之为“重言”，并且，有许多“重言”构成了成语。由于成语四字结构的稳固，表达上的入木三分、形象有趣，所以，至今仍为大众所喜闻乐见。含有叠字的成语有如下例子：

多多益善、茕茕孑立、呶呶不休、沾沾自喜、循循善诱、大腹便便、信誓旦旦、郁郁寡欢、千里迢迢、期期艾艾、融融泄泄、嗷嗷待哺、欣欣向荣、蒸蒸日上，等等。

成语是精炼了的语言，语言之中的精华。实际生活中，叠词较叠字更多地出现在口头语言与平实的文章中，现将叠词用例整理如下：

1. AABB 型：

①他把读者侃得晕晕乎乎，欢欢喜喜。

②他的故事多数相当一般……但是他的人物说起话来，真真假假、大大咧咧、扎扎刺刺、山山海海、而又时有警句妙语。

③一忽儿这样一忽儿那样的咋咋唬唬、哭哭啼啼、装腔作势、危言耸听。

上述例句选自现代作家王蒙写的《躲避崇高》一文，作者使用了大量的叠（字）词描写王朔在文艺创作上的玩世不恭，使用的是接近成语风格的四字结构。

2. ABAB 型：

①歌星究竟出名出得上了瘾，凡发财一类的好事总想露出来显摆显摆。

②地面上积了好厚一层雪。踩在上面嘎吱嘎吱的。

③"准将"心里高兴，表情上，控制在不卑不亢之间，说："欢迎！一块儿跳吧！活动活动！"

3. ABB 型：

①他拼命躲避庄严、神圣、伟大也躲避他认为的酸溜溜的爱呀伤感呀什么的。

②这仿佛是间空旷的大厅。不，冷飕飕的，像个巨大的山洞。

此外，二字结构的叠字词使用率也相当频繁。如：

面对小小的火火的王朔，夸也不是批也不是，轻也不是重也不是，盯着他不是，闭上眼也不是，颇显出了几分尴尬。

如果将句中"小小的"、"火火的"改为"小的"、"火的"，不仅破坏了原文的韵味，而且词义表达相对减弱，修辞效果大为逊色，说明了叠词特殊的语法功能。

三　日汉名词型叠词的比较

日语名词中，和语词叠词尤为丰富。单字经过重叠达到四拍音节而趋于稳固，调整后的音韵也更为流畅。当表示某一物体的多数存在时，往往采用叠词。例如：

われわれ、家家、山山、隅隅、皺皺、所どころ、村村、町町、峯峯、国国、寺寺、端端、神神、人人、月月、海海、角角

显而易见，名词叠词表示“多数的△△”之意，在这一点上日汉叠词有其共通之处。日本语法学家玉村文郎在《语汇的研究与教育》一书中指出：汉语名词叠词表示“一切的……”如家家户户（每一家、每一户、所有的人家）；字字句句（每一字、每一句，所有的字句；件件（每一件），而日语的叠词则是许许多多个某一相同物的累积。上述例中的“山山”即群山、崇山峻岭。一言以蔽之，表达的是“全部”、“一无例外”，如“津津浦浦”一词意为祖国各地，可译为“五湖四海”。

日汉名词型叠词在表示复数这一点上是一致的，但不可忽略两者间细微的差异。汉语语法学家指出：部分名词或量词的重叠表示周遍的意义，如“张张”、“人人”、“句句”，有“每一”或“一切”的意思。但也不尽然，如“星星”一词既可指满天星斗，又可以指其中的一颗璀璨的明星。再如：“爸爸”、“妈妈”、“婆婆”、“姑姑”、“哥哥”、“弟弟”，这些称谓仍指单数。另外，某一个工作单位的上司，俗称“头头”，同样指单数，表达复数时一般加“们”。但总体来看，名词型叠词仍指多数的存在。如：

村村寨寨、子子孙孙、男男女女、分分秒秒、年年岁岁、风风雨雨、是是非非、坑坑洼洼、恩恩怨怨、瓶瓶罐罐、林林总总、时时刻刻

汉语中幼儿语中出现的叠字词更是比比皆是，相声大师侯宝林曾在相声中模仿幼儿语时讲：“咱们吃饺饺，戴帽帽，遛弯弯……”但应区别于成人语言。

必须指出：日汉名词型叠词的最大不同点在于：日语的叠词有的可以派生成其他词类，而且在零词缀的情况下仍可发生词类转化现象，这是由于日语本身为粘着语的特性所致。名词不仅可

转化生成副词，也可派生为形容词或サ变动词，这一现象值得注目：

1. 名词转化为副词：

年年（としどし）、うちうち、昔昔、並並、度度、中中、共共、諸諸、たまたま、もともと、脈脈、むしゃむしゃ（武者）、前前、数数、皺皺、日日、下下

2. 名词派生为サ变动词：

うね（畦・亩）→うねうねした山道（蜿蜒起伏的山路）

つや（艶）→つやつやした颜（容光焕发的脸庞）

3. 名词派生为形容词的词例有：

①水→みずみずしい

②豆→まめまめしい

③華→はなはなしい

④生→なまなましい

⑤馬鹿→馬鹿馬鹿しい

⑥刺→刺刺しい

⑦毒→毒毒しい

⑧艶→艶艶しい

⑨め→めめしい

⑩物→物物しい

另外，“由由しい”、“猛猛しい”、“凛凛しい”也可视为由名词型叠词派生成的形容词。总之，名词型叠词的转化分两个类型，1. 零词缀即利用名词原形，2. 词根复合（重叠）后添加词缀。

而中文的名词型叠词即使添加词缀仍不具备词类转化能力，如添加“们”，“妞妞们”；添加“儿”→“蛐蛐儿”、“罐罐儿”等均不改变词性，在这一点上与日语的名词型叠词大相径庭。

四 日汉动词型叠词的比较

日语动词型叠词在叠词中占相当大的比例。动词的重叠形式有两种，即重叠基本形和重叠连用形，前者主要是古典日语残留下来的词，为数不多，而后者则占绝大多数。

A类：恐る恐る、泣く泣く、みるみる、響く響く、みすみす

B类：いきいき、冴え冴え、次ぎ次ぎ、むしむし、しみじみ、飛び飛び，散り散り，晴れ晴れ，怖じ怖じ，はいはい

上述词例中无一例外地由动词词干派生为副词。当它在句中充当状语时，表示动作的反复或同时性。一些动词虽然重叠词干，也在句中充当状语，但尚未作为副词被收录在辞典中，试看如下的例句：

①あえぎあえぎ走っている。（气喘吁吁地跑着。）

②字引を引き引き翻訳している。（边查字典边翻译。）

③汗を拭き拭き話している。（一边擦汗一边说话。）

④人に聞き聞き家を捜す。（一路上向人打听着，寻找那栋房子。）

可以肯定：①的横线部分＝あえぎながら；②的横线部分＝引きながら；③的横线部分＝拭きながら；④的横线部分＝聞きながら。虽然不是以固定形式被确定下来，但词义已延伸。下例词例词义的延伸已脱离了“同时性”、“反复性”的框架，如：

①別れる→別れ別れ

○わかれわかれに出かける。（分头出发。）

②追う→追い追い

○おいおい暖かくなってくる。（天气一天比一天暖和起来。）

③思う→思い思い

○彼らはおもいおもい帰途についた。（他们各自踏上归途。）

形式上除重叠连用形与基本形之外，由命令形重叠之后派生成的副词虽属罕见，但值得研究。如“押せ押せ”。

◯仕事が押せ押せになる。(工作积压如山。)

◯期限も押せ押せになる。(期限迫在眉睫。)

◯押せ押せの盛況。(盛况空前。)

由于命令形本身所表达的内容是发号施令，所以，由此构成的叠词无形中产生的强制感觉，并且传递着某种紧迫感及力度感也是不言而喻的。

再者，动词基本形后续助词及名词的特殊词例也不容忽视。“押すな”意为“别挤啦”，重复这一形式的“押すな押すな”令人感到：场面的热烈，万头攒动，人山人海，人多得摩肩接踵，拥挤得透不过气来。所以，采用这一叠词表示盛况空前时，自然形象、逼真而又绘声绘色。而“照る照る坊主”(挂在屋檐下祈求翌日天晴的纸制偶人，古时称“照れ照れ坊主”)一词的重叠只是为着语音上的调整。目的仅仅在于加强修辞效果，在这一点上与中文叠词有着异曲同工之妙。

再谈谈中文动词型叠词。

汉语中动词叠词表示的意义为尝试或短时的意义。如：“说说”“看看”“走走”(重叠后的第二个音节读轻声；双音节动词用ABAB方式重叠如“休息休息”“打扮打扮”“活动活动”。“动词重叠表示短时貌’，例如，‘问问’‘歇息歇息’。”③

必须指出，AABB型叠词与ABAB型叠词词义变化各有所侧重：ABAB型承前所述为短时或尝试动作行为；而AABB型趋同于日语动词叠词，它表示反复进行某动作行为。如：“跑跑颠颠”，“来来往往”、“吃吃喝喝”都不可能表示短时貌。同日语动词连用形重叠后在句中充当状语的情形相同，例如：

①蹦蹦跳跳地跑了过来。

②哆哆嗦嗦地站起身。

③唧唧喳喳地说个不停。

常见的这一类型词例另外还有：打打闹闹，嘻嘻哈哈，拉拉扯扯，哭哭啼啼，磨磨蹭蹭，等等。

ABAB 型的叠词则体现出汉语语法学家们指出的“短时貌”。如：

①让我考虑考虑。

②咱们商量商量再决定。

③那个方案得再研究研究。

请注意，句中横线处均可以替换为“△△一下”。常见词例如：

打扫打扫，收拾收拾，整理整理，观察观察，照顾照顾，反省反省，点缀点缀等。这一类型的叠词与日语动词叠词在词义上无共同之处可言，在句中只能充当谓语，语法职能上也存在着差异。

五　日汉形容词型叠词的比较

日汉形容词型叠词均表示程度的加深。日语叠词全部利用词干造词，但仅限于“ク型”形容型词词干的重叠，重叠后往往充当副词使用。例如：

①早い→早早と

○はやばやと冬景色になる。（早已是一派冬天的景致了。）

②易い→やすやす

○やすやす手に入れる。（垂手可得；轻而易举地弄到手。）

③うまい→うまうま

○うまうまと一杯くわされた。（被人巧妙地骗了一着。）

④渋い→しぶしぶ

○しぶしぶ承知する。（勉勉强强答应。）

⑤でかい→でかでか

◯でかでかと書き立てる。(大书而特书。)

⑥広い→ひろびろ

◯ひろびろとした牧場。(辽阔的牧场。)

此外，转化为副词的词例还有：

ほそぼそ、よわよわ、さむざむ、しろじろ、あわあわ、くろぐろ、あらあら、ふとぶと、あかあか、まるまる、たかだか、こわごわ、ふかぶか、ちかぢか、ながなが等。

极个别的叠词也有作为名词使用的。例如：

①熱い→あつあつ

◯あつあつのごは。(热气腾腾的米饭。)

实际上，由词重叠转化为副词后，词义发生了变化，程度上的加深是无疑的，更重要的是使用了引申义。另外，添加词缀后派生成“シク型”形容词，词性虽未改变，但词义已深化了。如：

①長い→長長しい

②若い→若若しい

③弱い→弱弱しい

④重い→重重しい

⑤憎い→憎憎しい

⑥軽い→軽軽しい

⑦痛い→痛痛しい

⑧疎い→疎疎しい

派生词与前者虽同属于一个词类，但词义已发生变化，不但表示程度的递增，而且给人一种庄重、严肃的感觉，某些词自实质意义升华到抽象的意义。

中文形容词叠词有两种重叠方式：(1) 全部重叠，(2) 部分重叠。全部重叠即所有的语素都重叠，部分重叠只重叠其中部分语素。例如：

A 全部重叠例：

简简单单、漂漂亮亮、清清楚楚、忙忙碌碌、花花绿绿、文文静静

B 部分重叠例：

香喷喷、红彤彤、绿油油、黄澄澄、静悄悄、沉甸甸、懒洋洋、冷冰冰、赤裸裸

形容词叠词所表现的事物比基式词要深刻得多，并臻于完善，具有很强的修辞效果。语法学家认为：形容词叠词不仅表示程度的加深，有时还伴有爱抚的感情色彩，如“高高的”、“大大的”、“红红的”。双音节形容词AB型有AABB型和A里AB型两种方式，前者已举例说明，后者如“糊里糊涂”、“俗里俗气”、“慌里慌张”、“古里古怪”等。另外，以BABA的形式重叠属于少数，如“笔直笔直的”、“冰凉冰凉的”、“通红通红的”等。值得一提的是：形容词叠词占比例最大，数量最多，三字结构的叠词更是不胜枚举。但是，尽管重叠的方式很多，重叠后，词的表现力增强，富于感染力。但不同于日语叠词之处在于：它不具备转变词类的能力，基式词与叠词同属于形容词。

六 日汉叠词殊同点之比较

追根溯源，日中两国虽然是一衣带水的友好邻邦，但在语言学分类上，两国语言却是两大截然不同的语系。一些语法学家认为，日语和朝语同属于阿尔泰语系，系粘着语；而汉语和藏语同属于世界上绝无仅有的孤立语。日语中的假名（包括平假名和片假名）属于表音文字，而汉语则是表意文字（含日语中汉字），在这一点上存在着极大的差异。但日语又是接受汉语影响最深的语种，因此，毋庸置疑，在叠词方面不难寻找其殊同点。现归纳如下两点：

1. 关于音节的多寡

（1）相同点

两国语言中的叠词多采用的是四拍音节，这是最大的共同点。现代汉语中不乏四音节的叠词，如：马马虎虎、形形色色、弯弯曲曲，等等。日语叠词中，四拍音节占绝大多数，如："なかなか、はるばる、ごたごた"等等。单音节单词在一拍音节后续助词，仍保持四拍音节，如"手に手に、日に日に、夜な夜な、まにまに"等。由形容词词干派生成的副词，四拍音节的特点尤其明显，因为"シク型"的形容词受到限制，不可将其词干重叠，如"嬉しぃ寂しぃ"等。非"シク型"形容词，但超过三音节者亦受到限制。因此，如：小さい→"ちいさいちいさ"或大きい→"おおきおおき"均不成立，说明了叠词注重保持四拍音节的这一特性。

（2）不同点

日汉叠词以四拍音节定格已成规律。但双方在节拍上仍有些突破。日语叠词多至六或八音节体现在动词型的叠词或汉语词叠词上。例如："とぎれとぎれ、わかれわかれ、押すな押すな、おもいおもい、やすみやすみ"等，有些四字结构的词，如"津津浦浦（つつうらうら）"为六拍音节，"正正堂堂（せいせいどうどう）""悠悠闲闲（ゆうゆうかんかん）"则为八拍音节。这在汉语中是罕见的。汉语叠词则向少于四拍的方向突破，如"常常"，"深深"，"仅仅"，"往往"，"偏偏"，"明明"；三音节拍的有："兴冲冲"、"乐陶陶"、"醉醺醺"、"暖融融"。

2. 关于词义的延伸

关于词义的延伸，前面的三、四、五节都有涉及，在此不再赘述。补充一点：日语中的名词叠词要表达的是庞大或宏伟的事物，如津津浦浦，海海，国国，山山等；而汉语的名词叠词有表现微小事物的倾向，例如：豆豆、虫虫、泡泡、瓶瓶罐罐，坑坑洼洼、点点滴滴等。

3. 日汉叠词的优势

日语叠词的优势在于添加词缀后派生成大量新词，这在第三～五节都有阐述，通过派生或词类转化的手段，制造新词，并且，制造脱离基式词性的新词，所以，语法学家玉村文郎认为：叠词法无异于造词法。而中文叠词在这一点上处于劣势，这是由于孤立语本身的性质所决定。但其优美的修辞效果是日语叠词不可相提并论的。

七　结束语

以上对于日中两国语言中的叠词作了一些粗浅的探讨。语言虽是一门有规律可循的科学，但由于它是人类文明、社会生活的产物，要表达人类的思维，要传导人类的情感，要反映客观事物和主观世界，因而，伴随着时代的发展，语言也是无时无刻不在发展变化着。简而言之，语言是有生命的东西，一些新词产生了，一些古老的词汇消亡了，说明它时时刻刻地处在发展变化的过程中。日本的语法家曾认为外来语中不含叠词，但近年来外来叠词也渐显端倪，如“バイバイ”（再见）“パンパン”（吉普女郎，伴伴女郎），这一现象令人瞩目。

总而言之，通过对日汉叠词的比较研究，可以达到交流，取长补短，并可拓宽词汇学的研究范围。包括外来语在内的新的语言现象还有待于作进一步探讨。

注释：

①玉村文郎：《語彙の研究と教育下》，国立国语研究所昭和五十九年九月版，第39页。

②陈高春主编：《实用汉语语法大辞典》，职工教育出版社1989年9月版，第147页。

③同上书。

参考书目：

1. 金田一春彦等：《学研国語大辞典》，学習研究社昭和五十三年四月版。

2. 新村出編：《広辞苑》，岩波書店 1993 年 5 月版。

3. 阪倉篤義：《日本語の基礎》旺文社 1982 年 8 月版。

4. 日本教育学会編：《日本語教育大事典》，大修館書店 1982 年 5 月版。

5. 袁林等编：《成语典故》，辽宁人民出版社 1980 年版。

6. 吕叔湘主编：《现代汉语八百词》，商务印书馆 1996 年版。

7. 王蒙：《王蒙杂文随笔自选集》，群言出版社 1994 年 12 月版。

8. 刘心武：《刘心武怪诞小说自选集》，漓江出版社 1996 年 8 月版。

泛论日本语和日本文化中的“間”意识

王 健 宜

日本语中有一个词读作“MA”，汉字写作“間”，它不仅使用频度很高，用法繁多，而且颇能反映日本文化的某种特点。甚至有人干脆把日本文化称为“間的文化”。本文拟主要从语言文化的角度，对日本语中所表现出的文化层面上的“間意识”以及日本文化中种种由“間意识”所支配的行为做粗浅分析。

所谓“間意识”，是指在语言、行为方式中，日本人对“間”这一概念所表现出的独特的理解和把握。汉语的“间”表示时空意义上的一个范围，如“时间、空间、期间、区间、房间、人间、车间、午间、晚间”等等。日本语的“MA”虽然用汉字“間”表示，但并非完全等同于中文的“间”。日本人用“間”来表示的是时空意义上的范围，并特别注重它作为一个空白区的存在意义，由此引申为做某事的时机、条件、场合。例如：

1. 話は間が大切だ（谈话的时机很重要）

2. 間が抜けた音楽（跑了调儿的音乐）

3. 間抜けな人（缺心眼儿的人）

4. あの間抜けめ（那个傻瓜、那个大笨蛋）

从表面上看，例句1的“間”指谈话、讲话的时机，而这种时机是什么呢？日本人把它表示为一个空白区，就是准备谈话到开始谈话之间的一段空白。从例句1不难看出，日本人认为这个空白是很重要的，不仅对谈话来说很重要，对一切事物都很重要。这种认识在例句2～4中表现得很清楚。“跑了调儿的音乐”是因为一个音符和另一个音符之间的“空白区”即“間”跑掉了。而要使音乐听起来悦耳动听，就必须留出空白，即：

5. 間を取る（打拍子、掌握节奏）

汉语要表达一个人有点傻，往往会说“缺心眼儿”、“少根弦儿”，而日本人认为人傻是因为“丢掉了‘間’”，即：

6. 間か抜けている（愚蠢、糊涂、呆傻）

日本人把错误、过错、差错、事故、吵架甚至男女之间的不正当关系统称为“間違い”。

7. 間違いをしでかす（犯错误、捅娄子）

8. 間違いを直す（改正错误）

9. どういう間違いで怪我をしたのだ（由于什么事故受的伤？）

10. つまらないことが間違いのもとになった（无聊的事情引起了吵架）

“違う、違い”是“不同、不对”的意思，而“間”如上述所述是“时机、条件、场合”的意思，换言之，日本人认为：事物的正确与否，有时并不在于事物本身，而是在于它发生的“間”是否合适。如果不合适就是错误，即“間違い”。

11. 間違つた考え方（错误的想法）

12. この手紙は住所が間違つている（这封信地址错了）

13. 勘定を間違つた（账算错了）

14. 一人が間違うと全体に影響する（一个人错了会影响全体）

15. 誰かが間違つて渡した書類（不知是谁搞错了送来的文件）

16. 約束の時間を間違つに（把约定的时间弄错了）

17. 人生の道を間違えた（走错了人生道路）

18. 他人の傘と間違えた（把雨伞和别人的伞错了）

19. 計算を間違える（搞错计算）

以上例句中，“間”与“違う”“違える”构成了一个独立的词，似乎已经看不到“間”的含义了，但是这两个词显然来自“間が違う”和“間を違える”这两个词组。

由以上例句可见，“MA”对于日本人来说，绝不仅仅意味着单纯的时间、空间，更多地是指直接影响事物整体价值的判断的关键所在。比如，当一个人正在说另一个人坏话时，被说者恰好在场，而说者起初并没有注意到，当他发现被说者就在现场时，他首先会觉得：

20. 間が悪い（不好意思）

日语辞典一般把“間が悪い”解释为“決まりが悪い”、“ばつが悪い”。“決まり”是指“体面、面子”，而“ばつ”则是“場都合”（ばつごう）的省略，意思是“当时的情况”。这三个词虽然都表示“はずかしい”（不好意思，难为情）但“間が悪い”和“ばつが悪い”更接近些，都是指“场合、机会、时机”不好、不巧而造成当事人心理上的“はずかしい”。而“決まりが悪い”则更多包含着当事人的主观色彩，例如在众人面前觉得自己穿着土气，于是感到“決まりが悪い”。

“間”是一种包含着相对、辩证思想的观念，表示事物的本质和它外部事物的关系。“間”是一事物与他事物之间应该具备的一种合理的、正常的状态。合于这种状态就是“間に合う”，这个短语通常用于以下几方面的意思。

21. 今年の冬はまたこの帽子で間に合う（今年的冬天还用这顶帽子将就）

22. 友達の結婚式は兄の服で間に合う（朋友的结婚仪式我将就穿哥哥的衣服出席）

“今年的冬天”、“朋友的结婚仪式”都有其自身的“MA”，而“这顶帽子”、“哥哥的衣服”虽然不十分理想，但用它们可以使自己合于这个“MA”。这是“間に合う”的第一层意思，即能在某个场合起作用，能应付过去某个场合。

23. 今度の旅行は100ドルあれば間に合う（这次的旅行有100美元就够了）

24. 飲み物は今のところ間に合つている（饮料现在还够喝）

以上两个例句中的“間に合う”表示“充足、充分、够用”，这是“間に合う”的第二层意思。

25. 今から行けば終電車に間に合う（现在走能赶上末班电车）

26. 原稿の締め切りに間に合わない（赶不上截稿日期）

这里的“間に合う”是指“在规定时间内做完某事”，这是“間に合う”的第三层意思。

有些时候，事情并非全都合于“間”，于是人们就会人为地“間に合わせる”，使其合于“間”这就是“凑合、对付、将就”，例如：

27. 夕食は立食のそばで間に合わせる（晚饭吃一碗站着吃的荞麦面凑合）

28. 医者の間に合わせの慰めを信ずる（相信医生随口答应的安慰）

在日本文化中，“間”的观念体现在许多方面，它常常从时空统一的角度使事物具有一种立体感。“間”是相对的、变化的状态，同时也是日本人习惯和偏好的对事物进行判断的特有方式。日语中，各种各样的“間”几乎随处可见。事物的间断期称为“合間”或“絶間”；朋友叫做“仲間”；缝隙称为“透間”；两事物中间的狭小间隔是“狭間”；费事、费时是“手間”；房屋有“借間、居間、洋間、茶間、土間、寝間、応接間、奥間”；天上有“雪間、風間、雲間、晴間、雨間”；地上有“谷間、潮間、波間、岩間”等等。

“間”是一种情境，一种氛围，它给人留有充分的想象、判断的余地，而这种余地是日本文化特别注重和推崇的。俳句是日本文化独有的一种诗歌形式，有人说它是世界上最短的诗歌，一共只有17个音符。日本人很喜欢俳句，有许多人参加各种俳句爱好者团体，定期交流各自的俳句，切磋心得体会。松尾芭蕉是江户时代的著名俳句诗人，他一生留下了许多俳句和游记，其中有一首被世代传颂的是：

古池や
蛙飛びこむ
水の音

如果把它译成汉语，再让不大了解日本文化的中国人来读，说它是一首好诗就难以理解。其中除了音韵学的原因以外，最主要的是对文化背景缺乏了解。好的俳句，并不要求它表达什么思想、主张、情感，更不必有议论、评判，只要用语言描绘一个情境，给读者一个广阔的想象空间就够了。简言之，俳句的作用是创造能够令人产生种种遐想的“間”。芭蕉的俳句之所以能够成为传世之作，正是因为它符合了日本人的这种审美精神。古池、青蛙、水声三者之间，很巧妙地用一个“跳”字传神地联结在一起，构成了一幅时空相交、天地浑然的立体画面。而且它所描绘的那种空凉、寂寥的情境又是日本人十分喜欢的。日本人之所以喜欢俳句，首先是因为他们拥有对“間”持正向价值判断的文化背景。而用最少的语言符号表现这种“間”，要求有相当高的审美能力和文化修养，是美学与语言文学相结合的产物。汉语言文化主张“诗言志”，有时同样是表现一种氛围，汉语的诗文时常通过人的眼睛去捕捉外界景象，经过思维的加工，使之成为抽象化的产物。在人的眼睛和外界景象之间，并不存在“間”。例如，唐朝诗人陈子昂的千古绝唱：

前不见古人，

后不见来者。
念天地之悠悠，
独怆然而泣下。

诗的前两句描绘了一个广阔的空间，但它是为了引起后面的感慨、议论，而后面两句已经是相当思维、议论的语言了。而且，前两句的“不见”也是通过人的眼睛捕捉到的，与其说是“景象”，不如说是“感觉”更准确。所以，俳句如果译成汉语（恐怕其他语言也是一样）是很难表现其美学精神的。在一定意义上说，俳句只能用日语去欣赏，因为离开了日语，俳句就失去了它自身赖以存在的文化依托，而只剩下一个形式的外壳了。

在日本式的房屋里，有一块神圣的空间——“床の間”。那地方一般只挂一幅画轴、插一束鲜花，别无它物。从实用的角度来说，它白白占去了一块空间，可是对日本人来说，“床の間”却是很重要的，因为它是体现房屋主人审美情趣的重要空间。和式房屋的“玄関”也是“間”的很好体现。“玄関”既不属于房屋的“内”，也不属于“外”，而是“内”与“外”的“間”。“玄関”给主人和客人一个回旋的余地，主人可以在“玄関”判断是否请客人进屋。即使不请客人进屋，因为已经在“玄関”接待了，所以也不算把客人拒之门外。日本人很注重“玄関”，留心把它搞得整洁明亮，也是因为“玄関”是生活中重要的“間”。

西方文化中，表达友好、亲近的感情，会用握手、拍肩、拥抱、脸颊相接直至接吻。这些动作的文化背景是对“亲密无间”行为的正向价值判断，即“亲密无间”是友好、亲近的象征。而在日本文化中，由于肯定、推崇“間”，所以，日语中没有“亲密无间”之类的说法。直至20世纪90年代的今天，日本人仍很少用握手来表示致意，上面所说的那些动作在交往中更加少见。日本人一般会和对方保持一段距离，用点头、弯腰鞠躬直至双膝下跪、上身伏地来表示友好和敬意。日本人不认为“亲密无间”很好，相反，他们认为人与人交往中“間”的存在很重要，甚至干脆把“人”称为“人間”。在人际关系中，日本人通过种种“間”来接触人和事，如果没有“間”的存在，他们或多或少会感到不安、不快。日本人找工作时，一般通过中间人介绍，这样做用人单位和求职者都会觉得放心。到日本留学，很长时间以来一直需要保证人，最近这一制度虽然形式上有所改变，但实质内容并无变化。在留学者和政府主管部门之间，起协调、担保作用的“間”仍然存在。日本的传统体育“相扑”比赛，两位力士做完准备活动之后，站在各自的位置上。这时，裁判并不发令“开始”，两位力士会在准备姿势和扑向对方之前保持一段对峙时间，这时，双方会感到“間”的存在，当他们的呼吸通过“間”相合时，会不约而同地扑向对方，这时比赛就开始了。假如“気”不相合，一方扑起而另一方时间落后，则比赛不成立，需要重新开始。双方“気”不相合，对力士来说是很丢面子的事情，因为这表明他们“間の取り方がまずかつた”，即没有把握好“間”。相扑双方不需任何人发令，不需任何暗示、提醒，“心心相通”，不约而同扑向对方的场面，生动地说明了“間”意识在日本人心理中的普遍存在。

用日语称呼对方，一般要在姓名之后加上“さま”或“さん”，汉字写为“様”。例如：山田さん，下川さん，中曾根さん，お母さん，お客さん，等等。不仅对人如此，对物亦然，例如：お日さま，お月さま，神さま，肉屋さん，床屋さん，等等。“様、さん”究竟是什么意思呢？它本是表示方向的词，词义与“方”相同，即“～方向”、“～那一方”。简言之，“様、さん”是称呼者与被称呼者之间的“缓冲地带”即“間”。日本人认为，直呼其名是不礼貌的，所以加上“さま、さん”用以表示尊敬，这种敬语意识实际上源于“間”意识，即对“間”的正向价值肯定。这同日本人退后一步鞠躬行礼以表示尊敬的行为方式是完全一致的。相反，直呼其名是很失礼的，原因是在自己和对方之间没有设置

“間”，语言的触角直接触及了对方，如同身体接触了对方一样。尊敬在日语中是用一种类似距离感的“間”来体现的，而敬语的极致就是把对方彻底看作非人为的“自然”，使双方“間”的感觉和体会更明显。

茶道是日本传统文化之一，主张“和敬清寂”。茶道并非品茶评茶之道，而是借助茶室、茶具以及一系列的点茶、喝茶的礼法，营造一种人与茶、人与人之间清静详和的氛围。当人们身处这种氛围时，彼此所感受到的“間”是相同的，因此茶室之中人与人之间没有尊卑之别，大家共同体会的是“敬天爱人”的精神，在“喝一杯茶”这种极其普通平凡的行为中得到充实的感受。茶道是典型的“間”的文化，它的奥秘之处并不在茶本身，而是在人与茶、人与人之间。如果不能理解这一点，离开“間”的文化背景，茶道就会令人感到索然无味。

日语中有些寒暄语，很难翻译出准确的汉语或英语，勉强直译过去，令人感到不自然。其主要原因是，汉语和英语在同样场合下并没有固定的寒暄语。例如，日本人在吃饭前一般习惯说：

⊙いただきます

汉语如何翻译好呢？通常有以下几种译法，但无论怎么翻译也不能令人满意。

⊙我要吃了

⊙我开始吃了

⊙我吃

英语也是同样，无论怎样翻译也让人觉得不自然。比如，

⊙I will eat.

⊙I will begin eating.

⊙I want to eat.

而日本人对这句话难以翻译感到不可理解，他们常会问：中国人吃饭之前就不说一句什么而默默地开始吗？

为什么日语和汉语、英语之间存在这样的语言习惯的差异呢？换言之，日本人为什么在吃饭前一定要说一句“いただきます”才开始吃，否则就感到不舒服呢？因为，日本人在“没开始吃”和“开始吃”两个行为之间需要一个过渡阶段，即一个“間”，他们需要用语言来构成和确认这个“間”的存在，否则就会感到唐突。而汉语和英语的习惯里并不需要这个“間”，所以当然不会有固定的说法去表示这个“間”的存在。同样道理，日本人从外面回到家里，习惯说一句：

⊙ただいま

有时明知家里没人，也会习惯地喊一声“ただいま”。不少电影、电视剧、小说中，把这句话翻译成：

⊙ 我回来了

虽然这样翻译在有些场合还说得过去，但在更多的场合则令人觉得不自然。“ただいま”实际上是“在外面”和“回到家里”两个行为之间的过渡，是用语言确认的“間”。这一类寒暄语并不仅仅是就说给对方听的，同时更是说给自己听的。

它不同于：

⊙おはよう（早上好）

⊙こんにちは（你好）

⊙おやすみなさい（晚安）

⊙きをつけて（注意，小心）

等等。它是一种确认“間”的存在的特殊的寒暄用语。

在日本乘电车会发现一个有趣的现象：车门关闭时，并不是一下子关上，而是关到一半时有一个短时的停顿，然后又向两边微微打开一下，最后才关上。这种设计显然是出于安全的考虑，但其文化心理背景也许正包含着对“間”的认同吧。在“开”和“关”之间设计一个“間”，以便过渡这两个行为，实可谓日本式的匠心独具。

纵观日本文化的方方面面，我们似乎可以得出这样的结论："間"所表现出的协调、融合的美学观念，是贯穿日本文化的主旋律之一。日本文化不是非此即彼的文化，而是彼此相间的文化；不是对立、抗争的文化，而是调和、吸收的文化。日本绘画对中间色彩的偏好，在画面上刻意留出的空白；日本书法对浅淡墨色的情有独钟；日本戏剧歌舞伎对与剧情无关的"黑衣"在演剧过程中公然登场的认可；日本式房屋结构条件下房间的变化自如和房内的简洁装饰；日本文学自古以来散文发达而小说落后，日本小说比起故事性更注重场景的描写和氛围的烘托；日语中类似于"やはり、いちおう"等并无明确实意的间隔语气助词数量之多、使用频度之高；"义理与人情"、"表与里"、"内与外"、"表面主张与真心想法"等等观念的对立统一；凡此种种都表现出"間"文化的鲜明特色。

孕育出"間"文化的日本自然风土既不十分严酷，也并非格外舒适。自古以来的农耕作业要求众人的协调、配合和耐心。同时，年复一年发生的种种天灾和耕作农业的周而复始的劳动，使人们对变化已经习以为常，进而采取积极对待的态度。人们学会了从变化的过程中体会"美"的存在，对于一种状态向另一种状态的转变即"間"倍加欣赏。在社会条件方面，日本几乎可以算是单一民族的国家，人们的生活习惯、宗教信仰等十分接近，使得他们比较容易拥有相同的审美情趣和价值判断。关于日本人的这种民族特点，日本著名语言学家森田良行先生有一段精辟的论述，愿援引如下作为本文的结束语。

われわれの祖先は、物事が明確に定まつた状態に安住することを極度に嫌い、気づかぬうちにだんだんと様変わりしていく"移りゆき"にたまらぬ"美"を感じ取つたらしい。色なら原色でなく中間色を貴びさらに赤から白へと次第に薄れ移行する“ぼかしの文化”(これを古代「におい」と称した)を生み出すまでに至つたのだから相当なご執心だ。

はっきりそれと見定めがたいが、さりとてまつたくないのではない。確かに存在する、何とは知れず感じられる朧ろな存在感にたまらぬ美を感じたその感覚の鋭さを愛でたいものだ。「そこはかとなく」がまさにそうだし、朧月夜の「おぼろ」がそうだ。

月も朧に白魚の、かがり火かすむ春の空、……(河竹黙阿弥“三人吉三廓初買”)

と聞いてたまらぬ魅力を感ずるのは、日本人なればのことだろう。はつきりしないことをマイナスの評価としないでプラスに転ずる。「淡い」「微かな」「ぼうつと」ぱ「うつすらと」或いは「うつすりと」、そして「ほのぼのと」といつた定かでない状態を美とする副詞や形容詞は甚だ多い。

「仄か」を基調とした「ほの暗い」「ほの白い」、「ほのぼのと」そして動詞の「ほのめく」「ほのめかす」など、薄味の効果が十分にさづ効いている。はつきりとしたことを意味する「さだか」「ありありと」「まざまざと」「いきいきと」などもあるにはあるが、それとても漠然とした状態からズームカメラのように、ある部分だけがだんだんとはつきりクローズアップされてくる、要するに朧ろと「さやか」(くつきりと澄んで見える状態)とのコントラストの上に成り立つ美観や記憶だ。(講談社刊行『日本語をみがく小辞典＝形容詞・副詞篇』森田良行著)

译文:

(我们的祖先对于事物停滞在一种确定不变的状态似乎非常讨厌。他们喜欢在不知不觉中渐渐变化的事物，从这种“渐变”中感受到难以言喻的“美”。对于色彩，他们不喜欢原色而喜欢间色，进而甚至产生出了由红向白渐次淡化褪色的“模糊文化”（古代称之为气味变化），可见其偏爱之甚。

虽然难以确定其实体，但又并非皆无，能够在下意识之中感觉到其模糊的存在。于朦胧的存在感中体会到极度的美，这种敏锐的感觉真是可爱。“不知不觉”正属此列，朦胧夜色的“朦胧”亦然。

也许只有日本人才会在听到“月色朦胧泛鱼白一抹，春夜翳蔽映篝火几簇（河竹默阿弥《三人吉三廓初买》）”这样的诗句时感到有无穷的魅力吧。对不清楚确定的事情，并不做否定而是做肯定的评价。日语中“淡淡”、“微微”、“茫茫”、“薄薄”、“隐隐”之类以不确定状态为美的词非常多。

以“微”为基调的“微暗”、“微微”，动词的“微显”、“微露”等词，其淡薄的效果很明显。表示清楚确定之意的“明确”、“生动”、“鲜明”、“活生生”等词确实存在，但它们仿佛都是从模糊状态中用望远镜头渐渐拉近的特写，是建立在朦胧与明显之对比之上的美学观念和记忆。）

参考书目：

《日本語をみがく小辭典》 （日）講談社 森田良行 著

《日本語と論理》 （日）講談社 大出晁 著

《日本文化史》 （日）有斐閣 川崎庸之等 編

《日本文化史》 （日）岩波新書 家永三郎 著

《日本語の言語表現》 （日）講談社 金田一春彦 著

《日本人ものしり辭典》 （日）大和出版 樋口清之 著

《“間”日本文化》 （日）日本朝文社 剣持武彦 著

《類義語新辭典》 （日）角川書店 大野晋 著

《日本語大辭典》 （日）講談社 梅卓忠夫等 編

《日本語がわかる本》　(日) 日本社　日本社編
《古語辭典》　(日) 角川書店　佐藤謙三等 編

日本民族性格的一个侧面

——凝缩意识的世界

滑本忠

引言

中日两国人民在进行文化交流活动时，每每都要说些“中日（日中）两国是一衣带水的邻邦”、“中日（日中）两国人民有着两千多年的友好往来历史”之类的话，以此来说明中日文化有着割不断的渊源。的确如此，中国的传统文化自古以来就对日本的文化产生了极大的影响。早在我国的隋唐时代，日本国就向中国派遣了大量的使节，学习中国文化、制度，并把政治、法律、艺术、宗教等大量的先进文化成果带回日本。单就日本文字中的汉字而言，就足以说明了中国文化对日本文化影响程度之深。但从另一个角度来看，中国文化对日本文化影响很大并不意味着日本民族没有自己的传统，没有自己民族的性格，没有自己的文化特征。笔者是从事日语语言教学的工作者，拟通过分析日语的语言表现形式以及日本的传统文化形式来揭示其语言文化中的一些特征及其民族性格的一个侧面——凝缩意识。

我国的普通百姓对油滑的人的人品进行评价时，有“看人下菜碟，见什么人说什么话”之说，然而，日语的语言表现恰恰具有“见什么人说什么话”的表现特征。当然这是一种比喻。日语

教育指导参考书2《待遇表現》的第一部“場面とことばの使い分け”中列举了以下六个句子：

①水！

②水を1杯くれ。

③水を1杯ちょうだい。

④水を1杯ください。

⑤水を1杯くださいませんか。

⑥水を1杯いただきたいんですが…。①

以上六句话除①译成一个“水！”字外，②~—⑥这五句均可译为：“请给我一杯水。”但据文章分析，使用句子①时限定在家庭中的丈夫对妻子、亲属、自家人之间，在食堂中的顾客对服务员，或者以生气的语调、撒娇的口吻表达时；使用②时，限定在对朋友、单位的同事、兄弟姐妹等关系亲近的人，或同年龄、比自己年少的人；句子③则多女性使用；句子④男女通用；句子⑤是一种侧重于对方感情的请求表达形式。句子⑥限用于外人、不了解的人，或比自己年龄大的人、地位高的人。由此可见，日本人在表达同一内容时，需根据对方的社会地位的高低、职业、年龄、性别、亲疏关系等等而采用不同的语言表达方式。而汉语中的“请给我一杯水”一语，单从字面上我们看不出说话人是男是女，以及听话人的社会地位高低和年龄的大小。

因此，我们通过日语的语言表现形式便可以了解到日本人头脑中潜在的社会意识和其内在的一些文化特征。除以上提到的日语的待遇表现颇具特色外，日语在表现上还有许多独到之处。例如，日本人喜欢使用否定的表现形式，喜欢省略主语，喜欢采用委婉的表现方式，以达到避免说话直截了当，免遭碰壁的目的。

一 日本人语言表现中的凝缩意识

日本人说话、表达思想时，喜欢尽量把句子说得简短。当然我们汉语之中也有简略的表现形式，但远远无法与日语的简缩表现形式相比，因为它有时被简缩到了让人难以理解的地步。以彭飞的《外国人を悩ませる・日本人の言語慣習に関する研究》中的事例（一）为例，摘录如下：

大阪国際空港に着いて、私が初めて日本語で「大阪市内に行くにはどう行けばいいのですか?」と中年の男性に尋ねたとき，彼は「あっ、ちょっと」と、笑顔で答えて，そのまま行ってしまった。私はその「ちょっと」は、てっきり「ちょっと待ってください」という意味だと思い，ずっと待っていたが、その人はそれっきり現れなかった。そのあと，知人に聞いたが，その場合の「ちょっと」は通常「ちょっと待ってください」の意に取れる可能性はなく，「わからない」の意味や、「急ぎの用事があって失礼します」の意味になると教えてくれた。②

（译文：到了大阪国际机场，我第一次用日语向一位中年男子寻问道："我要去大阪市内，怎么走好呢?"。他笑脸回答说："あっ、ちょっと"，就走了。我想他说的那个"ちょっと"一定是"ちよっと待ってください（请你稍微等一下）"的意思。于是我就一直在那里等着。可是那个人再也没有露面。此后，我向朋友请教，朋友说，那种场合下说的"ちょっと"没有通常我们理解的"ちょっと待ってください（请稍微等一下）"的意思。而是"我不大知道"或"我有急事，失陪了"的意思。）

从以上彭飞初到日本经历的故事中我们可了解到日本人可以

把含有“ちょっと分らない”或“急ぎの用事があって失礼します”等意思的句子凝缩为一个副词“ちょっと”，这不能不说是充分体现了日本人对语言的凝缩意识。日本人的这种凝缩意识不仅仅体现在日常生活语言表现形式上，在日本的文学中的和歌、俳句、文字中都有淋漓尽致的表现。

公元4世纪后期，日本以大和地区为中心创立了古代国家，并开始受到中国文化的影响。汉字传到日本后，一些文人墨客便利用汉字开始习诗做歌，并逐渐地形成了日本式的、独到的固定格式。起初和歌分为长歌、短歌、旋头歌等多种歌型。到了8世纪，短歌盛行，占据优势，长足发展起来，固定下了57577五句31个音的格式。短歌是一种短型抒情诗，形式虽然单纯，但余韵无穷，凝缩了日本文学中的精华，体现了日本学者极其丰富的想象力。

東海の小島の磯の砂にわれ泣きぬれて蟹とたはむる

（石川啄木）

这是石川啄木的一首短歌，从这首歌中我们可以感受到日本人所喜欢的那种由宏观到微观、将宏大凝缩到微小的强烈意识。石川啄木妙笔生花，仅以日语31个字符，简练精辟的语言，单纯的表现形式，将浩瀚辽阔的东海的万顷之水，在小岛、岩石、白砂的衬托下化成了令人感慨的泪珠。诗人用简洁的词句，通俗的语言为读者展现出一个广阔的宇宙，美丽的大自然，感情的哀思和富于情趣的美好生活。它充分展示了日本人的丰富的想象力和凝缩的性格。中国的诗词中多有雄浑之作。如毛泽东的《沁园春·雪》，北国风光，千里冰封，万里雪飘。望长城内外，惟余莽莽；大河上下，顿失滔滔……词中无一句不雄浑壮阔，豁达豪放，表达了诗人的博大胸怀和远大志向。这与日本歌人将铁棒磨成针的描写格调形成了鲜明的对照。日本的俳句，可谓日本人文学凝缩意识的又一结晶。“むめが香にのっと日の出る山路かな”这是江户时代著名歌人松尾芭蕉的《炭俵》中的一首歌。歌中说道，早春的一个爽神的清晨，笔者兴致浓郁地漫步于山间曲径之中，一阵阵梅香沁人肺腹，正待寻梅之时，云霭之中一轮硕大的红日喷薄而出……歌人仅以17个音符为读者凝缩出了一个宁静、和谐、美妙的世界和人类对未来充满希望的美丽画卷。在日本的民间故事中有“一寸法師”、“桃太郎”，由竹节中诞生出的“かぐや姬”。这些被作者在故事中凝缩成小矮人的人物，在日本就连孩童也无一不晓。日本人的此种凝缩的文学想象力和意识在现在的工业科学技术上也有充分的体现。日本以微型半导体收音机为先导，开发出了一系列微型的先进科学技术产品，乃至现代高科技产品——微型多用计算机。创造出了日本独特的“微型文化”。其实，可以说，早在两千年前，日本人这种凝缩的文化意识就已存在了。

隋唐时代，日本的使者、学者排除万难渡海来中国学习文化。他们回国后将中国的汉字加以简化、凝缩，根据汉字的草书创造出了平假名，由汉字的部首偏旁创造出片假名。由此，日本的文字诞生了。随着时代的进步、发展和变迁，日本开始与外国通商，尤其是在明治维新后，吸收引进西方文化，并根据需要大量引进除汉语以外的外来语。在引进外来语的过程中，由于日本人潜在的凝缩意识的作用，将吸收进来的外来语结合本国语言的表达习惯，巧妙地把长长的外来词汇加以凝缩，并赋予了新的生命和意思。例如：将“アマチェア”〔amateur〕凝缩为“アマ”，将“ビルデイング”〔building〕凝缩为“ビル”，将“ブラット木ーム”〔platform〕凝缩为“木ーム”，将“アフタ-レコ-ディンク”〔after－recor－ding〕凝缩为“アフレコ”，将“ラジオ・コントロ-ル”〔radiocontrol〕凝缩为“ラジコン”，将“エア・コンティショナー”〔airconditioner〕凝缩为“エアコン”等等，举不胜举。吉泽典男先生将以上的凝缩型外来语称之为“日本流省略形”或“本邦独自省略形”。③现在我们大家所熟悉的外来语“卡拉OK”一词，可以说就是吉泽典男先生称之为“日本流省略形”的词汇。日本人将外来语“オーケストラ”〔orchestra〕一词加以凝缩，与和语的“空”（から）组合在一起，创造出了“カラオケ”这样的新词汇及新的娱乐形式。在日本的日常会话中也同样出现了大量凝缩语言。如将“どうも、ありがとうございます”凝缩为“どうも”，将“では，またこの次にね会いましょう”凝缩为“では，また”或“じゃねー”。

由于日本人的这种强烈的凝缩意识作怪，甚至使日语中出现了许多不符合理论，不符合语法的怪句子。以金田一春彦先生的“日本語にはどんな特色があるか”一文中的例子为例：

“何を召し上がりますか”

“ぼくはウナギだ”④

上面两个句子是在食堂里的对话。按字面译成汉语，问：“你吃什么?”答：“我是鳗鱼。”按照我们中国人的理解，很显然这样的回答是不合道理的。说不合道理的原因，其一，答话者是人，不是鳗鱼；其二，人家问你吃什么，回答“我是鳗鱼”，显然是所问非所答。但日本人居然能把“ぼくはウナギを食べる”说成“ぼくはウナギだ”，而不会把意思理解错。其原因只能有一个，就是日本人头脑之中的凝缩意识发挥了作用。我们中国人头脑中罕有这种意识，自然也就难以使用、理解这样的表现形式。又如《标准日本语》初级下册第40课课文（3）中有“中国向けにですか”这样一句问话。翻译成中文是：“面向中国的?”我们搞日语语言工作的人都清楚此句是不符合日语语法的。因为按照日语语法的规则，格助词“に”与判断助动词“です”不能直接连用。而该句的语法解释部分说：“に”和“です”之间省略了“デザインした洋服”。⑤显而易见，该句也说明了日本人的凝缩意识是十分强烈的。强烈到了可以违反语法规律的程度。日本人的这种文学上的、语言上的凝缩意识也反映到了其日常生活、传统工艺、艺术等其他领域。

三 日本人生活文化、传统艺术中的凝缩意识

中国人自古就喜欢在有山有水、风光秀丽的地方建造一些亭台楼阁，游人不惜远足，亲临其境，到那里去领略、观赏大自然。而日本人则更喜欢将大自然中的景物加以凝缩，搬到自己的身边，搬到自己家的庭院中来，以便随时随地接触大自然，观赏大自然，把自己投进大自然的怀抱。闲暇时，坐在自家的廊檐下喝茶，一边观赏眼前凝缩了的自然风光景致，一边憧憬着那永恒的、无限的神秘莫测的宇宙。

因研修机会，我曾几次去日本，到过许多文化名城，更有幸参观过日本有名的寺庙庭园，也访问过许多普通家庭。国家级公共庭园的布局、结构之优美与巧妙自不必说，大凡有院落的住户，不分庭院大小也都建造得别具韵味。或以一溪循环流水，配以矮木、几块岩石，象征葱郁森林，群山峻岭，江河大川；或以白砂敷地示大海，以砂纹示起伏波涛，其中配置青石，象征飞流瀑布。在这里，大自然被简化，被凝缩，被象征化了。此时的那庭院中的静静的一草一木，一溪流水，一块青石在日本人眼中都成了一首诗，一首歌，大有我国著名诗人李白所著《望庐山瀑布》中的“……飞流直下三千尺，疑是银河落九天”的意境。

如果说日本人用砂、石、木、水将大自然简化，巧妙地凝缩到庭院中来了的话，日本人又以花草、盆栽把大自然凝缩到了房间里。日本的花道艺术就可以说明这一点。

日本人把插花艺术称之为花道，或华道。插花作为日本传统的生活艺术于16世纪开始盛行起来。初期插花艺人只注重自然的原始素材和姿态。后逐渐发展，对插花艺术赋予了思想理念，即花道的最高意境。插花艺术虽讲究造形以及装饰性，但更注重精神上的内容。在插花艺术发展的过程中形成了“小原流”、“古

流”、“草月流”等流派，繁荣和推动了日本的插花艺术。

插花以天（宇宙）、地（地球）、人三枝为基本构造。插花时，插花艺人将代表天、地、人的枝条巧妙地加以协调、配置，塑造出一个理想的、完善的大自然来。然后将这凝缩了自然精华的插花装饰于室内，以享受大自然的无限情趣。

以上我们从日本的花道——插花艺术中看到了日本人的凝缩意识。下面我们再从日本的茶道的角度看一看日本人的凝缩意识。

滕军在其《日本茶道文化概论》一书的引言中写道：“茶道是日本文化的结晶，是日本文化的代表。它又是日本人生活的规范，是日本人心灵的寄托。”接着又写道：“茶道的内容是丰富的，它几乎将东方文化的所有内容都囊括在一个小小的茶室里。”[⑥]一个小小的茶室囊括了东方文化的所有内容，这么说似乎有些过誉，其实的确如此，因为“思想方面，它含有神仙思想、道教、阴阳道、儒教、神道等；在形式方面，它包括建筑、庭园、书画、雕刻、礼仪、插花、漆器、陶器、竹器、烹饪、缝纫等内容。茶道被称为是应用化了的哲学，艺术化了的生活”。[⑦]滕军的这段阐述不能不让我们把它与日本人的凝缩意识联系起来。说茶道，必须谈及茶室。日本标准的茶室面积为四张榻榻米，约8.186平方米，而日本茶室的最高代表——由千利休[⑧]设计建造的“待庵”只有两张榻榻米大小。我们知道茶室是举行茶事的场所，然而如此小的空间凝缩进了那么多的内容和思想，这不能不让人为之感叹。用现代化的语言做个比喻的话，茶室似乎是一所装有电视、广播、空调等摇控装置的钻入式蜂巢型旅馆。有人说罗马的凯旋门是扩张文化的象征，那么日本茶室的小入口（高约73厘米，宽约70厘米）则可称为凝缩文化的见证。走进茶室，静下心来，忘却俗世中的烦恼和私欲，将博大的宇宙和神秘的大自然都凝缩在园型茶碗中，汇成滴滴茶汤静静地沁入体内。……宇宙、自然与人通过茶汤化为一体，茶室文化诞生了。茶文化给被现代化快节奏生活追赶得疲惫不堪的人们带来了精神上的满足以及生活上的乐趣。

在茶室里、或在家里接待客人时，日本人总是以“正座”（跪着坐）姿势进行。这种“正座”就是把一种精神上的文化用身体的姿势表现出来。日本人举行传统活动时，常常会看到有很多人头上缠着头巾，胳膊上系着束衣袖的带子，下身系着兜裆布把身体紧缩起来。日本人认为把身体紧缩起来更能迸发出勇气和力量。于是日本的产业界采用了“スモール、イスビウティフル（小型工业好)”的策略，快速大力发展中小型企业。正如现在我们看到的，日本的中小型企业已成为日本工业产业的支柱。

上面提到日本人的凝缩意识也反映到传统艺术中，下面以日本传统戏剧之一的“能”为例，看看日本人的凝缩意识在传统艺术中的表现。

“能”是日本最古老的剧种之一，已有600年的历史，起源于平安时代（794—1192）。当时社会上出现了许多曲艺、杂耍、歌、舞、即兴口技等艺人。这些民间艺术，当时被统称为猿乐。在举行祭祀时，以歌舞的形式进行表演。到了室町时代（1392—1573)，发展成为类似于欧洲的歌剧或芭蕾舞似的音乐歌舞剧，即现在的“能”。但“能”在表演风韵上与欧洲的歌剧、芭蕾舞剧截然不同。

“能”的主角（仕手）演员脸上带着定型化了的“能面”，在由四根立柱支撑屋顶，构造简朴的舞台——“本舞台”上随谣曲缓慢的旋律表演起舞。“能”虽被称之为歌舞戏，但其戏剧性韵味淡薄，演员做派、身段、舞蹈动作保守而缓慢，而且“能面”无表情变化。然而正是那悠慢的一抬手，一投足，毫无表情变化的“能面”体现出日本人那凝缩的内在的深奥的世界。

“能”的表演艺术完全被象征化、凝缩化了。在演技上演员向前迈两步，意为下定决心。向后退一步表示沮丧、气馁。站在原地不动则意味着行进。哭泣时，只需手掌抬起隐目一示，无需出声。高兴时，只需将“能面”微微向上一扬。悲哀痛苦时，只需将“能面”向下低一低。“能”以微小的、凝缩的、文静的表演动作刻画出人的澎湃激荡的、风云变幻的内心世界。

我们谁都见过急速旋转的陀螺的样子。陀螺急转时，看上去它似乎静止不动。“能”正借用了陀螺的动之静的寓意，将各种各样的动加以凝缩，演变而纳入了“能”的缓慢的表演动作中。

日本人学弓道、花道、茶道、武术等各种“道”时，都要从“構え”〔kamae〕（准备）做起。这样所谓的“構え”包含行为动作的姿势和精神上的姿态的准备两个方面。将已完成的动作和将要完成的动作凝缩为一种静止的姿势，又以这每个瞬间的姿势表现出其深奥的内含。可以说，“能面”正是这样“構え”的典型体现。日本人将所有感情变化的姿态凝缩到了“能面”一种表情上来，用这恒常没有变化的表情，配以微小的、文静的瞬间动作挖掘出人的内心世界情感的变化。

又如，日本人学习花道、茶道时，喜欢使用“稽古”〔keikou〕（练习、练功、学习）这个词汇，因为“稽古”所练习的正是上面说到的“構え”——操作上的与心理上的姿势和态度。日本人在日常生活中无论是个人还是集体都要遵守一种“構え”去工作，去生活。这种“構え”包含我们眼睛能够看到的“身体姿势”和看不到的“心理姿势”，即我们所说的人生的生活准则。我认为，日本人心中正因为有了这种“構え”，日本战败后便很快地从战争的废墟中爬起来，并一跃而成为世界经济大国。

“能面”被制作成既可表示喜乐又可表现哀怒的中间型的静止的表情。有人说这样静止的表情就像优秀剑客摆出的剑势一样，静止中潜藏着种种杀机。可随机应变，可千变万化。因此可以说，“能面”是一张表现日本民族深层的内心世界的脸谱。在日本，人与人交往时，总是面带微笑，一次又一次地鞠躬行礼、寒暄，脸上的表情显出无限真诚、谦恭、客气、热情。但当寒暄过后刚一转脸，表情马上会随之一变，变成了和几秒钟前寒暄时面孔截然不同的，让人难以置信的另一张无表情而冷静的脸。

三　日本人凝缩意识中的内外观

日本文化史可以说是学习外来文化的历史。起始由中国、朝鲜学到了汉字、佛教、历法等，明治维新以后又从欧美大量地引进了现代西方科学文化。但由于日本人的"岛国意识"根深蒂固，日本在法律、制度、经济、政治、习惯、文化及心理素质等诸多方面都还存在着与国际社会不协调的因素，排外意识严重。甚至对亚洲不发达国家的人们采取歧视的态度。

日语中有"身内"〔miuci〕（亲属、师兄弟、自家人）、"余所者"〔yosomono〕（外来人、生人）以及"くれる"（……给我、……为我……）、"あげる"（给他人……、为他人……）之类的词汇。这类词汇清楚地勾画出了内与外的分界线。当今的日本人一边喊着要国际化，一边把到日本去的外国人简称为"外人"，甚至给与不理睬的冷遇。但当日本人走出国门参加国际会议时，举止则是含蓄的、微笑的、讲礼仪的。而内心却对外不肯敞开胸怀。在外交中也不站在国际大家庭的立场考虑问题，只将本国的利益放在第一位。石油危机之时，日本一夜之间便改变了以以色列为石油父母的立场，迅速地转向了阿拉伯诸国。越南战争之际，日本人没流一滴血便获得了巨大的经济利益，但对印度支那难民却持极为冷淡的态度。日本自认为是亚洲的宠儿、佼佼者，其科学技术十分先进，已发展成为世界经济大国，并实行了国际化。但实际上它比任何国家都非国际化，并顽固地坚守、维护着内与外的差别意识。战后，日本以对外贸易作为立国之本，大力开展国际性贸易。1993年日本贸易顺差达1219.93亿美元，获得了极大的经济效益，因而在贸易过程中与贸易对象国之间摩擦日益激化。曾经有人说过，世界上如果没有（前）苏联和日本，人们将会生活得很舒适。日本把向发展中国家传授技术称之为“ブーメラン”（飞镖）⑨现象。日本仅为自己一个国家负责，而没有作为国际社会一员的责任感。

诺贝尔和平奖金获得者、修女特雷萨（Teresa）曾说过：“在地球上有两个饥饿地带，一个是非洲，另一个是现在的日本。前者为物质饥饿，后者为精神饥饿。”

80年代后期，随着日本经济实力的不断增长，国际风云的变幻，日本国民中的大国意识抬头，一时“ジャパンイズナンバーワン（日本第一）”，“超大日本国”，“日本的时代到来”等论调此起彼伏，甚至日本的某些保守势力、右翼集团妄图否认日本侵略的史实，想当一个“堂堂正正的大国”，这不能不让我们提高警惕。

韩国的一位具有代表性的文艺批评家、韩国梨花女子大学教授李御宁说：“离开凝缩意识就无从谈论日本文化。”此话也许说得绝对一些，但凝缩意识的的确确鲜明地体现在了他们文化、生活中的各个领域。如我们上面谈到的语言、文学、生活、传统艺能等诸方面都看到了“凝缩意识”的存在。我们虽不能简单地用“凝缩意识”一词概括日本人的民族性格，但以上所述事实足以说明凝缩意识已构成了日本文化中的一个重要要素，而且这一要素已无形地深深地渗透到了每一位日本人的思想意识中，渗透到了日本人的整个日常生活中去了。

注释：

①日本文化厅编：《待遇表現》，大藏省印刷局，昭和五十五年十一月二十五日版，第1—2页。

②彭飞：《外国人を悩ませる・日本人の言語慣習に関する研究》，和泉书院，1991年3月20日版，第4页。

③池田弥三郎编：《日本語の常識大百科》，讲谈社，1982年2月28日版，

第233页。

①同上书，第54—55页。

⑤《标准日本语》初级下，人民教育出版社，1992年4月版，第229页。

⑥滕军：《日本茶道文化概论》，东方出版社，1992年11月版，第1页。

⑦同注⑥。

⑧安土桃山时代（1573—1600）的茶人，千家流派的始祖。

⑨澳洲土人行猎用的曲形硬木飞镖。此种飞镖若未击中目标，即返回投掷者原处。

参考书目：

1. 日本文化厅编：《待遇表現》，昭和五十五年十一月二十五日。

2. 彭飞著：《日本人の言語慣習に関する研究》，和泉书院，1991年3月20日。

3. 池田弥三郎编：《日本語の常識大百科》，讲谈社，1982年2月28日。

4. 新日本制铁株式会社：《日本——その姿と心》，学生社，昭和六十三年五月。

5. 滕军著：《日本茶道文化概論》，东方出版社，1992年11月。

6. 李御宁著：《缩み志向の日本人》，讲谈社。

7. 吉田精一著：《一握の砂》，讲谈社。

日语口译中的“待遇表现”

吴 爱 莲

口译工作者以语言为工具，帮助谈话双方交换信息，沟通感情，起到文化交流的桥梁作用。口头语言不同于笔头语言，特别是日语口头语言和笔头语言从词汇、语法到表达方式差异较大。日语口头语言的特点可归纳如下：

（1）句子短、结构简单；

（2）省略现象较多；

（3）倒装句较多；

（4）指示词用得多；

（5）待遇表现复杂；

（6）终助词、感动助词和感动词用得多；

（7）无含意的反复及应接的接续词用得多；

（8）汉语词汇、难词和古词用得少；

（9）语序混乱、呼应不一致，不完整的句子较多；等等。

其中“待遇表现”最能反映日语口语的特点，也最复杂。例如：“借用一支笔”，用日语口语就可以举出多达17种的表达方法。

比如：

①ペンをお借りしてもよろしいでしょうか

②ペンを貸していただけませんか

③ペンを貸していただきたいんですけど

①ペンをお借りできますか

⑤ペンを貸していただけますか

⑥ペンを貸してくださいませんか
⑦ペンを貸してもらえませんか
⑧ペンを貸してください
⑨ペンを貸してくれませんか
⑩ペンを貸してほしいんだけど
⑪ペンを使っていい
⑫ペンを借りていい
⑬ペンを貸してくれる
⑭ペンを貸してよ
⑮ペンを借りるよ
⑯ペンを貸して
⑰いいですか

关键是要掌握对什么样的人、在什么情况场合下用哪一句为宜的问题。日语的"待遇表现"是日本社会人际关系在语言中的体现。它有敬语表达法、普通表达法、轻蔑表达法、自大的表达法和亲密表达法等。本文仅仅对"待遇表现"中的敬语表达法作些初浅的分析与探讨。

一 待遇表现

"待遇表现"是通过语言来体现人与人之间相互关系的一种语言表达形式。它以说话人、听话人及话题中的人物三者相互间的人际关系为基础，以敬语为中心而展开。日语敬语是"待遇表现"的中心部分，它起源于日本古代上下等级观念严格的阶级社会。从词汇、文体到语法体系均有表示敬意、谦恭、礼貌的完整的语言表达方式。那么，敬语有哪些表达形式呢？若以敬意的性质划分，一般可分为尊敬语、谦逊语和礼貌语（日语称尊敬語、谦让語、丁寧語）三种。

尊敬语是对和谈话对方有关的事物表示敬意的说法，是以抬高对方的人或物来表示敬意的敬语表达形式。用于与身份高的人有关的事物、行为和状态，以表示尊重。例如：

（1）你好吗？/ご機嫌いかがでいらっしやいますか。（对上司、长辈）

（2）老师您读这本书吗？/先生は、この本をお読みになりますか。（对老师）

（3）社长打高尔夫球吗？/社長はゴルフをなさいますか。（对上司）

谦逊语是对与自己有关的事物表示谦恭的说法。以采用低的姿势和态度对自己来相应地提高对方以表示敬意的敬语表达形式。用于对自己及属于自己一方的人的事物、行为和状态，以表示自谦。例如：

（1）我去拜访老师家。/わたしが先生のお宅に伺います。（对老师）

（2）您给我的书我看完了。/頂戴したご本を拝読いたしました。（对上司、长辈）

（3）我来帮你拿行李。/お荷物をお持ちします。（对长辈）

礼貌语既不是对谈话对方表示敬意，又不是对自己表示自谦，仅仅表示礼貌、教养和端庄的敬语表达形式。例如：

（1）你早/おはようございます

（2）我十分清楚。/よく承知しております。

（3）谢谢/ありがとうございます

总之，以上三种敬语表达形式如何具体运用，一般可简单地归纳为：对长辈、上司用表示敬意的尊敬语，对同辈、下级不用敬语，对自己及自己一方的人用表示自谦的谦逊语，在社交活动时用礼貌语。

语言是文化的载体，是文化传递的主要形式。传统文化对该民族、该社会语言特征的形成与发展影响很深。日本传统文化在语言表达中，特别是在待遇表现中的体现尤为突出。日语口语受社会结构上下尊卑、内外亲疏以及场面里的人际关系等制约，在使用语言时常常要根据本身的属性（即社会阶层、地域、年龄、性别、职业等）及与谈话对方的相互关系判断如何待遇，并在日本社会习惯意识允许的范畴内，选择符合身份及场合的语言表达形式。也就是说，要根据当时的人际关系，谈话的时间、地点、场合即T、P、O来随时变换其语言表达形式。要正确使用敬语就要把握好人际关系的问题。

二 纵向的人际关系

日本敬语是把人分成上下尊卑关系的一种语言表达形式。它体现了日本社会上下纵向的社会结构。上下等级观念、长幼意识很强。身份高的人有绝对权威，身份低的人对身份高的人要表示敬意。日本人说话时要考虑到自己的地位、谈话对方的地位以及话题中人物的地位等，以决定自己说话的态度，选择符合其身份的敬语表达形式。例如：

（1）A：明天谁去看望社长。/どなたか、社長のところへお見舞いに行かれますか。

B：我去，课长你也去吗？/わたし、参ります。あのう，課長さんもいらっしやいますか。

汉语的“去”译成日语时，要根据其身份的上下关系分别用“行かれます”“参ります”“いらっしやいます”。

（2）A：明天社长也打高尔夫球吗？/社長もあしたゴルフをなさるでしようか。

B：打的。/ⓐなさるでしよう。（课长回答有关社长的事，用尊敬语）

ⓑしますよ。(社长本人回答用礼貌语)

ⓒやるよ。(社长本人回答不用敬语)

(3) 我们走吧。/ⓐそろそろ行きましよう。(包括自己的行为与对方的行为，用礼貌语)

ⓑそろそろ参りましようか。(包括自己和对方的行为。“参ります”既是尊敬语又是谦逊语)

ⓒそろそろいらっしやいませんか，わたしも参りますから。(对对方的行为用尊敬语，对自己的行为用谦逊语)

(4) 你刚才的发言太好了，受益匪浅。/ⓐ先ほどの発言はすばらしいですね，感心しました。(对同辈、下级)

ⓑ先ほどの発言はすばらしいですね、感銘いたしました。(对长辈、上司)

(5) 你喜欢哪一个？/ⓐどちらがお気に召しましたか。(对顾客、上司、长辈)

ⓑどっちが気に入った。(对同辈、下级)

(6) 谢谢你的帮助。/ⓐ仕事を助けていただいて、大変助かりました。(对同辈，下级)

ⓑ仕事を助けていただいて，お陰で順調に運びました。(对上司、长辈)

以上ⓐⓑⓒ三种日语译语均为根据身份的上下、高低、尊卑贵贱分别使用不同的敬语表达形式，是日本社会上下意识纵向人际关系在语言中的体现。

三 横向的人际关系

日语敬语也是把人分成内外、亲疏关系的一种语言表达形式。它体现了日本社会注意区别内外的横向人际关系。日本人说话时要考虑到说话人与听话人以及话题中人物的内外关系，亲疏感情，以决定自己说话的态度，选择符合其场合的敬语表达形式。例如：

（1）老师来了。/ⓐ先生がお見えになりましたよ。（听话人是生疏的、不熟悉的人）

ⓑ先生がお見えになったよ。（听话人是同事、朋友）

ⓒ先生が来たよ。（听话人是同学、同辈）

（2）明天我父亲要来，你能见见他吗？/ⓐあす，父が参りますが，お会いになってくださいませんか。（听话人是老师，父亲是自己一方的人）

ⓑあす，父が来ますので，会つてくれませんか。（听话人是同事、朋友）

ⓒあす，父が来るので、会ってくれよ。（听话人是同学，学生间的语言）

（3）A：谁来帮我的忙呢？/誰が手伝いに来てくれる。

B：山田去帮你。/ⓐ山田が行くよ。（A、B、山田三人是好朋友、同辈）

ⓑ山田が参ります。（A是B的上司、长辈、外部的人。B和山田是好朋友、同辈）

ⓒ山田さんがいらっしやいます。（山田是B的上司、长辈）

（4）A：请问您不是田中君吗？/もしもし，失礼ですが、田中君ではございませんか。（A和B是同学，很久没见面A怕认错了人用敬语）

B：是啊，你不是铃木君吗？/ああ，铃木君か。（B认出A是学生时代的同学，没用敬语）

A：啊，果然是田中呀，你好吗？/ああ、やつぱり田中だつたか。その后え気かい。（A也认出B是老同学，不再用敬语）

B：很好，你呢？/うん，ありがとう，君はどうだい。

（5）A：这是谁研究的问题？/これは，だれが研究したものですか。

B：这是木村教授研究的问题。/ⓐ：これは、木村教授が研究よれたものです。（木村是地位高、有名望的人用尊敬语）

ⓑこれは、木村君が研究したものです。（木村是下级、晚辈）

ⓒこれは、あなたのおじさまが研究なさったものです。（“おじさま”是听话人一方的人用尊敬语）

ⓓこれは，私の父が研究したものです。（父亲是说话人一方的人不用敬语）

以上ⓐⓑⓒⓓ四种日语译语均为根据说话人、听话人及话题中的人物的内外、亲疏关系分别使用不同的敬语表达形式，是日本社会区别内外的意识和横向人际关系在语言中的体现。在一般的情况下，对第一次见面的人用敬语，但彼此熟悉以后逐渐减少敬语，到关系亲密时不再用敬语。另外，敬语如果用得不当将会使谈话对方感到被疏远、受冷落。

四 场面中的人际关系

日语敬语还是把握场面中人际关系的一种语言表达形式。日本人说话时要在瞬息间判别清楚场面中的人际关系、尊卑、优劣、利害、亲疏以及听话人在场或不在场、外部的人在场或不在场，除了直接听话人在场以外还有无间接听话人在场等，以决定自已说话的态度，选择符合场面的敬语表达形式。例如：

（1）A和B是学生时代的老同学，彼此交谈时不用敬语。但是当B（公司领导、上司）的部下进来后，A在B的部下在场的情况与B交谈要立刻改用尊敬语。

（2）社长现在不在家。/ⓐ社長は今いらっしやいませんが。（在公司内部职员之间说话）

ⓑ社長は今席をはずしておりますが。或“社長は今留守に

しておりますが。”（公司职员在接外公司来的电话时用谦逊语）

ⓒ社長さんは今お出掛けになりましたが。（公司职员在接社长夫人来的电话时用尊敬语）

（3）你要哪一个？/ⓐどちらにいたしますか。（店员在为顾客挑选商品时问顾客用谦逊语）

ⓑどちらになさいますか。（顾客在自己挑选商品时店员问顾客用尊敬语）

（4）社长指示田中……（A 告诉B）

ⓐ社長が田中に……と申しつけました。（A 和田中是公司职员，B 是外公司的人）

ⓑ社長さんが田中に……と申しつけになりまに。（A 和田中是公司职员，B 是社长的母亲。）

ⓒ社長が田中さんに……とお頼みいたしました。（A 和田中是公司职员，B 是田中的父亲）

以上ⓐⓑⓒ三种日语译语均为随着场面人际关系的变化分别使用不同的敬语表达形式，是日本社会场面中的人际关系在语言中的体现。

以上对现代日语待遇表现中的敬语表达形式作了初浅的分析，并举例加以简述。指出日语待遇表现是人际关系与语言的结合。它体现了日本社会结构中上下等级观念和长幼意识所表现的纵向人际关系和内外、亲疏感情所表现的横向人际关系，以及随着场面中人际关系的变化而变换的一种语言表达形式。它们在具体运用时极其复杂。要正确使用敬语的关键是把握好人际关系的问题。日本人说话时常常要根据本身的属性（身份、地域、年龄、性别、职业）及说话人、听话人和话题中人物的相互人际关系，判断如何待遇，并在日本社会习惯意识允许的规范之内选择最恰当的语言表达形式。既要照顾到话题的主人是谁，又要照顾是对谁讲话等方方面面。

汉语也有敬语的表达形式。例如：表示敬意的有：皇上、殿下、阁下、将军、大人、先生等。表示自谦的有：敝人、舍弟、愚妻、拙著等。表示礼貌的常用请。但是，从整体上看汉语的敬语比起日语就简单多了。上述的“借用一支笔”用日语表示就有17种表达形式，用汉语表示可为“请把笔借给我好吗?”“请借我用一下笔。”“借我笔。”又如“魚を食べる”、“魚を召し上がる”、“魚をいただく”、“魚を上がる”、“魚を食う”译成汉语可为“吃鱼”。“帽子を取ってください。”、“帽子を取ってくださいますか。”“帽子を取っってくださいませんか。”、“帽子を取ってくださるとうれしいんですが”、“帽子を取っくださるわけにはまいりませんでしようか”等译成汉语可为“请帮我取一下帽子。”当然也可以用“帮我取一下帽子好吗?”“能否替我取一下帽子”等。

总之，日译汉时相对比较简单，但汉译日时要按日语的“待遇表现”，选择符合身份、时间、地点、场合的最恰当的语言表达形式。中国人不习惯随时判断相互间的人际关系，以决定语言表达形式这种作法。但是，为了促进中日两国文化的交流与合作，我们必须认真学习，并掌握中日两种不同语言的共同点与不同点，逐步适应彼此各不相同的语言思维与语言表达习惯，只有这样才能很好地完成中日两种语言间的口译工作，真正起到文化交流的桥梁作用。

参考书目：

1. 池田弥三郎等编：《日本語の常識大百科》，講談社。
2. 石井澄雄：《美しい日本語で話しましよう》，桜枫社。
3. 藏谷宏：《待遇表現における省略》。
4. 原不二子：《通訳という仕事》。
5. 远藤绍德、武吉次朗：《新編東方中国語講座》第4卷。
6. 井出祥子：“日本人のケチ・ソト認知とわきまえの言語使用”。

7. 日本文化厅：《敬語》"ことばシリーズや1"。
8. 日本文化厅：《待遇表現》。

非语言行为的中日比较

刘 桂 敏

人类的感情传达行为基本上是由两部分组成：一是语言行为，二是伴随着语言行为的表情、手势、动作，即所谓的非语言行为。也就是说，传达行为是在语言行为与非语言行为互为弥补的基础上形成的。人们通过语言行为，和表情、手势、动作等一些非语言行为进行交流，并以此了解彼此之间的意志所向，精神追求和心理状态。在非语言行为里，既有人的有意识的行为，又包括了人的无意识的行为，这主要是取决于个人所属的那个社会的风俗习惯及文化意识。比如有这样一个谈话场面：有两个人正在说着话，突然其中一个人用食指指着对方的鼻子。从远处看到这个场面的中国人和日本人会有什么反映呢？中国人由此可以判断出这两个人不知为什么发生了口角，那个用食指指着对方鼻子的人是生气了，因而用食指指着对方的鼻子表示批评或指责对方。在日本的社会里没有用食指指着对方的鼻子表示生气、批评对方的非语言行为，因此日本人很难理解它所传达的意义是什么。社会以及文化的不同，使人们对一些非语言行为的理解当然也就不同。本文的目的是以中日两国一些非语言行为表现为对象，比较一下两国在非语言行为表现中的差异。具体的做法是选择日语常用非语言行为的几个实例，从语言的侧面进行比较。本文列举的日语非语言行为的例句中除了具体的手势、动作、表情外，还包括一部分用于身体部位的比喻表现。

1. 肩を落す

日本人把“肩を落す”这一非语言行为理解为是暗然失色、失意、失望。比如：

(1) 彼はがっくりと肩を落した。

(译文：他一下子失望了。)

(2) その電車にお時と佐山が乗っていたという確証を重太郎はつかめずに，彼は肩を落して博多にもどった。

(译文：对于佐山与时子是否乘了那班电车，重太郎没有得到确凿的证据，便失望地回到了博多。)

中国语里没有“肩を落す”这一非语言行为，为了表达“肩を落す”的含义，中国语不是用“肩”而是用“頭”，不是说“肩を落す”，而是说“頭を低くする”，例如：

(1) ……他们都垂头丧气，因为没有找到韩志云。

(2) 几个日本俘虏光着头，赤着脚，……个个蹲在那里，耷拉着脑袋不言语。

(3) 一边说着，耷拉着头，灰溜溜地，从孙富贵的院子里一拐一拐地走出去了。

一般来说，不仅语言行为，即使是非语言行为也能影响人们对社会的认识，以及人们的认识方式。比如，当你看到某人处于失意或失望的状态时，日本人眼中的情景就是“肩を落す”。而反映到中国人眼里的情景则是“頭を低くする”。显然，在表示失意、失望这一精神状态时，中日两国的视点是大不相同的。

2. 首をかしげる

日本人对这一非语言行为的理解是怀疑、奇怪。比如：

(1) タクシーを拾い，行き先をつげると，果して，庭野は，首をかしげた。

(译文：当叫了出租汽车，告诉司机去向时，果然，庭野表示很惊异。)

(2) 庭野は，首をかしげながらついて来る。

（译文：庭野莫名奇妙地跟在后面。）

(3)“そうですか?”小池祥一は，首をかしげながら，車をスタートきせた。

（译文：“是吗?”小池祥一一侧着头，发动了汽车。）

中国语对日语的“首をかしげる”这一非语言行为的理解有两层含义，一是表示说话人的心理状态，这种场合往往抽象地表示“惊异”或“莫名奇妙”，等等。如例文（1）（2）。另一种理解比较具体，是伴随着具体动作的。如“侧头”、“歪着头”等。例文（3）就是如此。可见，对于日语中的“首をかしげる”这一非语言行为，中国语则理解为“頭をかたむける”。也就是说日语的“首”中国语用“头（脑袋）”来表示。如果将日语的“首をかしげる”用中国语表示的话，一般说成“歪着脖子”。在中国人看来，歪着脖子是表示愤怒、不平、不满时的一种非语言行为。如：

玉宝站在炕前，听保长又骂他爹，气得歪着小脖子，眼横着保长。

观察上述比较，我们便可以看出，对于日语“首をかしげる”这一非语言行为中的语言符号“首”的理解，中日两国不一样，日本人理解为“头”，而中国人理解为“脖子”。如前所述歪着头和歪着脖子其含义是不尽相同的。

3. 首を横に振る

日本人对“首を横に振る”这一非语言行为的理解，是对某事物或某状态表示不同意或否定的态度。如：

(1) 彼が一生懸命に首を横に振り，いやな顔をしている。

（译文：他一个劲地摇着头，满不高兴的样子。）

(2)“いや，何でもない”と晋吉は不機嫌に首を横にふって見せた。

（译文：“没什么。”晋吉慌忙摇了摇头。）

中国语里对某事物、某状态表示否定或不同意，不赞成时也是常以"摇头"这一非语言行为来表示，如：

(1) 她不说话，只是摇头不肯接受。

(2) "懂了吗"，孩子们晃着头，无奈我只好又讲了一遍。

以"摇头"这种非语言行为表示不同意，不赞成这一点，中国语和日本语还是相同的。只不过在用语言符号表示时，日语是用"首"，中国语是用"头"。不过，中国语中有时"首"也当"头"讲。如："回首往事"，"首肯"等。这种表现听起来颇有文章用语或文学味道。

与"首を横に振る"相反，日语里还有"首を縦に振る"这一非语言行为表现。这一非语言行为是表示对某事物、某状态表示同意或赞成的意思。如：

これが一年前だったら，自分もこういう父の気持をくんで，案外あっさり首をたてにふったかもしれませんと悦子は思った。

(译文：悦子心里想，要是在一年以前对这门婚事自己也许服从父亲的意思，马虎将就，点头应允了。)

在对某事物、对某状态表示同意、肯定的态度时，中国语与日本语也有共同之处，这就是以"点头"示意，如：

(1) 他说得头头是道，大家听了直点头。

(2) 工人们热烈地鼓掌，并点头向他致意。

日语里用"首—"构成的非语言行为除上述几例之外，还有"首をひねる"、"首を出す"、"首を切る"等语句。其中"首をひねる"属于非语言行为，而"首を出す"、"首を切る"可以认为是语言行为，这并不是本文所要叙述的范围，但我们在这里所要指出的是，即使这种情况下的"首"，中国语的理解也是"头"，如：

(1) 窓から首を出してはいけません。

(译文：不要把头伸出窗外。)

(2) 首を切る

（译文：砍头）

4. 目を伏せる

日语“目を伏せる”这个非语言行为是表示“眼睛向下瞧”的意思，用来表示悲伤的情形。如：

（1）……母は悲しげに目を伏せて，太田が幼いころ病気で死んだのだと言った。

（译文：母亲悲伤地低下头说，还是在太田很小的时候父亲就病死了。）

（2）寧子は哀しげに眼（まなこ）を伏せたが，相子は勝ち誇るように笑った。

（译文：宁子悲哀地垂下眼帘，而相子却得意地露出了胜利的笑容。）

对于“目を伏せる”这一非语言行为，在中国语中只是单纯地表示一个动作，中国语的习惯是用“低下头”或“垂下头”等行为表示悲哀、悲伤的心情。如：

（1）母亲流着眼泪，道静也低下头。

（2）站在父亲的墓前垂头默哀。

中国语中的“低下头”是一个多义的非语言行为，当它用来表示“悲伤”的含义时往往伴随着含有悲伤之意的修饰成分，比如例文中的“母亲流着眼泪”，“在……墓前垂头默哀”等就是如此。不过应该指出的是日语的“目を伏せる”这一非语言行为表现实际上是伴随着低下头这个动作的。因此正如中国语对“目を伏せる”所理解的那样，单纯的垂下眼帘严格来说并不能完全正确地传达悲伤或悲哀这种心理状态。

5. 目の玉が飛び出る

日语“目の玉が飛び出る”这一非语言行为是用来形容代价极高的场合（或事物），是一种比喻表现，如

（1）“……なにしろ，何千万円の収入になりますと，税金も

目の玉が飛び出るほど高くなりますからね……”

（译文：如果收入到几千万，那被征的税金会高得吓人。）

（2）焼き場だって葬儀屋だって請求書を見たとき不慣れな昭子は，目の玉が飛び出るかと思った。

（译文：我想，没有经验的昭子无论是看见火葬场的发票还是看见殡仪馆的发票都会吓得目瞪口呆。）

日语是用“目の玉が飛び出る”这一非语言行为来形象地比喻因代价太高而吃惊和吃惊时的那种样子。日语“目の玉が飛び出る”实际上是相当于“驚く、びっくりする”。中国语将“目が飛び出る”理解成“眼睛突出来了”。事实上这是不可能的，它只是很生动、形象地比喻吃惊或害怕的样子。这一点中日两国语有共同之外。另一共同之处就是在表示吃惊、害怕的样子时，中日两国语都用“眼”或“目”表示，也就是说视点是相同的。但是还应该指出的是，中国语的眼睛突出来了还含有生气的含义。一般情况下谁的眼睛能突出来呢，只有表示相当生气时才使用这个非语言行为。如我们常说“气得眼睛鼓出来了”等。

6. 目をつぶる

日语“目をつぶる”是一个用法较多的非语言行为。往往用来表示“忍耐”、“坚持”的意思。有意思的是中国语对这一非语言行为的理解是把视点放在“牙”上，日语是把视点放在“眼”上，如：

（1）こういうことがあるから，高いのに目をつぶって乾燥機を買ってあったのだ。

（译文：因此，尽管烘干机很昂贵，还是咬牙把它买了下来。）

日语对这一非语言行为表现还理解成是“佯装闭上眼睛”，如：

（2）今回は目をつぶってください。

（译文：这一次请你装做没看见吧。）

中国语虽然对“目をつぶる”这一非语言行为也理解为是闭上眼睛，然而中国语则含有吃惊的意思。如“吓得闭上眼”，“闭上眼睛不敢再看”等。

7. 顔をふせる

“顔をふせる”是伏面的意思，表示抱歉，对不起等内疚的心理。如：

宗三は，申し訳なさそうに顔を伏せた。

（译文：宗三低下头，好像是觉得很抱歉似的。）

中国语里也有类似“顔をふせる”这种说法，但不是用“顔”而是用“面”，即伏面，也是用来表示抱歉、内疚的非语言行为。

8. 顔がふくらむ

日语的“顔がふくらむ”这个非语言行为是用来表示生气、发怒的。如：

一言も答えられぬままに，組長の顔がふくらんでいく。

（译文：队长哑口无言，气得噘起了嘴。）

“顔がふくらむ”，日语是表示发怒、生气时脸就变形的非语言行为。中国语对这一非语言行为如果照字面的理解的话则是脸鼓起来，脸胀起来了。事实上正常情况下人们的脸不会鼓起来，也不可能胀起来。可想而知，因发怒、生气脸的样子很难看，中国语的非语言行为表现也是可以想象得到的。然而中国语的视点并不是在脸上，而是以嘴表示，如例中的“气得噘起嘴来”。

9. 顔をしかめる

日语这一非语言行为一般用来表示讨厌、厌恶什么时的心情、状态。如：

ああ，あの人なら，まえにも，二三度見かけたことがありますよ”小坂トミは顔をしかめて言った。

（译文：“噢，要说那个人，我已见过二三次了。”小坂富皱着眉答道。)

中国语里并没有"顔をしかめる"这样的非语言行为表现，因为很难想象脸怎么能皱起来呢？同样的意思中国语的这个非语言行为表现不是用"颜"而是用"眉"，如例中说的"皱着眉答道。"

从以上几例我们可以观察到在以"顔—"构成的非语言行为表现里，中国语里的非语言行为表现往往是用"头"、"嘴"、"眉"。除了"颜"的形象之外，以"颜色"构成非语言行为表现的用例也不少。人的感情色彩往往通过脸色的变化表现出来，这一点中国语里也常见。日语的习惯是用"赤"和"青蒼"两种颜色来表示。"赤"表示以下几种感情（1）生气，（2）高兴，（3）害羞，（4）吃惊。"青蒼"表示以下几种感情（1）发怒，（2）恐怖，（3）害怕。如：

（1）大佐は自分の席に戻ってめぐらをかき，真赤っになて憤っていた。

（译文：大佐回到自己的席位上，盘腿坐着，气得他涨红了脸。）

（2）僕の視線に気づいた彼女は，びっくりして顔が赤らんだ。

（译文：碰到我的视线她惊得红了脸。）

（3）私はひどく腹がたて，自分の顔が青くなるのが判った。

（译文：我很生气，感觉到脸都白了。）

中国语与日语相对应的是"赤"用"红"表示，"青"则用"苍白、铁青、青白、白"等来表示。在强调强度、程度之甚时，则分别说成"通红"、"煞白"、"灰白"等。如：

（1）小康一听，高兴得脸都涨红了。

（2）他还是左教右教背不出来，老师急得满脸通红。

（3）小珍低着头，小脸儿羞得通红，像一朵初开的玫瑰花。

可见，中国语里用"红"、"通红"、"涨红"等语言符号也是来表示“生气”、“高兴”、“害羞”等场合。另外，中国语用“苍白”、“铁青”、“青白”的脸色来表示生气、吃惊、悲愤等感情色彩，如：

(1) 她的面色苍白，眼里含满了泪。

(2) “他娘的！”温祝恒气得脸色发青。

(3) 瞌睡虫一听这话，可吓了一大跳，脸色刷地变得铁青。

除了上述两种表示感情色彩的脸色之外，中国语里还用“白”，“煞白”来表示生气、吃惊、恐怖、悲愤的感情色彩，如：

(1) ……吓得脸像窗户纸似地煞白。……

(2) ……拂拂身上的纸屑，气得脸色煞白，半晌才说，……

(3) 我害怕得浑身都麻了，再看看阿爹，也一样，脸都白了。

(4) 忽然他脸色发白，双唇抽搐，把头埋在桌子上猛地抽泣起来。

在表示生气、吃惊、恐怖时，中国语里还常用“死灰”、“灰白”来表示，如：

(1) 吓得那家伙一脸死灰色。

(2) 韩志放眼一望，黑鸦鸦一堆人，望不到边，他的心房蹦跳着，脸像窗户纸一样地灰白。

另外在中国语里像“腊黄”，“焦黄”有时也用来表示吃惊、恐怖的感情色彩，如：

(1) 气得他面孔发黄。

(2) 小香一听，吓得脸色发黄，心一慌，咚地倒在地上。

“绿”，在日语里只表示树叶是绿色的，在中国语里有时也表示脸色，以比喻气愤时的感情色彩，如：

天赐的脸都气绿了。

这在日语里实际上是指“青ざめた”的脸色。日语里还有“真っ青な色”，日语原意是深蓝色的意思，中国语就是指黑色。如：

“悦子，おまえ！”卓藏も真っ青にたていた。こめかみの血管がぴくぴくとふるえて，掌が振るうように動いた。

（译文："悦子，你！"卓藏脸色发黑，太阳穴的血管跳动着，拳头挥舞着。）

紫色也是中国语中常用来表示生气时的感情色彩，大概是由于过于地脸红而变成紫色了的原因吧，如：

"你，你！……"少校营长气得脸发紫。

可见，用脸色来表示人们的感情时，日语远不如中国语那么丰富多彩。

总之，非语言行为表现种类和形式很多，本文仅就身体部位的活动（表情、动作、手势、姿势）简单地进行了中日比较。人类通过其他非语言行为表现来表示各种心理状态，感情色彩的方式还有很多，如拉手、抚摸头、接吻、拥抱——即身体的接触，还有个子的高低，脸部的肌肉，头发的颜色、长短以及服装、眼镜、化装——即外部特征等非语言行为都可以用语言符号表达出来。

事实证明，在人们的日常生活中及交往中，非语言行为表现起着非常重要的作用。对这方面的研究是不可忽视的。

参考书目：

1. 奥田寛《日本語・中国語対応表現用例Ⅶ》。
2. 大河内康憲《中国語的色彩語》。

后记

本书是南开大学日本研究中心日本文化研究会（1995.6—1997.3）的共同研究课题“中日文化比较研究”的最终成果。

南开大学日本研究中心日本文化研究会的成员包括南开大学历史研究所、外文系、哲学系等单位的教师与部分博士、硕士研究生。研究会以开阔视野、交流信息、提高研究水平为宗旨，以月例讨论会、集中讲义、学术报告等形式开展活动，同时，将“中日文化比较研究”作为共同研究课题。本书就是研究会成员围绕本研究课题撰写的论文，愿就教于同行专家与读者。

在本研究会的活动与课题的写作过程中，研究会所有成员鼎力相助。同时承蒙兄弟院校的大力支持，北京大学比较文学与比较文化研究所严绍璗教授、刘建辉副教授，天津师范大学中文系王晓平教授，大连外国语大学日语系胡孟圣教授，天津音乐学院音乐学系徐元勇讲师等曾经莅临南开大学日本研究中心做学术报告，或指导日本文化研究会的活动，并为本书赐稿。在此谨致衷心的谢意！

编　者

1997 年 7 月 12 日